1000 jeux
pour vos
enfants

1000 jeux

pour vos

enfants

Illustré par
Philippe PROU

Sélection
du Reader's Digest

PARIS • BRUXELLES • MONTRÉAL • ZURICH

1000 Jeux pour vos enfants est une réalisation de Sélection du Reader's Digest.

Édition abrégée et remise en forme de *1000 Jeux pour tous*, publié en 1978
par Sélection du Reader's Digest

POUR LA PRÉSENTE ÉDITION
Réalisation : Little Big Man
Édition : Marie-Hélène Albertini
Rédaction : Céline Pescatore
Consultants : Sophie Lahrer et Georges Goujon
Conception graphique : Anne Terrin
Mise en pages : Élodie Marty

SOUS LA DIRECTION DE L'ÉQUIPE ÉDITORIALE DE SÉLECTION DU READER'S DIGEST
Direction éditoriale : Gérard Chenuet
Responsable de l'ouvrage : Philippe Leclerc
Lecture-correction : Béatrice Argentier

Couverture : Patrick Perrin
Suivi technique : Olpan

DEUXIÈME ÉDITION

Pour nous communiquer vos suggestions ou remarques
sur ce livre, utilisez notre adresse e-mail :
editolivre@readersdigest.tm.fr

ISBN : 2-7098-1603-2

Achevé d'imprimer : avril 2005
Dépôt légal en France : mai 2005
Dépôt légal en Belgique : D-1999-0621-36

Imprimé en France
Printed in France

Sommaire

Introduction

Avertissement aux parents

L e jeu est, pour les enfants, une activité primordiale. Il occupe une place importante dans leur vie et est donc à prendre au sérieux.

Cependant, le week-end ou en vacances, il n'est pas toujours facile de trouver comment distraire ces chers petits et les idées viennent rapidement à manquer. Ce livre a pour objectif de donner aux parents des solutions, qui leur rappelleront sûrement de bons souvenirs et leur permettront de proposer à leurs enfants des jeux avec des explications simples et précises.

Sans prétendre aucunement être une encyclopédie, cet ouvrage tente de regrouper un vaste choix de jeux et de passe-temps distrayants pour des enfants âgés de 6 à 12 ans. Pour plus de facilité, nous avons choisi de séparer les jeux en deux catégories principales : plein air et intérieur. Il est en effet plus pratique pour des parents ou animateurs ayant des enfants à divertir de commencer par un classement simple. Pour débuter, il faut décider si l'on joue à l'extérieur (à condition d'avoir un terrain suffisamment grand) ou dans la maison. Par la suite, il suffira de vérifier si l'on possède ou non le matériel demandé.

Pour chaque jeu, on trouvera donc le nombre de joueurs nécessaires, le matériel requis et les explications utiles à la bonne compréhension du jeu.

Bien entendu, bien que nous ayons essayé de prendre en compte une très grande variété de jeux, ce livre ne saurait être exhaustif. Il est aussi possible que l'on connaisse un jeu décrit sous un nom différent de celui qui est donné ou qu'il existe quelques différences au niveau de la règle du jeu. Nous avons choisi les plus courants.

Nous avons délibérément limité l'âge des joueurs à 6-12 ans. Plus âgé, l'adolescent ne joue plus vraiment avec ses amis ; il préfère les discussions ou les sorties, comme le cinéma. Quand il lui arrive malgré tout de jouer, il n'aime pas recevoir de directives de l'adulte et privilégie les jeux de société. Avant 6 ans, en revanche, l'enfant ne va pas spontanément vers ses camarades, il a plutôt tendance à jouer en solitaire ou alors il a besoin de l'adulte.

Le jeu chez l'enfant de moins de 5 ans

Le jeu constitue l'un des meilleurs modes de développement de la personnalité de l'enfant. Pour le jeune enfant, jouer est une activité naturelle, aussi importante que se développer, apprendre ou communiquer, mais avec, en plus, la dimension spécifique du plaisir.

L'enfant de moins de 5 ans passe le plus clair de son temps à jouer. C'est une activité nécessaire à son développement : ne dit-on pas d'un enfant qui ne joue pas qu'il est malade ? Le jeu permet à l'enfant de tester et d'explorer des comportements. C'est un moyen d'expression, tout comme le langage ou le dessin.

En jouant, l'enfant se développe, il maîtrise son corps et le monde environnant. Il s'exerce à monter un escalier, à marcher sur une margelle de trottoir. Par la suite, il pratiquera des actions motrices plus complexes, comme sauter à la corde ou jouer à la marelle. Par le jeu, l'enfant apprend en outre les propriétés physiques des objets qu'il manipule lors des activités de transvasement par exemple, ainsi que les propriétés spatiales et mécaniques des jouets.

Le jeu aide aussi l'enfant à développer son vocabulaire, par des jeux de mots, et à explorer de nouvelles idées. Il permet également de résoudre des conflits émotionnels, de maîtriser sa peur et ses sentiments. Lorsqu'il joue, l'enfant imite les adultes et s'identifie à eux.

Le jeu offre enfin à l'enfant la possibilité de se socialiser en lui permettant de se confronter aux enfants de son âge à travers des activités de coopération et d'apprentissage de règles.

Au départ, le jeune enfant joue seul ; il se parle à lui-même, s'adresse à ses amis imaginaires, à ses jouets (poupées, peluches, etc.). Il est seul au centre de son jeu. Puis il rejoint d'autres enfants, d'abord occasionnellement ; ils paraissent jouer ensemble mais, en réalité, ils jouent simultanément seuls. De plus en plus souvent, l'enfant ira vers les autres pour se livrer à des jeux en commun. Il commencera à s'intéresser à des jeux que rythment chansons ou comptines.

Enfin, l'enfant de 4-5 ans apprécie énormément les jeux actifs comme les poursuites (par exemple, La chasse aux ombres) ou Jacques a dit ; les jeux d'imitation, au cours desquels il invente des scènes : la maîtresse et l'école, le papa et la maman, la maman et le bébé (avec une poupée), etc. Il aime également les puzzles, les jeux d'empilement, le Memory, les jeux de loto ou de domino.

Mais le jeu doit avant tout rester synonyme de plaisir. Il ne faut surtout pas oublier que jouer ne se commande pas. De même, ce n'est pas parce que l'enfant possède de beaux jouets qu'il jouera avec ; parfois, une simple boîte en carton lui fera bien plus plaisir. En effet, ne représentant rien de particulier, elle permettra à l'enfant d'inventer son jouet et le rôle qu'il veut lui faire tenir. Par exemple, un simple bâton se transforme en un tour de main (et d'imagination) en un pistolet, un avion ou une baguette magique.

Aujourd'hui, on valorise beaucoup le jouet éducatif afin de déclencher l'achat des parents. Il est plus agréable d'apprendre en s'amusant. Malgré tout, les enfants sont rapidement conscients du rôle que l'on veut donner à leur jouet et il ne faut pas arriver à l'extrémité de les faire jouer uniquement pour apprendre.

L'organisation d'une fête

O n a tendance à croire que les fêtes les plus réussies sont celles qui s'improvisent au dernier moment et se déroulent sans préparation particulière. Pourtant une fête, et plus particulièrement une fête avec des enfants, ne s'improvise pas. Plusieurs étapes sont à respecter avant celle-ci : dans un premier temps, il faut choisir la date de la fête et dresser la liste des invités ; il faut ensuite décider du type de fête que l'on veut organiser (anniversaire, bal costumé) et choisir le thème et la décoration, sans oublier d'envoyer les invitations. Il est également important de confectionner de petits cadeaux surprises pour les invités (ou à défaut de les acheter).

À quelques jours de la fête (huit à dix jours), il faut également penser à faire le point sur les réponses aux invitations afin d'avoir une idée du nombre de personnes présentes ce jour-là et éventuellement relancer les parents des enfants qui n'ont pas encore répondu.

Les invitations

E n accord avec l'enfant, il faut choisir le nombre d'invités (ni trop peu, ni trop). Il est important de constituer un groupe relativement homogène pour éviter les mises à l'écart.

Pour des enfants de 6 ans et moins, le bon nombre d'invités serait d'une dizaine pour une fête qui n'excédera pas deux heures à deux heures et demie.

Avec des enfants de 10 à 12 ans, on peut inviter jusqu'à quinze personnes (si l'on possède un jardin, c'est préférable). La fête pourra durer jusqu'à trois heures.

Avec des enfants plus âgés, le nombre d'invités devient plus important (une vingtaine) et la fête peut commencer plus tard dans l'après-midi pour se prolonger jusqu'en début de soirée (par exemple entre 15 et 19 heures).

Si l'on décide d'un thème particulier pour la fête, on peut essayer de réaliser des invitations illustrant le thème choisi.

La décoration

M ême si l'on n'a pas décidé d'une fête à thème, on peut malgré tout préparer quelques décorations simples. Il suffit d'une poignée de ballons gonflables et de guirlandes pour changer l'aspect d'une pièce et la rendre très attrayante.

Si l'on choisit d'organiser une fête à l'extérieur, il faut penser que le temps peut se dégrader. Il s'agit donc de prévoir une solution de rechange et des jeux d'intérieur. Il faut également s'assurer qu'il ne reste pas d'outils de jardinage qui pourraient être dangereux pour les enfants.

Cadeaux

A vec les plus jeunes (jusqu'à 6-7 ans), il est important que l'enfant qui participe aux jeux reçoive un petit cadeau, quelle que soit sa réussite. Sinon, il sera déçu et n'aura plus le cœur à la fête. Ce n'est pas tant l'objet en soi qui compte que la surprise elle-même.

Plus simplement, on peut prévoir d'offrir à chacun des invités un petit cadeau que l'on donnera au moment du repas.

Les thèmes

S i l'on décide d'organiser une fête à thème, voici quelques idées parmi les plus prisées :

– On peut tout simplement demander aux invités de venir déguisés sans prévoir un thème particulier.

– Un des sujets très en vogue à l'heure actuelle chez les enfants est Halloween, qui se fête à la fin du mois d'octobre. Il faut prévoir des citrouilles ou des oranges à sculpter. On peut aussi préparer des chauves-souris en papier. Le déguisement le plus adéquat est celui de la sorcière.

– Un autre thème toujours apprécié par les invités est celui des cow-boys et des Indiens.

– Le monde du cirque, avec le clown, est également très coté chez les plus jeunes.

– Un autre grand succès est le mythe du prince et de la princesse.

– Les pirates et la chasse au trésor sont toujours autant appréciés par les enfants.

Il peut être judicieux de prévoir à portée de main une boîte de maquillage et quelques accessoires (chapeaux, robes, masques, foulards, perruques, etc.) pour les enfants qui n'auraient pas voulu ou pas osé se déguiser et qui le regrette-raient par la suite !

Nourriture et boisson

A vec les plus petits, il vaut mieux prévoir un repas ou un goûter à table afin que ceux-ci soient plus à leur aise pour manger sans risque de renverser verres ou assiettes. Avec les plus grands, on peut penser à un buffet, mais il est préférable de laisser quelques chaises à proximité. Pour plus de facilité – et sur-tout pour gagner du temps lors du rangement –, il est peut-être plus simple d'uti-liser des assiettes et des couverts jetables ainsi que des serviettes en papier.

On peut choisir de confectionner un seul gros gâteau d'anniversaire ou plu-sieurs petits afin de proposer une certaine diversité aux invités. Dans les deux cas, il vaut mieux servir de petites parts aux enfants, quitte à ce qu'ils se resservent, même si, le plus souvent, ils sont tellement excités par l'événement et les jeux qu'ils n'ont pas très faim. L'important est surtout l'aspect du gâteau, avec bou-gies, chansons et lumière éteinte lors de son arrivée sur la table.

On peut aussi disposer sur les tables quelques bonbons et sucreries. Eau et jus de fruits sont les boissons à privilégier, en particulier chez les plus jeunes. Avec les plus grands, les boissons gazeuses seront très prisées mais on peut également proposer des cocktails de fruits.

Le meneur de jeu

L e meneur de jeu est là pour permettre à la fête de se dérouler dans une bonne ambiance et de façon vivante et spontanée.

C'est à lui de briser la glace entre les invités et de donner le ton afin que tout le monde puisse s'amuser. Tout cela ne s'improvise pas et demande un peu de préparation.

Si le meneur de jeu n'est pas la personne qui a lancé les invitations, il doit d'abord se renseigner sur l'âge des joueurs et sur l'endroit où doit avoir lieu la fête. Cela lui permettra de faire un premier choix de jeux (lorsqu'un jardin est à disposition, les jeux proposés ne seront pas les mêmes que ceux que l'on fait quand les enfants sont à l'intérieur).

Le premier critère, et le plus important dans le choix des jeux, reste celui de l'âge des participants à la fête. En effet, on ne joue pas de la même façon lorsque l'on a 6 ans et lorsque l'on en a 12.

– Entre 6 et 9 ans, il faut choisir des jeux actifs, avec des règles simples. On proposera donc des jeux de poursuite, de ballons, de relais, des concours ou des devinettes. La période d'attention reste courte chez des enfants de cet âge, les explications doivent donc être simples et rapides.

– Entre 10 et 12 ans, les jeux seront plus complexes. La logique et la connaissance seront plus développées.

– Avec des enfants plus âgés, il faut surtout ne pas choisir des jeux trop enfantins. Le meneur de jeu sera moins là pour diriger que pour aider les jeunes à choisir les jeux et donner des explications. Il donnera également le signal de début et de fin de jeu et veillera au respect des règles. Dès que le jeu débutera, il se mettra à l'écart et laissera les joueurs se débrouiller seuls.

Par moment, le rôle du meneur de jeu se limitera à donner le signal de la fin de la partie, quand il remarquera que l'intérêt pour le jeu baisse. L'expérience prouve que la meilleure façon de mettre fin à un jeu est d'en suggérer un autre.

Lorsque la liste des jeux à mettre en place sera prête, le meneur vérifiera qu'il les connaît bien afin de les expliquer au mieux pour que tout le monde comprenne et pour ne pas être pris en défaut par un enfant qui les connaîtrait mieux que lui.

Le deuxième critère important pour le choix des jeux est de savoir varier les styles.

Tout au début, le meneur doit détendre l'atmosphère et mettre les gens à l'aise. Il lui faut donc choisir des jeux pour réchauffer l'ambiance.

En début de fête, les enfants sont timides et réservés ; il s'agit donc de les détendre. Le meneur proposera des jeux qui bougent, où l'on crie et où l'on rit. Cela pourra être par exemple Pigeon vole, Le chat baissé, Les quatre coins ou La chandelle.

Tout au long de la fête, le meneur veillera à varier les jeux. Il alternera des jeux d'intérieur comme Les chaises musicales, Chaud, froid ou Le jeu de l'âne, avec des jeux de plein air comme Un, deux, trois, soleil, La balle au prisonnier ou Le chamboule-tout.

Il faut également penser à alterner des jeux de groupe où les enfants vont un par un (par exemple, La course en sac), deux par deux (La course à la brouette), ou même trois par trois (La course face à dos) avec des jeux individuels (Les quilles ou Le jeu de l'oie).

Au bout d'un certain temps, en particulier durant les jeux en équipes qui attisent le goût de la compétition, il peut arriver que les enfants soient très (et même trop) excités. Pour faire retomber cette excitation, on peut organiser des jeux qui calment les esprits et présentent l'avantage de ne pas nécessiter de matériel. Il s'agit de jeux qui demandent surtout de l'attention, de la mémoire et de la créativité. On pensera surtout à des jeux de mots comme Le marché de Padi-Pado ou Le baccalauréat. Le jeu de Kim ou La momie seront particulièrement indiqués.

Pour certains jeux, il est nécessaire de désigner celui qui commence ou qui va se trouver dans une situation particulière (être le chat par exemple). Pour éviter les disputes ou les discussions, il est plus facile de faire un tirage au sort : à la courte paille, avec des dés ou avec des comptines telles que *Am-Stram-Gram*, *Greli, Grelot* ou *Pouf ! une oie*.

Les enfants ne possèdent pas tous les mêmes qualités ni les mêmes aptitudes ; le meneur de jeu doit donc veiller à ce que cela ne soit pas toujours le même qui gagne à tous les jeux. Il doit évaluer les capacités des joueurs et varier le plus possible les jeux de façon à permettre à chaque enfant de briller au moins une fois au cours de la fête.

Le meneur de jeu doit également tenir compte du caractère de chacun des enfants présents, savoir gérer le mauvais perdant comme le tricheur. Par exemple, il évitera de faire savoir au tricheur qu'il l'a repéré devant tout le monde mais le prendra à part et lui fera quelques remarques. Il faut absolument éviter de mettre l'enfant mal à l'aise ou de l'humilier devant ses camarades car il risque par la suite d'être mis à l'écart pour le reste des jeux.

Tout au long de l'après-midi, le meneur veillera à augmenter la difficulté des jeux. Pour le début de la fête, alors que tout le monde n'est pas encore arrivé, il choisira des jeux plutôt simples, compréhensibles même si l'enfant arrive en cours de partie. Puis, au fur et à mesure de l'après-midi, quand tous les enfants seront présents, il pourra instaurer des jeux plus complexes qui demandent plus de stratégie et qui se jouent en équipes.

Un meneur de jeu doit posséder deux qualités principales :

– un tempérament chaleureux ;

– la connaissance et la maîtrise de nombreux jeux.

Par ailleurs, il faut qu'il possède une certaine autorité naturelle ainsi que de l'enthousiasme et un grand sens de l'organisation. Il doit enfin s'exprimer avec facilité et savoir doser commandement et laisser-faire.

Mais, surtout, un bon meneur de jeu doit avant tout aimer jouer...

Les jeux de société en plateau

Les jeux de plateau, jeux où des pions situés sur un plateau se déplacent suivant les indications données le plus souvent par le hasard du jet de un ou de plusieurs dés, n'ont pas été intégrés dans notre ouvrage, à quelques exceptions près, comme Les petits chevaux, Le jeu de l'oie ou Le pendu. En effet, la règle de ce type de jeu se trouve à l'intérieur de la boîte. En outre, il semblait difficile de faire un choix parmi tous ceux qui existent sur le marché (lesquels choisir parmi les plus joués, les plus vendus ou les plus connus du public ?), sachant par ailleurs que chaque année, au moment de Noël, de plus en plus de nouveautés apparaissent.

Néanmoins, il est possible de distinguer de grandes familles de jeux de société. Il en existe six catégories.

1. Les jeux de course

Parmi les plus célèbres jeux de course figurent Le jeu de l'oie et Les petits chevaux.

Ceux-ci s'adressent plus particulièrement aux jeunes enfants. Pour les joueurs, l'objectif est de parvenir le premier à un but commun. La chance joue un rôle essentiel ainsi que quelques cases spécifiques (bonifications ou pénalités).

Le plus souvent, il s'agit d'un jeu constitué d'un plateau et de pions qui avancent selon un lancer de dés.

2. Les jeux de parcours

Les plus connus des enfants sont Le 1 000 bornes ou Le uno. Ces jeux s'adressent aux enfants et aux adolescents.

Ils comportent une dimension tactique et stratégique. En effet, la progression n'est plus uniquement due au hasard mais le joueur doit faire preuve d'une certaine habileté afin de gérer les ressources proposées par le jeu ; ces dernières restant malgré tout limitées.

3. Les jeux de lettres

Les plus appréciés sont Le Scrabble, Les chiffres et les lettres ou Le pendu.

Ce sont souvent des jeux plus difficiles et qui s'adressent aux adolescents et aux adultes. Néanmoins, depuis quelques années, on note l'apparition d'une version juniors simplifiée pour chaque version adultes. Ce type de versions juniors connaît un succès important avec la mode des jeux éducatifs.

4. Les jeux de parcours culturel

L'exemple le plus célèbre est Le Trivial Poursuite (Quelques arpents de piège, au Canada).

Ils permettent à toute la famille de se réunir autour d'un jeu. Il s'agit de combiner un parcours à réaliser et des questions de culture générale auxquelles il faut répondre. La durée d'une partie peut facilement dépasser une heure. Comme pour la catégorie précédente, il existe des versions juniors.

5. Les jeux stratégiques

Dans cette catégorie, différents styles coexistent :
- la finance, avec Le Monopoly ou Grand Hôtel ;
- la guerre et les alliances, avec Risk ou Diplomacy ;
- la poursuite et le crime, avec Le Cluedo ou Scotland Yard.

Certains de ces jeux sont abordables par des enfants plus jeunes, il s'agit notamment du Monopoly ou du Cluedo.

Avec ce genre de jeu, on touche un public un peu plus âgé (à partir de 10-12 ans). Le hasard n'a quasiment plus de place dans le jeu, il est remplacé par la réflexion et la stratégie.

Pour gagner, il faut être le premier à remplir une mission commune à tous ou particulière et connue de tous ou secrète. Les parties s'engagent souvent sur plusieurs heures.

Les jeux vidéo

Les jeux vidéo, apparus dans les années 80, ne sont pas répertoriés dans cet ouvrage. Aux yeux de nombreuses familles, ils apparaissent moins conviviaux que les autres formes de jeu car les enfants jouent seuls ou seulement à deux.

Ils ne peuvent pourtant être ignorés car ils ont envahi avec succès un très grand nombre de foyers. On les trouve présents partout grâce aux consoles portables et aux micro-ordinateurs. Leur grand avantage est qu'ils permettent aux enfants de visiter des mondes imaginaires avec, en prime, l'interactivité. Les enfants les ont rapidement adoptés.

Les jeux vidéo se divisent en une dizaine de catégories.

1. Les jeux de plates-formes (dès 6-7 ans)

Ce genre de jeux se caractérise par une multiplicité d'épreuves liées au mouvement (course, saut) et quelques combats. Un petit personnage est mis en scène et rebondit de plate-forme en plate-forme à la recherche d'un trésor ou d'une princesse à délivrer.

Le héros doit se battre contre d'innombrables adversaires. Le côté inquiétant est néanmoins désamorcé par un graphisme simpliste et des couleurs vives.

Ce type de jeux est parmi les plus prisés chez les plus jeunes et les filles.

2. Les jeux de combat, « beat them all » (dès 9-10 ans)

Le but est de détruire tout ce qui passe à sa portée pour éviter d'être soi-même détruit. Il s'agit d'une succession de combats gratuits.

3. Les jeux de tir, « shoot them all » (dès 9-10 ans)

Le joueur incarne un vaisseau et non plus un guerrier, comme précédemment. Le but est toujours de tout détruire sans l'être soi-même.

4. Les simulateurs (dès 11-12 ans)

Le joueur doit piloter un véhicule (avion, formule 1, etc.).

5. Les simulations sportives (dès 8 ans)

Ces jeux reproduisent une compétition sportive. On trouve à peu près tous les sports existants.

6. Les jeux de rôles (dès 10 ans)

Ce sont les héritiers directs des jeux de rôles sur papier.

Le joueur choisit un personnage et ses compagnons, auxquels il attribue des points de force, d'intelligence, de combat... Le but de l'aventure est de remplir une mission qui a été confiée en début de partie.

Au cours de la partie, des compétences s'acquièrent : points d'expérience, pouvoirs magiques, etc.

Il ne s'agit plus vraiment d'un jeu d'action. En effet, le joueur ne combat plus, il clique sur des ordres (s'éloigner, combattre, ouvrir la porte). Ces ordres peuvent éventuellement entraîner un combat. Le joueur devient alors spectateur d'une séquence où l'ordinateur décide aléatoirement de la suite à donner au combat et des blessures infligées.

7. Les war games (dès 11-12 ans)

Ce sont des jeux de stratégie où le joueur est un chef d'état-major et doit reconstituer une grande bataille de l'Histoire.

8. Les jeux de gestion (dès 10 ans)

Il s'agit de jeux de simulation économique et écologique. Le joueur doit diriger une entreprise ou un peuple et veiller à leur développement tout en gérant de multiples difficultés.

9. Les jeux d'aventures (dès 11-12 ans)

Le joueur doit effectuer une mission. Il faut réaliser une suite d'actions dans un ordre défini. Ces jeux ont quelque peu disparu au profit des jeux de rôles.

10. Les classiques (dès 8-9 ans)

Dans cette catégorie, on trouve des jeux traditionnels comme Les échecs ou Le backgammon. S'y ajoutent également les jeux de société tels que Le Monopoly et Le Scrabble. On peut également y intégrer des jeux plus originaux, comme Tétris. Cela permet à un joueur isolé de pratiquer son jeu favori.

Les jeux vidéo ont un réel succès auprès des enfants. Il n'y a qu'à prêter l'oreille aux discussions que cela entraîne, dans les cours de récréation notamment, pour s'en persuader. Même si le jeu vidéo apparaît moins convivial que les autres formes de jeux, il a sa place parmi eux.

Néanmoins, il convient de ne pas oublier qu'après une ou plusieurs parties, les enfants ont besoin de prendre l'air car ils sont restés concentrés et sont quelque peu sous « tension ». Attention donc à ne pas les laisser durant des heures devant l'écran.

Il ne vous reste plus désormais qu'à choisir quel jeu vous allez organiser.

Un dernier conseil : amusez-vous.

tables d'orientation

Des idées de jeux en fonction du matériel dont vous disposez

MATERIEL	JEU	INTÉRIEUR EXTÉRIEUR	À PARTIR DE	PAGE
Ballon/ Balle	La tomate	Extérieur	6 ans	98
	Le dauphin	Extérieur	6 ans	100
	La gamelle	Extérieur	6 ans	98
	Les couleurs	Extérieur	6 ans	58
	Le troupeau encerclé	Extérieur	8 ans	59
	Le chassé-croisé	Extérieur	7 ans	61
	Le train	Extérieur	8 ans	60
	Les montagnes russes	Extérieur	9 ans	64
	Le cercle-relais	Extérieur	6 ans	67
	La balle au prisonnier	Extérieur	10 ans	62
	Le ballon chasseur	Extérieur	8 ans	59
	La balle stop	Extérieur	8 ans	60
	Le ballon au mur	Extérieur	7 ans	63
	La balle-relais	Extérieur	7 ans	68
	La course contre la balle	Extérieur	10 ans	69
	La balle au sou	Extérieur	8 ans	95
	Le relais au ballon	Extérieur	8 ans	88
	Nommez-en six	Intérieur	8 ans	236
	Le ballon en rond	Extérieur	6 ans	69
	La balle au choix	Extérieur	6 ans	68
	La balle en cercle	Extérieur	8 ans	69
	La balle au seau	Extérieur	6 ans	71
	La chandelle	Extérieur	7 ans	100
	La chasse au lanceur	Extérieur	6 ans	71
	Le ballon captif	Extérieur	7 ans	72
	Le ballon touché	Extérieur	8 ans	72
	Le ballon en l'air	Extérieur	9 ans	73
	La passe à dix	Extérieur	7 ans	74
	Le tir à rebondissement	Extérieur	7 ans	96
	La course de kangourous	Extérieur	7 ans	62
	Le tir à l'entonnoir	Extérieur	7 ans	96

MATERIEL	JEU	INTÉRIEUR EXTÉRIEUR	À PARTIR DE	PAGE
Ballon de baudruche	Le ballon fuyant	Extérieur	8 ans	89
	Le concours de ballons gonflables	Extérieur	6 ans	86
	Le basket au ballon léger	Intérieur	8 ans	230
	La chasse aux ballons	Intérieur	8 ans	222
Balles de tennis	Pieds à pieds	Extérieur	6 ans	94
Balles de ping-pong	Football éventail	Extérieur	7 ans	97
	La course à la cuillère	Extérieur	8 ans	65
Vêtements	La corde à linge	Extérieur	7 ans	97
	La course à la valise	Extérieur	7 ans	95
	Se déguiser	Intérieur Extérieur	6 ans	322
	Le manteau et le chapeau	Extérieur	6 ans	95
Quilles	Les petites quilles	Extérieur	7 ans	70
	Le gardien de quilles	Extérieur	8 ans	71
	La course en huit	Extérieur	8 ans	64
	Les quilles gardées	Extérieur	8 ans	60
Fruit	Les pommes flottantes	Extérieur	6 ans	91
	Les pommes suspendues	Extérieur	6 ans	91
	Front à front	Extérieur	8 ans	92
	La danse de la pomme	Extérieur	8 ans	223
	L'écureuil et la noix	Intérieur	8 ans	229
Foulard	La prise de foulard	Extérieur	6 ans	98
	La chandelle	Extérieur	6 ans	100
	Le chamboule tout	Extérieur	6 ans	101
	Le béret	Extérieur	8 ans	40
	Colin-maillard	Intérieur Extérieur	6 ans	89
	Le colin à l'odorat			235
	La course sur trois pattes	Extérieur	8 ans	66
	Roméo et Juliette	Intérieur Extérieur	6 ans	85
	Le disparu	Intérieur	6 ans	228
	Le lièvre et le chien	Intérieur	8 ans	231

MATERIEL	JEU	INTÉRIEUR EXTÉRIEUR	À PARTIR DE	PAGE
Papier	L'origami ou les pliages	Intérieur	6 ans	216
	Le garçon de restaurant	Intérieur	10 ans	233
	Les contrebandiers	Extérieur	8 ans	97
	Foot sur papier	Intérieur	6 ans	218
	Les petits papiers	Intérieur	10 ans	237
	Le télégramme improvisé	Intérieur	10 ans	236
	Le portraitiste	Intérieur	10 ans	235
	Chacun ses goûts	Intérieur	8 ans	234
	Qui suis-je donc ?	Intérieur	10 ans	231
Journal	Le questionnaire	Intérieur	10 ans	232
	Les slogans	Intérieur	9 ans	233
	La lettre tabou	Intérieur	10 ans	236
Carton	La course à l'équilibre	Extérieur	7 ans	95
	Le pas japonais	Extérieur	9 ans	93
Ficelle	Jeux de ficelles	Intérieur		217
	Le furet	Extérieur	10 ans	58
	L'anneau voyageur	Extérieur	8 ans	96
Sac	Les piles de sacs	Extérieur	7 ans	62
	La course en sac	Extérieur	8 ans	63
	Le relais multiple	Extérieur	7 ans	98
Dés	Le yam	Intérieur	10 ans	219
	Le jeu du cochon	Intérieur	6 ans	220
	La puce	Intérieur	6 ans	221
Cartes	La bataille	Intérieur	6 ans	322
	Le cri des animaux	Intérieur	6 ans	323
	Le pouilleux	Intérieur	6 ans	323
	La crapette	Intérieur	10 ans	324
	Les bouchons	Intérieur	6 ans	326
	Memory	Intérieur	6 ans	325
	Le menteur	Intérieur	6 ans	329
	Le nain jaune	Intérieur	8 ans	329
	Le jeu des 7 familles	Intérieur	6 ans	326

MATERIEL	JEU	INTÉRIEUR EXTÉRIEUR	À PARTIR DE	PAGE
Cartes (suite)	Le huit américain	Intérieur	8 ans	327
	Les cinq cartes	Intérieur	8 ans	225
	Murder party	Intérieur	12 ans	222
	La course aux cartes	Extérieur	8 ans	92
Pièces	Le trésor dans la main	Intérieur	8 ans	232
	Le sou voyageur	Intérieur	10 ans	227
	Le sou empoisonné	Intérieur	7 ans	227
Bâton	Saute-bâton	Extérieur	9 ans	67
	Le hockey-balai	Extérieur	8 ans	86
	Le tour du bâton	Extérieur	8 ans	64
	Le jeu du bâton	Intérieur	8 ans	220
Chaises	Les chaises musicales	Intérieur	6 ans	228
	La place libre	Intérieur	8 ans	221
	Le marchand de poisson	Intérieur	8 ans	230
	La momie	Intérieur	8 ans	221
	Le chien et l'os	Intérieur	7 ans	231
Jetons	La puce	Intérieur	6 ans	221
Allumettes	Les allumettes	Intérieur	10 ans	221
Bois	La course à la brique	Extérieur	8 ans	66
Pistolets à eau	Le tir à la chandelle	Extérieur	8 ans	89
Boîtes de conserve	Chamboule tout	Extérieur	6 ans	101
Bouteilles en plastique	Le bowling-bouteilles	Extérieur	7 ans	91
Laine	Le jeu de l'âne	Intérieur	6 ans	220
Capsules de bouteilles	Le tir à la capsule	Extérieur	10 ans	94

Certains jeux ne demandent pas un matériel particulier, il suffit de disposer d'objets divers et variés :

JEU	INTÉRIEUR/EXTÉRIEUR	À PARTIR DE	PAGE
La brocante	Extérieur	7 ans	91
Le cherche-des-yeux	Intérieur	6 ans	224
Kim	Intérieur	8 ans	225
Le relais triple	Extérieur	8 ans	93
Les voleurs	Intérieur	6 ans	229

Des idées de jeux en fonction des circonstances

Voyage en voiture

JEU	À PARTIR DE	PAGE
La bonne voie	10 ans	238
Devinez la population	12 ans	239
L'alphabet de la route	6 ans	238
Le jeu des plaques d'immatriculation	6 ans	239
À quelle distance ?	12 ans	240
Le bingo des plaques	10 ans	237
Chantons en chœur	6 ans	239
Le premier qui voit	6 ans	240
Le jeu des itinéraires	10 ans	241
Quelle marque ?	10 ans	241
Les sept villes	8 ans	240
Les trois voyages	8 ans	241
Le jeu des paires	6 ans	241
La ronde géographique	8 ans	202
Les villes décomposées	8 ans	203
Les capitales	9 ans	203
Le mot gigogne	6 ans	191
Les noms scandés	6 ans	208
Les chansons scandées	6 ans	208
Fizz	8 ans	183
Les mots qui riment	6 ans	205
Les lettres en chaîne	10 ans	186
L'alphabet	12 ans	177
Les mots en chaîne	6 ans	178
Le marché de Padi-Pado	8 ans	178
Le corbillon	8 ans	179
Sentez, sentez	8 ans	185
Le jeu du puits	6 ans	185
Les rallonges	8 ans	185

Veillée

JEU	À PARTIR DE	PAGE
Dites-moi qui je suis	8 ans	164
Les observations	10 ans	166
Que feriez-vous ?	8 ans	223
Les lettres en chaîne	10 ans	186
Le téléphone arabe	8 ans	188
Le mot gigogne	6 ans	191
L'alphabet	12 ans	177
Les mots en chaîne	6 ans	178
L'avalanche de mots	10 ans	188
Animal, végétal ou minéral	8 ans	188
L'histoire à suivre	9 ans	189
Le marché de Padi-Pado	8 ans	178
Le corbillon	8 ans	179
Sentez, sentez	8 ans	185
Les rallonges	8 ans	185
Ni oui ni non	6 ans	223
Fizz	8 ans	183
La ronde géographique	8 ans	202
Le métagramme	10 ans	177
Le portrait	8 ans	184
Le faux portrait	10 ans	184
Les mots qui riment	7 ans	205
Si c'était	10 ans	187
La charade mimée	10 ans	189
Je pars en voyage	8 ans	203

Réunion de famille

JEU	INTÉRIEUR/EXTÉRIEUR	À PARTIR DE	PAGE
La prise de foulard	Extérieur	6 ans	98
Chamboule tout	Extérieur	6 ans	101
La chandelle	Extérieur	5 ans	100
Les rallonges	Intérieur	8 ans	185

JEU	INTÉRIEUR/EXTÉRIEUR	À PARTIR DE	PAGE
Où est-il ?	Intérieur	8 ans	186
Se déguiser	Intérieur/Extérieur	6 ans	322
Le jeu de l'âne	Intérieur	6 ans	220
Le loto	Intérieur	6 ans	317
Le mikado	Intérieur	6 ans	317
Le jeu de l'oie	Intérieur	6 ans	317
Le jeu de palets	Intérieur	6 ans	321
Jeux de cartes	Intérieur	6 ans	322
Murder party	Intérieur	10 ans	222
La magie des nombres	Intérieur	6 ans	256
Le mot propre	Intérieur	8 ans	176
La balle au prisonnier	Extérieur	10 ans	62
La course en sac	Extérieur	8 ans	63
La course à la brouette	Extérieur	8 ans	45
La course à cheval	Extérieur	8 ans	47
La passe à dix	Extérieur	7 ans	74
L'histoire à suivre	Intérieur	9 ans	189
Le tir à la corde	Extérieur	7 ans	104
Je pars en voyage	Intérieur	8 ans	203
Les histoires improvisées	Intérieur	6 ans	205
Colin-maillard	Extérieur	6 ans	89
Ni oui ni non	Extérieur/Intérieur	6 ans	223
Défense de rire	Intérieur	6 ans	181
Roméo et Juliette	Intérieur/Extérieur	6 ans	85
Les chaises musicales	Intérieur	6 ans	228
Le portrait	Intérieur	8 ans	184
Les pommes flottantes	Extérieur	6 ans	91
Les pommes suspendues	Extérieur	6 ans	91
La charade mimée	Intérieur	10 ans	189
Le bowling-bouteilles	Extérieur	7 ans	91
Kim	Intérieur	8 ans	225
Les contrebandiers	Extérieur	8 ans	97
Le téléphone arabe	Intérieur	6 ans	188
Qui suis-je donc ?	Intérieur	6 ans	231

Jeux
de Plein air

Jeux
de *Plein air*
SANS MATÉRIEL

Jeux
de *Plein air*
AVEC PEU DE MATÉRIEL

Jeux
de *Plein air*
AVEC MATÉRIEL
OU CADRE SPÉCIFIQUE

Jeux
d'*Intérieur*
SANS MATÉRIEL

Jeux
d'*Intérieur*
AVEC PEU DE MATÉRIEL

Jeux
d'*Intérieur*
AVEC MATÉRIEL
SPÉCIFIQUE

Jeux de Plein air

SANS MATÉRIEL

Même si l'on ne dispose d'aucun jeu, il est facile d'occuper les enfants dehors, surtout s'ils sont nombreux : en leur proposant de courir, de se cacher ou de faire la ronde, cette partie donne aux jeunes de 6 à 12 ans les recettes d'une bonne journée en plein air sans matériel spécifique.

Le chat baissé

6 à 20 joueurs

6 à 9 ans

Les joueurs se dispersent sur le terrain, qui doit faire au moins 10 mètres sur 12.

U n des joueurs est désigné comme chat, les autres sont les souris. Le chat tente d'attraper les souris qui se sauvent ; dès qu'il en touche une, elle devient chat à son tour et le chat retourne à l'état de souris. Le chat n'a pas le droit de toucher un joueur baissé, c'est-à-dire accroupi, les genoux pliés. Il peut cependant obliger un joueur à se relever en se tenant à 1 mètre de lui et en comptant jusqu'à trois.

Passé ce délai, si le joueur n'a pas bougé, on considère qu'il a été touché.

VARIANTES

Ce jeu est en fait une variante du chat perché, où les souris peuvent échapper au chat en se perchant à quelque hauteur du sol : escalier, rocher, tronc d'arbre, etc. Dans certaines variantes, les souris peuvent trouver refuge en touchant diverses catégories d'objets : métal, bois, pierre. On peut compliquer les choses en interdisant à deux joueurs d'utiliser le même refuge : le second arrivé chasse le premier, qui doit trouver un autre refuge. Dans toutes les variantes, le chat peut forcer les souris à reprendre la fuite en comptant jusqu'à trois.

Le chat blessé

8 à 20 joueurs

6 à 9 ans

Comme pour le chat baissé, les joueurs se dispersent sur le terrain et il y a un chat.

D ans ce jeu-ci, l'idée de refuge disparaît. Le joueur pris, qui devient chat, doit se déplacer en gardant une main à l'endroit où il a été touché. L'habileté du chat sera de toucher un joueur à la jambe, par exemple, pour que la position inconfortable qu'il lui impose empêche ce dernier de se déplacer rapidement.

L'appel

8 à 20 joueurs

7 à 10 ans

On trace deux lignes à 10 ou 12 mètres de distance. Les joueurs se divisent en deux équipes égales, qui se placent chacune derrière une des lignes. Un autre joueur, le poursuivant, se place au milieu du terrain.

Le chat baissé

e poursuivant crie : «J'appelle Pierre (ou Yolande)... » Le joueur ainsi appelé doit immédiatement quitter sa ligne pour atteindre celle d'en face sans que le poursuivant le touche. S'il réussit à le toucher, le poursuivant le garde alors prisonnier dans une zone délimitée sur le côté du terrain. Le poursuivant appelle ensuite un deuxième joueur qu'il s'efforce d'intercepter. Au troisième essai, le poursuivant crie : «J'appelle tout le monde. » Tous les joueurs restants doivent alors courir vers la ligne opposée, le poursuivant essayant d'en toucher le plus possible au passage. Chaque joueur est poursuivant à son tour et celui qui a fait le plus de prisonniers est proclamé gagnant.

VARIANTE

On peut aussi partager les joueurs en deux équipes, sur deux lignes tracées à environ 10 mètres de distance. Le poursuivant se place au milieu de la zone. À son appel, chaque équipe doit courir vers la ligne opposée. Les joueurs touchés au passage par le poursuivant l'aident au tour suivant à intercepter les autres. Le dernier joueur intercepté est le gagnant ; il devient le poursuivant de la partie suivante.

• • • • • • • • • • • • • • • •

L'ours en cage

🏠 **8 à 12 joueurs**

👫 **7 à 10 ans**

Le joueur qui fait l'ours se place au milieu du cercle formé par les autres joueurs qui se tiennent par la main.

'ours essaie de sortir de sa cage en brisant le cercle, en rampant entre ses gardiens ou en leur sautant par-dessus. Ceux-ci doivent l'en empêcher tout en continuant à se tenir par la main. Ils n'ont pas le droit de saisir l'ours. Si l'ours réussit à s'échapper, les gardiens partent à sa poursuite. Le premier qui le touche devient l'ours à son tour et le jeu recommence.

VARIANTE

Dans Le jeu des prisonniers, on forme deux cercles au lieu d'un. Chaque équipe envoie un de ses membres comme prisonnier dans le cercle adverse. Le premier prisonnier qui réussit à s'échapper marque un point pour son équipe, qui envoie un autre joueur le remplacer dans la

plein air sans matériel

L'ours en cage

prison. L'équipe gagnante est celle qui a remporté le plus de points après 10 minutes de jeu, ou jusqu'à ce que les joueurs se lassent.

• • • • • • • • • •

Dos à dos

🎭 9 à 25 joueurs

👶 7 à 10 ans

Une fois désigné, le poursuivant se place au milieu du terrain, qui doit faire au moins 12 mètres sur 12. Les autres joueurs se dispersent deux par deux, en se tenant dos à dos, accrochés par les coudes.

Au signal du poursuivant, tous les couples se séparent et chaque joueur doit trouver un nouveau partenaire pour former une autre paire, y compris le poursuivant. Le joueur qui reste seul devient à son tour le poursuivant, et le jeu recommence jusqu'à ce que les joueurs se lassent.

• •

La chasse aux ombres

🎭 6 à 15 joueurs

👶 6 à 9 ans

Les joueurs se dispersent dans une zone délimitée d'au moins 5 mètres sur 6. Pour que les ombres se découpent nettement, on choisira une journée ensoleillée.

Un des joueurs fait le chasseur et doit arriver à marcher sur l'ombre de l'un des autres joueurs. Ce dernier prend alors sa place et devient chasseur. Quand le chasseur crie «Au coin!», chaque joueur se précipite vers le coin de la zone de jeu dont il est le plus éloigné, ce qui augmente les chances du chasseur.

La chasse aux ombres

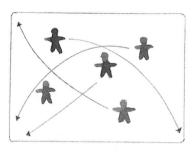
La chasse aux ombres

La roue

8 à 25 joueurs

6 à 10 ans

Un des joueurs est désigné pour faire le poursuivant. Les autres se disposent en cercle, en faisant face au centre. Le poursuivant se place à l'extérieur du cercle.

Le poursuivant court autour du cercle, dans le sens des aiguilles d'une montre. Au moment de son choix, il touche l'épaule d'un des joueurs et continue sa course, suivi du joueur qu'il a touché. Les deux s'efforcent d'atteindre et d'occuper la place laissée vacante

dans le cercle. Si le poursuivant y arrive le premier, l'autre devient poursuivant à son tour.

VARIANTE

On peut décider que, au lieu de courir, le poursuivant et le joueur touché doivent marcher, sauter à pieds joints ou à cloche-pied.

Le renard dans le poulailler

8 à 12 joueurs

6 à 12 ans

On trace sur le sol une grande roue d'environ 10 mètres de diamètre, comportant un moyeu et des rayons régulièrement espacés. Un des joueurs, celui qui fait le renard, se place dans le moyeu. Les autres, c'est-à-dire les poulets, se placent n'importe où sur les rayons ou à la circonférence. Ce jeu est particulièrement indiqué dans la neige ou le sable.

Le renard poursuit les poulets en respectant le tracé des rayons et de la jante de la roue. S'il réussit à en toucher un, celui-ci doit alors l'aider à attraper les autres. Le dernier

plein air sans matériel

Le renard dans le poulailler

poulet à se faire attraper est le gagnant ; il devient le renard dans la partie suivante.

• • • • • • • • • • • • • • • • •

Le mouton perdu

🎎 **10 à 20 joueurs**

👶 **6 à 9 ans**

Les joueurs forment un cercle. L'un d'entre eux, cependant, qui joue le rôle du berger, se tient à l'extérieur du cercle.

L e berger marche en faisant le tour du cercle. Il s'arrête près du joueur de son choix, lui touche l'épaule et lui dit : « J'ai perdu un de mes moutons. L'as-tu vu ? » Le joueur touché doit répondre : « Comment était-il habillé ? » Le berger décrit alors l'un des joueurs. Lorsqu'il reconnaît le mouton perdu, le joueur interrogé par le berger dit alors : « Ton mouton est Jacques (ou Marie)… » À la mention de son nom, le mouton quitte aussitôt sa place et court à l'extérieur du cercle, poursuivi par le joueur qui l'a reconnu. Si le mouton arrive à reprendre sa place sans que son poursuivant l'ait touché, il devient le berger. Autrement, c'est le poursuivant qui assume ce rôle.

• • • • • • • • • • • • • • • • •

La pêche au filet

🎎 **12 à 25 joueurs**

👶 **7 à 10 ans**

Cinq joueurs sont chargés de faire le filet. Les autres sont des poissons et se dispersent dans un espace d'au moins 12 mètres sur 15.

L es joueurs qui forment le filet se tiennent par la main. Au signal donné par le meneur de jeu, ils essaient de capturer le plus de poissons possible en les encerclant. Les poissons capturés s'ajoutent au filet et aident à prendre les autres. Le jeu s'arrête lorsque tous les poissons ont été pris. Les cinq poissons capturés les derniers font le filet à la partie suivante.

La pêche au filet

● ● ● ● ● ● ● ● ● ● ● ● ● ● ● ● ● ● ●

Le berger et le loup

4 à 10 joueurs

6 à 10 ans

Tous les joueurs, sauf un, forment une file en se tenant par la taille. Celui qui est en tête de file représente le berger, les autres étant ses moutons. Le joueur isolé fait le loup.

L e loup cherche à attraper le dernier mouton de la file. Le berger s'efforce de l'en empêcher en le bloquant avec ses bras tendus et en dirigeant les mouvements de la file. Il lui est cependant interdit d'agripper le loup pour le retenir. Lorsque le loup a réussi à toucher le dernier mouton, le berger prend sa place et devient le loup à son tour, le mouton suivant devenant berger.

VARIANTE

Si les joueurs sont nombreux (une quarantaine environ), on peut constituer plusieurs files de quatre ou cinq moutons. Le loup peut s'attaquer à n'importe quelle file.

● ● ● ● ● ● ● ● ● ● ● ● ● ● ● ● ● ● ●

Un, deux, trois, soleil

6 à 20 joueurs

6 à 10 ans

Le joueur désigné par le sort pour faire la sentinelle se tient debout face à un mur ;

plein air sans matériel

Un, deux, trois, soleil

les autres joueurs sont alignés derrière lui à 15 ou 20 pas.

La sentinelle frappe trois fois le mur de la main, en comptant tout haut « Un, deux, trois, soleil ! » et se retourne brusquement. Pendant qu'elle compte, les autres joueurs avancent vers elle, mais ils doivent impérativement être immobiles quand elle se retourne. Si la sentinelle surprend un joueur en mouvement, elle le renvoie aussitôt à la ligne de départ. Le plus petit geste de la main suffit. Lorsqu'un joueur est en équilibre instable, la sentinelle peut prolonger son examen dans l'espoir de le voir faire un mouvement. Le jeu continue ainsi jusqu'à ce que l'un des joueurs arrive assez près de la sentinelle pour pouvoir la toucher. Dès qu'elle est touchée, la sentinelle se lance à la poursuite du joueur qui tente de regagner la ligne de départ. Si elle parvient à le rattraper, la sentinelle garde son poste. Sinon, elle lui cède la place.

Les chevaux sauvages

🁢 10 à 30 joueurs

🕯 8 à 12 ans

Tous les joueurs, sauf deux, se dispersent par paires sur un terrain d'au moins 12 mètres sur 12. Les paires forment des « chevaux sauvages » : un joueur fait la tête et l'autre, qui est placé derrière lui et lui encercle la taille avec ses bras, fait la queue. Les deux joueurs qui ne forment pas de paire sont le poursuivant et le coureur.

Le poursuivant laisse au coureur une certaine avance puis part à sa poursuite. S'il le touche, les deux joueurs changent de rôle. Le coureur peut s'accrocher à n'importe quel cheval en encerclant avec ses bras la taille du joueur qui fait la queue. Ce dernier devient alors la tête et l'ancienne tête devient le nouveau coureur. Les chevaux peuvent faire tous les mouvements qu'ils veulent pour échapper au coureur mais ils n'ont pas le droit de le repousser.

Le clin d'œil

🁢 11 à 25 joueurs

🕯 8 à 12 ans

Les joueurs, groupés par deux, forment deux cercles concentriques. Seul le poursuivant, qui fait partie du cercle extérieur, n'a pas de partenaire devant lui.

Le poursuivant fait discrètement un clin d'œil à l'un des joueurs du cercle intérieur. Celui-ci essaie aussitôt de partir pour se placer derrière le poursuivant, mais son partenaire, qui ne doit pas le laisser s'échapper, le retient par la taille. Si le joueur appelé ne réussit pas à s'enfuir à temps, le poursuivant lance un clin d'œil à un autre joueur moins bien gardé. Si celui-là parvient à s'échapper, son partenaire resté seul devient le nouveau poursuivant.

Le chien et les écureuils

🁢 14 à 35 joueurs

🕯 8 à 12 ans

Tous les joueurs, sauf deux, forment des groupes de trois. Dans chaque groupe, deux joueurs font un arbre en se tenant par les mains, les bras tendus, tandis que le troisième fait un écureuil et se place au milieu de l'arbre. L'un des deux joueurs restés en dehors est le chien, l'autre un écureuil poursuivi par le chien.

Au signal convenu, l'écureuil poursuivi par le chien cherche à se réfugier dans un arbre, en se glissant sous les bras des joueurs. Il déloge ainsi de l'arbre l'autre écureuil qui s'y trouvait. Celui-ci doit à son tour prendre la fuite et se réfugier dans un autre arbre. Lorsque le chien réussit à toucher un écureuil, il change de rôle avec lui. Après un certain temps, on interrompt le jeu. Les arbres deviennent alors écureuils, et vice versa pour que chacun ait l'occasion de jouer un rôle actif.

La course en rond

🏠 10 à 25 joueurs

👥 6 à 8 ans

Les joueurs forment un cercle assez grand, en se tournant vers le centre. L'un d'entre eux, le poursuivant, se place au milieu du cercle.

L e poursuivant court à l'intérieur du cercle et se place subitement entre deux joueurs.

Le chien et les écureuils

Ceux-ci doivent aussitôt quitter leur place et courir à l'extérieur du cercle en sens inverse. Le premier à avoir fait le tour occupe la place laissée vacante. L'autre devient le nouveau poursuivant, et le jeu recommence.

• •

Bras dessus, bras dessous

🏁 **10 à 30 joueurs**

👥 **9 à 12 ans**

Tous les joueurs, sauf deux, se dispersent par paires sur le terrain, se tenant bras dessus, bras dessous. Les deux autres sont le poursuivant et le coureur.

L e poursuivant cherche à toucher le coureur, qui peut lui échapper en s'accrochant tout simplement par le coude à un joueur faisant partie d'une paire. L'autre joueur de la

paire devient aussitôt le nouveau coureur. Quand le poursuivant touche le joueur poursuivi, les deux changent de rôle.

• • • • • • • • • • • • • •

Cache-cache

🏁 **4 à 20 joueurs**

👥 **6 à 10 ans**

Le poursuivant, désigné par le sort, se tient dans un endroit connu de tous, appuyé contre un arbre, par exemple. Cet arbre sera le but. Les yeux fermés, il compte à voix haute jusqu'à 100 (ou jusqu'à 20 si l'aire de jeu est petite). Pendant ce temps, les autres joueurs vont se cacher le mieux possible.

L orsqu'il arrive au bout de son compte, le poursuivant dit à haute voix « 98-99-100 », pour prévenir ses camarades ; et il part à leur

Bras dessus, bras dessous

Cache-cache

recherche pour tenter d'attraper l'un d'eux avant qu'il n'ait touché le but. Les joueurs non poursuivis sortent alors de leur cachette pour courir au but pendant qu'ils peuvent le faire sans danger. Si le poursuivant attrape un joueur, celui-ci prend sa place ; s'il n'y parvient pas, il reste poursuivant au tour suivant.

VARIANTES

À Cache-cache délivrance, le poursuivant cherche à attraper le plus grand nombre de joueurs possible, qui deviennent ses prisonniers et qu'il ramène au but. Ils peuvent être délivrés par un de leurs camarades libres. Mais attention, le poursuivant surveille son butin et peut se choisir un assistant parmi ses prisonniers. Dans Cache-cache premier vu, la course vers le but est supprimée : il suffit de découvrir les joueurs, qui doivent rester dans leur cachette. «Vu, Nicolas, » crie le poursuivant lorsqu'il aperçoit l'un des joueurs, et celui-ci devient poursuivant au tour suivant.

● ● ● ● ● ● ● ● ● ● ● ● ● ●

Le trouble-fête

10 à 25 joueurs

6 à 8 ans

Tous les joueurs, sauf deux, le poursuivant et le coureur, forment un cercle d'au moins 8 mètres de diamètre. Le poursuivant et le coureur se placent à l'extérieur du cercle, à quelque distance l'un de l'autre.

Au signal convenu, le poursuivant essaie de toucher le coureur, qui prend la fuite le long du cercle. S'il réussit, les deux changent de rôle. Lorsqu'il le veut, le coureur peut se réfugier à l'intérieur du cercle et s'arrêter devant un joueur, qui devient alors le nouveau coureur. Poursuivants et coureurs se succédant à un rythme rapide, le jeu ne tarde pas à devenir très animé.

Le béret

· · · · · · · ·

Le béret

10 à 20 joueurs

8 à 12 ans

Les joueurs forment deux équipes égales, déployées le long de deux lignes à environ 6 mètres de distance. Les joueurs de chaque équipe prennent un numéro de 1 à 5 ou 10 selon leur nombre. On place au milieu du terrain un objet quelconque que l'on appelle le « béret ».

L e meneur de jeu appelle un numéro. Aussitôt, les joueurs des deux équipes qui portent ce numéro s'avancent et tentent de prendre le béret et de le rapporter à leur camp sans être touchés par l'adversaire. Le joueur qui réussit marque un point pour son équipe. Si le joueur qui tient le béret est touché par l'adversaire, le point va à l'autre équipe. Dans le cas où aucun des joueurs ne se décide à s'emparer du béret, le meneur de jeu compte jusqu'à cinq, après quoi il appelle un autre numéro. Le jeu se poursuit jusqu'à ce que l'une des équipes ait remporté le nombre de points convenu.

VARIANTES

Au lieu d'appeler un numéro, le meneur de jeu peut prononcer le mot « salade ». Tous les joueurs vont alors sur le terrain. Le premier qui rapporte le béret dans son camp, sans être touché par un adversaire, donne le point à son équipe.

Les joueurs peuvent également évoluer avec une main dans le dos.

Les corbeaux et les corneilles

10 à 30 joueurs

8 à 12 ans

Les joueurs se divisent en deux équipes égales, celle des corbeaux et celle des corneilles, et se placent sur deux lignes, face à face, à environ 1 mètre d'une ligne centrale. À quelque 8 mètres derrière chaque équipe, on trace une ligne dite d'arrivée.

Selon que le meneur de jeu crie « corbeaux » ou « corneilles », les membres de l'équipe nommée se précipitent vers leur ligne d'arrivée, poursuivis par l'équipe adverse. Tout joueur touché par un adversaire avant d'avoir atteint sa ligne d'arrivée doit se joindre à l'autre équipe. Le jeu se poursuit jusqu'à la disparition de l'une des équipes. Le meneur de jeu doit s'efforcer de donner aux deux équipes le même nombre de chances, mais il peut les appeler dans l'ordre qu'il veut. Il peut aussi, pour maintenir les équipes en état d'alerte, traîner sur la première syllabe ou même crier d'autres mots comme « cormorans » ou « cornettes ». Dans ce dernier cas, aucune des équipes n'est censée se déplacer.

VARIANTE
Dans La casquette, une équipe est dite de l'envers, l'autre de l'endroit. Le meneur de jeu se place entre les deux et lance une casquette en l'air. Si elle retombe à l'endroit, l'équipe dite de l'endroit court vers sa ligne d'arrivée, poursuivie par l'autre équipe, et inversement. Tout joueur touché passe dans l'équipe adverse.

Le chat et la souris

8 à 20 joueurs

6 à 8 ans

On désigne d'abord le chat et la souris, puis tous les autres joueurs forment un cercle, les bras tendus sur les épaules de leurs voisins.

Au signal convenu, le chat part à la poursuite de la souris. Celle-ci s'efforce de lui échapper en faisant des huit autour des joueurs tout en passant sous leurs bras. Le chat doit suivre exactement le parcours de la souris. S'il réussit à la toucher, il devient souris à son tour et choisit l'un des autres joueurs pour faire le chat. Autrement, on interrompt le jeu au bout d'un certain temps pour désigner un nouveau chat et une nouvelle souris.

La course en crabe

8 à 30 joueurs

8 à 12 ans

La course en crabe

Les équipes se forment en file indienne derrière la ligne de départ. Étant donné l'effort physique qu'exige l'épreuve, la ligne d'arrivée doit être assez rapprochée : 5 mètres environ. Le premier joueur de chaque file tourne le dos à la ligne d'arrivée, s'accroupit et se renverse en arrière de façon à ne reposer que sur les mains et la plante des pieds.

Au signal donné, les joueurs en tête de file se dirigent vers la ligne d'arrivée en marche arrière, la franchissent et reviennent à la ligne de départ. À leur retour, ils sont remplacés par les deuxièmes joueurs des diverses files, et ainsi de suite. La première équipe dont tous les membres ont effectué le parcours gagne la partie.

La course de relais

8 à 32 joueurs

6 à 7 ans

Les joueurs se divisent en équipes de quatre à huit membres. Les équipes – qui peuvent être deux, trois ou plus – se placent en file indienne derrière la ligne de départ. À une vingtaine de mètres plus loin, on trace la ligne d'arrivée.

Au signal convenu, le premier joueur de chaque file court jusqu'à la ligne d'arrivée, la touche du pied, revient à la ligne de départ et tape dans la main du second joueur

La course de relais

de son équipe qui a pris place en tête de la file. Celui-ci fait le même parcours en courant et à son retour tape dans la main du troisième joueur, et ainsi de suite. Au lieu de se toucher la main, les joueurs peuvent se passer un objet quelconque, que l'on appelle le témoin. Il y a deux façons de désigner l'équipe gagnante. Ce peut être tout simplement la première dont tous les membres ont achevé leur parcours. On peut aussi donner à chaque équipe un point pour chacun de ses membres qui l'emporte de vitesse sur son concurrent ; l'équipe gagnante est alors celle qui a marqué le plus de points.

L'épervier

8 à 20 joueurs

8 à 12 ans

À une trentaine de mètres de distance, les joueurs délimitent deux camps de 2 mètres sur 8. Le joueur qui fait l'épervier se place dans l'un des camps tandis que ses compagnons, les moineaux, vont se réfugier dans l'autre.

Au cri de l'un des moineaux « Attention, l'épervier ! Sortez ! », tous les joueurs quittent leur camp pour se réfugier dans celui de l'épervier, qui, également sorti, essaie d'attraper un ou plusieurs moineaux au passage. Ceux qu'il prend doivent lui donner la main pour former une chaîne, mais seuls l'épervier et le joueur placé à l'autre bout de la chaîne ont droit de capture.

Lorsque la chaîne est trop longue pour permettre le passage, les moineaux peuvent, sans brutalité, tenter de briser la chaîne ou de passer dessous par surprise. Tant que la chaîne est coupée, le passage est libre et l'épervier ne peut pas faire de prisonniers. Une fois sorti d'un camp, personne ne peut y retourner ; il faut obligatoirement se diriger vers l'autre camp. Le gagnant est bien sûr le dernier moineau fait prisonnier, qui devient épervier à son tour.

Le jeu peut ainsi occuper tout un après-midi !

La course à cloche-pied

12 à 40 joueurs

7 à 11 ans

La course à cloche-pied

Les joueurs se placent deux par deux en équipe, derrière la ligne de départ. La ligne d'arrivée se trouve à 10 mètres de là. Les deux premiers joueurs de chaque équipe se prennent l'un par les épaules l'autre par la taille et se tiennent la cheville de leur main libre en gardant la jambe pliée.

Au signal donné, chaque couple placé en tête de file part à cloche-pied vers la ligne d'arrivée, la touche ou la franchit, et revient de la même façon à la ligne de départ. Il est alors remplacé par le second couple de la file, et ainsi de suite. La première équipe dont tous les membres ont achevé le parcours gagne la partie.

VARIANTES

Au lieu de former des paires, les joueurs de chaque équipe partent un à la fois sur le pied droit, mais ils doivent revenir sur le pied gauche. On peut compliquer le jeu en les obligeant à se tenir le genou ou la cheville.

Les vents tournants

15 à 60 joueurs

7 à 12 ans

On forme plusieurs rangées parallèles de joueurs qui se tiennent par la main, les bras tendus. Trois autres joueurs font le poursuivant, le poursuivi et le meneur de jeu. Ce dernier se tient devant les rangées, les joueurs lui faisant face.

Au signal du meneur de jeu, le poursuivi court entre les rangées ou à l'extérieur de celles-ci, le poursuivant à ses trousses. Quand il le juge bon, le meneur de jeu crie : « Le vent tourne. » Aussitôt, les joueurs font un quart de tour vers la droite et prennent la main de leurs nouveaux voisins, les rangées changeant ainsi de sens : cela oblige poursuivi et poursuivant à modifier leur itinéraire. Quand le meneur de jeu crie de nouveau « Le vent tourne », les rangées se reforment comme auparavant, et ainsi de suite ; chaque fois, le poursuivi et le poursuivant doivent adapter leur parcours au changement de façon à toujours courir entre les rangées. Le jeu s'achève soit lorsque le poursuivant a réussi à toucher le poursuivi, soit au bout du temps prévu. Au tour suivant, le poursuivant devient le poursuivi, le poursuivi devient le meneur de jeu et ce dernier prend la place d'un des joueurs, qui devient le poursuivant.

VARIANTES

Le sentier en lacets est une variante simplifiée. Les rangées, constituées de la même façon, restent horizontales. Lorsqu'il a fini son parcours, le poursuivi fait une boucle et reprend sa course en sens inverse. Quand le poursuivant touche le poursuivi, les deux changent de rôle pour le tour suivant, après quoi on désigne un autre poursuivant et un autre poursuivi.

La course en zigzag

8 à 30 joueurs

8 à 12 ans

Les équipes forment deux files. La ligne de départ et la ligne d'arrivée sont à une dizaine de mètres de distance.

Chaque joueur en tête de file fait, du pied droit, un grand pas en avant, puis place son pied gauche derrière le droit, en les croisant. Il ramène alors son pied droit derrière le gauche, toujours en les croisant, et fait un autre grand pas en avant, en partant cette fois du pied gauche ; il croise à droite et à gauche, et repart du pied droit. Il doit se rendre ainsi jusqu'à la ligne d'arrivée, d'où il revient à la ligne de départ, soit de la même façon, soit en courant, selon ce qui a été convenu. À son retour, il touche le joueur suivant, qui prend sa suite.

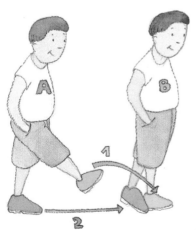

La course en zigzag

La course de lapins

8 à 30 joueurs

6 à 8 ans

Les équipes, de quatre ou cinq joueurs, se forment en file indienne. On trace une ligne de départ et une ligne d'arrivée à environ 5 mètres de distance.

Les joueurs doivent aller jusqu'à la ligne d'arrivée et revenir à celle de départ en faisant des «sauts de lapin», c'est-à-dire accroupis, les bras autour des genoux.

L'échange

8 à 25 joueurs

6 à 10 ans

Les joueurs s'assoient par terre et forment un cercle de 6 à 7 mètres de diamètre. Le poursuivant se place au milieu du cercle.

Le poursuivant appelle deux des joueurs, qui doivent aussitôt changer de place. Pendant qu'ils se déplacent, le poursuivant essaie de toucher l'un ou l'autre de ces joueurs. S'il réussit à en toucher un, le poursuivant prend sa place dans le cercle. Au cas où les joueurs ne se connaîtraient pas tous par leur prénom, on peut leur faire porter des numéros qui serviront à les identifier. Le poursuivant les appelle alors par leur numéro. Ce jeu peut aussi se dérouler à l'intérieur.

La course à 4 pattes

8 à 30 joueurs

8 à 12 ans

Les équipes se rangent en file indienne derrière la ligne de départ, qui se trouve à une dizaine de mètres de la ligne d'arrivée. On trace les lignes à la craie ou bien on tend une corde entre deux pieux.

Au signal donné, le premier joueur de chaque équipe se met à quatre pattes et se dirige vers la ligne d'arrivée. Quand il l'a atteinte, il revient à la ligne de départ de la même façon – à moins qu'on ait décidé que le retour se fera en courant normalement – et touche le second joueur, qui prend aussitôt sa suite. La première équipe dont tous les membres ont fait le parcours gagne la partie. Ce jeu peut aussi se dérouler à l'intérieur; on utilise alors du ruban adhésif ou de la peinture lavable pour les lignes.

La course à la brouette

12 à 40 joueurs

8 à 12 ans

La course à la brouette

Les équipes se placent en file indienne derrière la ligne de départ, à 6 mètres de la ligne d'arrivée. Les membres de chaque équipe se mettent deux par deux.

Dans chaque paire, un des joueurs fait la brouette en posant ses deux mains à plat sur le sol, les jambes tendues. L'autre lui soutient les jambes à la cheville comme s'il tenait les brancards d'une brouette. Au signal du meneur de jeu, les joueurs foncent vers la ligne d'arrivée, le premier marchant sur ses mains, le second le dirigeant comme une brouette. À la ligne d'arrivée, les deux partenaires changent de rôle et reviennent à la ligne de départ pour toucher les deux joueurs suivants, qui, étant déjà en position de brouette, partent aussitôt. L'équipe gagnante est celle dont les joueurs ont terminé le parcours en premier.

• •

La course sur les talons

🏃🏃 **8 à 30 joueurs**

👧👧👧 **7 à 12 ans**

Les joueurs se divisent en équipes égales, de quatre ou plus, et se placent en file indienne derrière la ligne de départ, à une dizaine de mètres de la ligne d'arrivée.

Au signal convenu, les joueurs qui se trouvent en tête de file se dirigent vers la ligne d'arrivée en marchant sur leurs talons. Puis ils font demi-tour et reviennent de la même façon à la ligne de départ, où ils touchent les deuxièmes joueurs, qui prennent leur suite. L'équipe dont les joueurs ont terminé le parcours avant les autres gagne la partie. Il est conseillé de ne pas constituer plus de trois équipes, quel que soit le nombre des joueurs, car le meneur de jeu a fort à faire pour surveiller la bonne position des pieds. Tout joueur qui pose le pied à plat doit en effet être renvoyé à la ligne de départ, d'où il lui faut recommencer sa course.

• • • • • • • • • • • • • • • • •

Le diable à ressort

🏃🏃 **8 à 30 joueurs**

👧👧👧 **8 à 12 ans**

Les diverses équipes se rangent en file indienne de telle sorte que les joueurs soient à environ 1 mètre les uns des autres.

Les joueurs s'accroupissent. Au signal de départ, le premier de chaque file se lève, tourne à droite et fait le tour de sa file, en courant dans le sens des aiguilles d'une montre. Après avoir repris sa place, il saute trois fois sur place en position accroupie en comptant « Un, deux, trois. » Tous les joueurs de l'équipe procèdent de la même façon à partir de leur place dans la file. La première équipe dont les membres ont achevé leur parcours gagne la partie.

• •

La course face à dos

🏃🏃 **12 à 40 joueurs**

👧👧👧 **7 à 11 ans**

La course face à dos

Les équipes forment des paires qui se placent en file indienne derrière la ligne de départ. La ligne d'arrivée se trouve 6 mètres plus loin.

Les joueurs de chaque paire se placent dos contre dos, les coudes entrecroisés. Au signal du départ, les deux premiers joueurs de chaque équipe se dirigent vers la ligne d'arrivée, l'un d'entre eux devant marcher à reculons. Rendus là, ils reviennent à la ligne de départ, de sorte que leurs positions se trouvent inversées. Ils cèdent alors la place aux deux joueurs suivants, qui doivent faire le même parcours, et ainsi de suite. La victoire va à la première équipe dont tous les joueurs ont terminé le parcours.

La chenille

La course à cheval

12 à 30 joueurs

8 à 12 ans

Les équipes se placent en file derrière la ligne de départ, en formant des paires dont les partenaires doivent autant que possible être de même taille. La ligne d'arrivée est tracée à une dizaine de mètres plus loin.

Dans chaque paire, un des joueurs fait le cheval en se mettant à quatre pattes au moment du départ. L'autre, le cavalier, se place à califourchon sur son coéquipier, les mains posées sur les épaules de celui-ci. Au signal, les chevaux, emportant leurs cavaliers, courent jusqu'à la ligne d'arrivée. Là, cheval et cavalier changent de rôle et reviennent à la ligne de départ, où les deux suivants, qui sont déjà en position, les attendent pour partir à leur tour. La première équipe qui termine gagne la partie. Pour les enfants plus jeunes, il est conseillé de tracer la ligne d'arrivée à seulement 5 ou 6 mètres de la ligne de départ.

La chenille

12 à 30 joueurs

9 à 12 ans

Les joueurs de chaque équipe se placent à 1 mètre les uns des autres. Le premier joueur se tient debout, les jambes écartées ; le deuxième se met à quatre pattes, les coudes au sol, le troisième est debout, et ainsi de suite.

Au signal, le dernier joueur de chaque file passe en rampant entre les jambes de celui qui le précède, saute par-dessus le suivant et continue ainsi jusqu'au bout de la file. Tous les joueurs en font autant tour à tour, en commençant toujours par passer sous les jambes du joueur précédent, de sorte que chaque joueur est tantôt debout tantôt à quatre pattes. L'équipe gagnante est celle qui termine en premier.

La navette

12 à 40 joueurs

7 à 9 ans

Les joueurs se divisent en équipes égales d'au moins six joueurs. On trace au milieu du terrain deux lignes parallèles espacées d'une dizaine de mètres. Chaque équipe se divise en deux files dont chacune prend place derrière une des lignes, les files se faisant face.

Le premier joueur de chaque équipe franchit en courant les deux lignes, touche au passage le premier joueur de la file d'en face et va se placer à la fin de cette file. Le joueur touché fait la même manœuvre, touchant le premier joueur de la file d'en face et se plaçant en queue de file. La manœuvre se poursuit jusqu'à ce que tous les joueurs d'une équipe soient revenus à leur position de départ. L'équipe gagnante est celle qui termine en premier.

VARIANTES
Cette formule peut s'appliquer à diverses courses de relais : course en crabe, course à cloche-pied, course en zigzag.

Les cinq sauts

4 à 8 joueurs

6 à 7 ans

Les joueurs se placent côte à côte, le bout du pied sur une ligne de départ. Au signal, ils font tous cinq sauts en avant. Le jeu peut être un concours, que gagne celui qui a sauté le plus loin. On peut aussi jouer chacun pour soi : les joueurs marquent alors l'endroit où ils sont arrivés et s'efforcent de battre leur propre record.

Le guide

12 à 26 joueurs

7 à 12 ans

Les joueurs se divisent en équipes et s'alignent par paires derrière la ligne de départ, à 10 mètres de la ligne d'arrivée.

Au signal du meneur de jeu, les deux premiers joueurs de chaque équipe se prennent par la main et courent jusqu'à la ligne d'arrivée. Un des deux joueurs doit devancer l'autre, le tirant par la main. Lorsque le meneur de jeu crie « Changez ! » les partenaires doivent changer de position, le premier devenant le second, et vice versa. Le meneur de jeu multiplie les changements durant la course, tant au retour qu'à l'aller. Si deux joueurs ne sont pas dans l'ordre voulu, ou s'ils sont côte à côte, ils doivent retourner à la ligne de départ et reprendre leur course. La première équipe qui termine est gagnante.

Saute-mouton

2 à 20 joueurs

8 à 12 ans

Un des joueurs se place devant ses camarades en file indienne, c'est le mouton. Il se tient le dos courbé, les mains sur les genoux pour garder un bon équilibre, et il rentre la tête dans les épaules pour la protéger.

Les joueurs sautent les uns après les autres par-dessus le mouton, en faisant appel des deux pieds, en prenant appui des deux mains sur son dos et en écartant les jambes. Ils se placent derrière lui en position de moutons, à 4 mètres les uns des autres. Après que tous ont sauté, le premier mouton saute à son tour sur tous les autres et se met lui-même en position à 4 mètres du dernier. Le jeu continue de cette manière aussi longtemps qu'il amuse les participants.

VARIANTES
On peut aussi procéder par élimination. On rendra le saut plus difficile en plaçant deux, voire trois moutons côte à côte. Enfin les moutons pourront commencer par se mettre en position très basse, c'est-à-dire courbés en se tenant les chevilles ; puis ils se redresseront progressivement et finiront, si les joueurs sont particulièrement lestes, par rester debout, les bras croisés, en rentrant seulement la tête.

La marelle

2 à 10 joueurs

7 à 10 ans

Sur un trottoir ou tout autre endroit plat et dur, on trace un long rectangle d'environ 1,20 mètre de large sur 3 mètres de long, dont on arrondit l'une des extrémités. On le divise en 11 cases numérotées de 1 à 10, la dernière, au bout arrondi, étant le « paradis ».

Saute-mouton

La marelle

e premier joueur se place à la base du rectangle, devant la première case, où il lance son palet (un caillou plat de préférence). Puis, se tenant sur un seul pied, il saute dans la case, ramasse le palet et revient en sautant à son point de départ. Il lance alors son palet dans la case n° 2 et procède de la même façon. Il doit ainsi lancer le palet dans toutes les cases, y compris le paradis, s'y rendre et en revenir à cloche-pied. Il commet une faute s'il n'envoie pas le palet dans la bonne case, si en sautant il met le pied sur la ligne du dessin ou s'il perd l'équilibre et pose le second pied sur le sol. Tout joueur qui commet une faute doit céder sa place au suivant et ramasser son palet. Quand tous les joueurs ont eu leur tour, le premier joueur reprend son parcours à partir de la place où il avait commis sa faute, et ainsi de suite, jusqu'à ce qu'un joueur ait terminé le parcours, c'est-à-dire fait l'aller et le retour au paradis.

VARIANTES

Il y a deux sortes de marelle : celle où l'on ne pousse pas le palet, comme ci-dessus, et celle où l'on pousse le palet. Dans une variante de la

première, le joueur qui commet une faute laisse son palet dans la case. Le joueur suivant doit sauter par-dessus cette case lorsqu'il fait son parcours ; autrement, les règles restent les mêmes. Dans la deuxième catégorie de marelle, le joueur doit pousser le palet de case en case avec le pied sur lequel il saute. Mais les jeux de marelle se différencient surtout par leurs dessins. Certains sont en carrés, d'autres en croix, en cercle ou même en spirale mais le principe du jeu ne varie pas.

Le canard

6 à 7 ans

es joueurs, autant qu'on veut, accroupis et se tenant les chevilles avec les mains, avancent ainsi le plus rapidement possible, ce qui les fait se dandiner comme des canards. Celui qui va le plus loin, ou marche le plus longtemps, gagne le concours.

Le crabe

6 à 10 ans

es joueurs s'accroupissent, puis se renversent en arrière et posent les mains à plat sur le sol. Ils se déplacent ensuite sur les mains et les pieds en essayant de ne pas courber le dos et de garder le buste aussi droit que possible. On peut organiser ainsi des courses individuelles ou des courses de relais, avec autant de participants qu'on veut.

Le crapaud

9 à 11 ans

es joueurs, peu importe le nombre, s'accroupissent, les mains à plat sur le sol, les bras entre les cuisses, les coudes contre les genoux. Se penchant lentement en avant de façon à faire porter tout leur poids sur les mains et les bras, ils soulèvent les pieds au-dessus du sol et essaient de maintenir cette position le plus longtemps possible. On peut faire de cet exercice un concours : le joueur qui tient le plus longtemps est déclaré gagnant, à moins qu'on décide de procéder par élimination.

La ruade

 6 à 7 ans

Les joueurs s'accroupissent, les mains à plat sur le sol, les genoux pliés, reposant de tout leur poids sur la pointe des pieds. Au signal, ils lancent leurs jambes en l'air, soit l'une après l'autre, soit les deux en même temps, en imitant le cri de l'âne ou du cheval. Le meneur de jeu récompense le joueur dont les ruades et les imitations sont les plus réussies.

La chenille arpenteuse

8 à 10 ans

Les joueurs s'étendent à plat ventre, puis se relèvent sur les mains, les bras tendus, les jambes allongées. Sans déplacer les mains, ils avancent les pieds un à un, aussi près des mains que possible, en gardant toujours les jambes droites. Ils avancent alors les mains, de façon à retrouver leur position de départ, et ainsi de suite. Cet exercice exige à la fois de la souplesse et de la force musculaire.

Le nœud gordien

8 à 12 ans

Le poursuivant quitte la pièce ou s'écarte des autres joueurs. En son absence, ceux-ci se tiennent par la main, en cercle. Puis ils s'entrelacent, sans se lâcher les mains, de façon à former un nœud extrêmement compliqué. Cela s'obtient en faisant toutes sortes d'acrobaties : l'un, les bras levés, passe sous son voisin ; un autre enjambe les bras entrecroisés de deux camarades ; un troisième s'enroule sur lui-même, etc. Le poursuivant revient alors : il doit défaire le nœud de façon à ce que les joueurs reforment le cercle initial sans se lâcher les mains. Le jeu peut faire l'objet d'un concours entre deux équipes, chaque équipe envoyant un représentant défaire le nœud de l'adversaire.

plein air sans matériel

Le nœud gordien

Le sculpteur

2 à 10 joueurs

Un des joueurs est choisi pour faire le sculpteur. Le sculpteur définit, avant de se mettre au travail, l'expression qu'il désire donner à ses différentes œuvres. Il dira, par exemple : « Je veux créer la plus gracieuse des statues » (ou la plus séduisante, la plus effrayante, la plus bête, etc.). Cela dit, il saisit chaque joueur par la main, le fait vigoureusement pivoter autour de lui, bras tendus, et le lâche brusquement. Les joueurs doivent s'immobiliser sur-le-champ dans l'attitude et l'expression demandées. Lorsque toutes les statues sont sculptées, l'artiste choisit son chef-d'œuvre, qui devient sculpteur à son tour.

Le tournemain

6 à 8 ans

Les joueurs se placent deux par deux en se tenant par les mains. Chacun doit faire un tour sur lui-même sans lâcher les mains de son partenaire. En levant d'abord deux de leurs mains jointes et en se tournant du même côté, les deux joueurs se retrouvent dos à dos. Il ne leur reste plus qu'à en faire autant de l'autre côté. L'important est de ne pas trop serrer les mains et de se tourner rapidement.

La chasse à la perdrix

10 à 20 joueurs

6 à 12 ans

Les joueurs forment deux équipes. Les membres de chaque équipe se consultent en secret et décident d'être soit des perdrix, soit des fusils, soit des chasseurs. Il est entendu que les perdrix l'emportent sur les chasseurs, les chasseurs sur les fusils et les fusils sur les perdrix. Une fois les rôles choisis, les deux équipes s'affrontent et miment leurs rôles. Les perdrix battent des ailes avec leurs bras et gloussent ; les fusils font semblant de tirer et crient « Pan ! » ; les chasseurs croisent les bras et crient « Hop ! ». L'équipe qui l'emporte sur l'autre, à cause du rôle qu'elle a choisi, marque un point. Si les deux équipes ont choisi

Le sculpteur

Pigeon vole

le même rôle, aucune ne marque de point. La première équipe qui marque cinq points gagne la partie.

· · · · · · · · · · · · · · ·

Jacques a dit...

🖍 **6 à 10 ans**

U n des joueurs, le poursuivant, fait face aux autres et leur ordonne de faire certains gestes, qu'il accomplit lui-même « Jacques a dit : sautez à pieds joints. Demi-tour à droite. Mains sur la tête. Jacques a dit : penchez-vous en avant. » Les joueurs, cependant, ne doivent lui obéir que lorsque ses ordres sont précédés de la formule « Jacques a dit… ». Tout joueur qui exécute un ordre non précédé de ces mots ou qui, au contraire, n'obéit pas à un ordre donné selon la règle, est éliminé. Pour compliquer le jeu, le poursuivant donne une série rapide d'ordres réguliers, puis néglige de dire « Jacques a dit… », ce qui a souvent pour effet d'éliminer plusieurs joueurs à la fois. Le joueur qui reste le dernier gagne la partie.

VARIANTES

Dans À mon commandement…, le poursuivant ne donne que deux ordres à ses camarades : « Assis ! » ou « Debout ! » Ceux-ci doivent plier les genoux et se redresser aussitôt après, dans

le premier cas, et rester immobiles dans le second. Le poursuivant peut induire les joueurs en erreur en exécutant les mouvements opposés à ceux qu'il ordonne.

· · · · · · · · · · · ·

Pigeon vole

👥 **6 à 12 joueurs**

🖍 **6 à 10 ans**

Le meneur de jeu fait face aux joueurs.

L e meneur de jeu prononce un mot associé au verbe vole (exemple : « avion vole », « voiture vole », « cochon vole »…) et lève son index. Si le sujet proposé vole effectivement, les joueurs doivent lever l'index. À l'inverse, ils ne doivent pas réagir si le sujet ne vole pas. Toute erreur élimine le joueur. Le gagnant est le dernier joueur qui ne se sera pas trompé, ou le meneur de jeu si tous les joueurs sont éliminés.

VARIANTES

À Canard nage, les joueurs doivent se manifester lorsque le sujet proposé nage. On peut aussi remplacer nage par flotte, roule… La réussite de ce jeu dépendant beaucoup de la rapidité du meneur de jeu lors de l'énoncé des mots ; celui-ci peut préparer à l'avance une liste de mots.

Les gendarmes et les voleurs

12 à 30 joueurs

6 à 10 ans

Les joueurs se divisent en deux groupes, les gendarmes et les voleurs. Le terrain doit être aussi grand que possible (au moins une bonne trentaine de mètres). À l'une des extrémités se trouve une ligne qui matérialise la prison. Au début, les gendarmes sont situés (groupés) près de cette ligne, tandis que les voleurs sont disséminés sur tout le terrain de jeu.

Au signal convenu, les gendarmes s'élancent à la poursuite des voleurs et ramènent en prison tous ceux qu'ils touchent de la main. Une fois en prison, le voleur se tient un pied sur la ligne et tend un bras pour permettre à l'un de ses coéquipiers de le délivrer en lui touchant la main. Si plusieurs voleurs sont en prison en même temps, ils forment une chaîne et c'est le dernier pris qui doit garder un pied sur la ligne. La chaîne peut s'avancer assez loin pour permettre à un voleur non pris de délivrer tout le monde en touchant de la main le voleur de l'extrémité.

Si la chaîne casse, il faut toucher la main du groupe qui a un voleur en prison ; eux seuls seront libérés.

Le jeu prend fin lorsqu'un voleur réussit à libérer toute la chaîne (elle doit au moins être égale à un nombre minimal que l'on aura fixé en début de partie). Les gendarmes marquent alors autant de points qu'ils avaient fait de prisonniers jusque-là. Les gendarmes deviennent alors les voleurs, et inversement. La victoire revient à l'équipe qui aura marqué le plus de points.

Les 4 coins

5 joueurs

7 à 12 ans

L'aire de jeu doit être préalablement définie et comporter quatre coins, comme une pièce ou un préau. Quatre joueurs occupent chacun un coin tandis qu'un cinquième se place au centre de l'aire de jeu.

Les occupants des quatre coins doivent se déplacer d'un coin à l'autre constamment tandis que le cinquième essaie de s'emparer d'un coin devenu libre. S'il y parvient, c'est le joueur qui n'a plus de coin qui, à son tour, cherche une place.

L'astuce pour les joueurs de coins est de se faire discrètement un signe avant de se déplacer et ainsi d'échanger leurs places avec moins de risque.

Le chat à deux

10 à 30 joueurs

7 à 12 ans

Tous les joueurs sauf deux – le chat et la souris – s'associent par paires en se tenant bras dessus, bras dessous et s'assoient en formant un cercle. Le chat et la souris se placent à l'extérieur du cercle à une distance raisonnable l'un de l'autre.

Au signal convenu, le chat doit attraper la souris. Celle-ci tente de lui échapper en courant autour du cercle, ce qui est interdit au chat. La souris peut céder sa place à l'un des joueurs assis. Pour cela, il lui suffit de s'asseoir à côté d'un joueur et de s'accrocher à son bras. Le voisin de ce joueur devient alors la nouvelle souris et cherche à son tour à échapper au chat.

Le chat à deux

Les 4 coins

Jeux
de Plein air
SANS MATÉRIEL

Jeux
de Plein air
AVEC PEU DE MATÉRIEL

Jeux
de Plein air
AVEC MATÉRIEL
OU CADRE SPÉCIFIQUE

Jeux
d'Intérieur
SANS MATÉRIEL

Jeux
d'Intérieur
AVEC PEU DE MATÉRIEL

Jeux
d'Intérieur
AVEC MATÉRIEL
SPÉCIFIQUE

Jeux de Plein air

AVEC PEU DE MATÉRIEL

Une balle, un ballon, un foulard ou des quilles suffisent bien souvent à distraire les enfants à l'extérieur. Cette rubrique propose une multitude d'idées aux jeunes de 6 à 12 ans pour se divertir en plein air avec un peu de matériel.

Le furet

✂ 1 anneau et 1 longue ficelle

Tous les joueurs – autant qu'on le souhaite –, sauf un qui se met au centre, forment un cercle. Ils tiennent une longue ficelle dont on a noué les deux bouts et sur laquelle on a enfilé un anneau. Ils se passent l'anneau en le faisant glisser le long de la ficelle dans un sens ou dans l'autre du cercle. Pour éviter que le joueur du centre n'aperçoive l'anneau quand ils se le passent, ils doivent rapprocher leurs mains jusqu'à ce qu'elles se touchent (ce qui permet à l'anneau de changer de main) puis les écarter jusqu'à ce qu'elles touchent celles de leurs voisins (ce qui permet à l'anneau de changer de propriétaire), et ce par un mouvement constant et régulier. Ils chantent en chœur la chanson bien connue :

Il court, il court, le furet,
Le furet du bois, mesdames,
Il court, il court, le furet,
Le furet du bois joli.
Il a passé par ici,
Il repassera par là.
Qui est-ce qui l'a ?

À cette question, toutes les mains s'immobilisent et le joueur placé au centre doit taper sur la main qui tient l'anneau. S'il tombe juste, il change de place avec le joueur en question ; sinon, il recommence. Après trois échecs, il cède sa place à un autre joueur.

Qui suis-je ?

♟ 4 à 10 joueurs

✂ Ciseaux, épingles à nourrice

Le meneur de jeu découpe des personnages connus dans des magazines de bandes dessinées. Il en épingle un sur le dos de chaque joueur, sans le lui montrer. Les joueurs doivent découvrir le personnage qui leur a été attribué en s'interrogeant les uns les autres. Toutes les questions concernant le physique ou le moral sont permises, sauf celles qui équivaudraient à demander : « Qui suis-je ? »

Le premier joueur qui trouve le nom de son personnage gagne la partie, mais on peut continuer le jeu jusqu'à ce que chaque joueur ait découvert son identité.

Les couleurs

♟ 6 à 8 ans

✂ 1 sac de sable ou 1 balle

Les joueurs forment un cercle au milieu duquel se place l'un d'entre eux, tenant un sac de sable. Il lance le sac à un des joueurs en annonçant une couleur. Le joueur désigné attrape le sac, nomme un objet de la couleur

Le furet

Les couleurs

annoncée et renvoie le sac à son propriétaire en annonçant une autre couleur. Le joueur central attrape le sac et nomme à son tour un objet de la couleur annoncée par le joueur. Puis il envoie le sac à un autre joueur et le jeu se répète. On peut revenir à une couleur déjà annoncée, mais il faut chaque fois trouver un nouvel objet. Tout joueur qui n'attrape pas le sac ou qui ne trouve pas d'objet de la couleur demandée est éliminé. De même, s'il ne rattrape pas le sac qui lui est renvoyé ou s'il ne trouve pas d'objet de la bonne couleur, le joueur central est éliminé et cède sa place au joueur qui vient de lui renvoyer le sac. Le jeu continue jusqu'à ce qu'il ne reste qu'un joueur, qui est proclamé gagnant. En remplaçant le sac par une balle, on peut rendre le jeu plus rapide, et donc plus difficile.

· · · · · · · · · · · · · · · · ·

Le ballon chasseur

🏃 12 à 30 joueurs

👥 8 à 12 ans

✂ 1 balle ou 1 ballon

Les joueurs forment deux équipes égales et se placent de part et d'autre d'une ligne centrale, sur un terrain d'au moins 10 mètres sur 15.

L e meneur de jeu fait rouler le ballon le long de la ligne centrale. Le joueur qui l'at-

trape amorce le jeu. Il s'agit d'éliminer les joueurs de l'équipe adverse en les touchant avec le ballon au-dessous de la ceinture. Tout joueur ainsi touché, ou qui franchit la ligne centrale, doit se retirer du jeu. L'équipe qui a réussi à éliminer tous ses adversaires gagne la partie. On peut aussi accorder la victoire à l'équipe qui reste la plus nombreuse après un temps convenu (de 3 à 5 minutes).

VARIANTE

Les joueurs peuvent se placer sur des lignes tracées des deux côtés de la ligne centrale, où l'on dépose plusieurs ballons. Lorsque le signal est donné, chaque équipe court ramasser le plus de ballons possible pour les lancer sur l'équipe adverse. Les ballons rattrapés au vol ne comptent pas comme touchers. Le jeu se poursuit jusqu'à ce qu'une des équipes ait été éliminée.

· · · · · · · · · · · · · · · · · · · ·

Le troupeau encerclé

🏃 10 à 20 joueurs

👥 8 à 12 ans

✂ 1 balle ou 1 ballon

La moitié des joueurs forme un cercle d'environ 8 mètres de diamètre. Les autres se placent à l'intérieur du cercle.

Les joueurs qui constituent le cercle lancent la balle sur les autres, essayant de les atteindre au-dessous de la ceinture. Chaque joueur touché rejoint ceux qui forment le cercle. Le dernier touché est déclaré gagnant.

• • • • • • • • • • • • •

La balle stop

6 à 15 joueurs

8 à 12 ans

1 balle ou 1 ballon

Chaque joueur se voit attribuer un numéro. L'un d'entre eux est désigné comme meneur de jeu. Tous les autres forment un cercle d'environ 5 mètres de diamètre. Le meneur de jeu se place au milieu du cercle, avec la balle.

Le meneur de jeu crie un numéro en lançant la balle en l'air, le plus haut possible. Le joueur qui porte le numéro appelé vient rattraper la balle pendant que les autres se dispersent en courant. Dès qu'il a la balle en mains, il crie « stop ! », et tous les joueurs doivent immédiatement s'immobiliser, y compris celui qui a la balle. Ce dernier la lance alors sur le joueur qui lui semble offrir la cible la plus facile. Le joueur visé peut se pencher ou s'accroupir pour éviter la balle mais il n'a pas le droit de bouger les pieds. S'il est atteint, il perd un point et prend la place du meneur de jeu. Tout joueur qui a perdu trois points est éliminé. Le dernier en jeu gagne la partie.

• • • • • • • • • • • • • • • • • • • •

Les quilles gardées

12 à 30 joueurs

8 à 12 ans

2 balles, 8 quilles de gymnaste ou 8 grosses bouteilles en plastique

Les joueurs forment deux équipes égales qui se placent des deux côtés d'une ligne centrale.

Derrière chaque équipe on trace une autre ligne, à environ 5 mètres de la ligne du centre. Derrière ces lignes, on dispose quatre quilles en rangée, à intervalles d'environ 1 mètre.

Les joueurs de chaque équipe cherchent à abattre, avec leur balle, les quilles de l'équipe adverse, tout en protégeant les leurs. Ils peuvent se faire des passes avec la balle. Aucun joueur ne doit franchir la ligne du centre. La première équipe qui abat toutes les quilles de l'autre gagne la partie. On peut aussi décider que l'équipe gagnante sera celle qui aura abattu le plus de quilles de l'adversaire au bout d'un temps prévu (par exemple, 5 minutes). Dans ce cas, on relève les quilles à mesure qu'elles sont abattues.

• • • • • • • • •

Le train

10 à 25 joueurs

8 à 12 ans

1 balle ou 1 ballon

Quatre joueurs forment une file, chacun tenant des deux mains la taille du joueur qui le précède. Ils sont le « train », le premier

Les quilles gardées

Le train

joueur de la file étant la locomotive, le dernier le wagon de queue. Tous les autres joueurs se placent autour d'eux, formant un cercle d'environ 6 mètres de diamètre.

Les joueurs du cercle cherchent à toucher avec la balle, au-dessous de la ceinture, celui qui fait le wagon de queue. La locomotive s'efforce de protéger ce dernier en repoussant la balle avec ses pieds et ses mains (ce que les autres n'ont pas le droit de faire) et en dirigeant le train de façon à protéger le wagon de queue. Lorsque celui-ci est atteint, le joueur qui a lancé la balle devient la locomotive, l'ancienne loco-motive prend la place du premier wagon, et ainsi de suite, l'ancien wagon de queue allant rejoindre le cercle. Le joueur qui, en faisant la locomotive, a protégé le wagon de queue le plus longtemps est déclaré gagnant.

• • • • • • • • • • • • • • • • •

Le chassé-croisé

5 à 15 joueurs

7 à 11 ans

1 balle ou 1 ballon

Le joueur qui a été choisi pour être le meneur prend la balle. Les autres se placent sur des buts tracés sur le sol dans une zone d'au moins 15 mètres sur 20.

Les joueurs doivent changer de but sans être touchés par la balle que lance le meneur. Pour ce faire, ils échangent discrète-ment des signes entre eux. Si le meneur réussit à atteindre un joueur au-dessous de la ceinture, les deux changent de rôle. Le meneur peut aussi occuper n'importe quel but laissé libre ; en ce cas, le joueur qui se retrouve sans but devient le nouveau meneur. Chaque fois qu'il parvient à changer de but, un joueur marque un point. Une fois écoulé le temps prévu pour la partie (10 ou 15 minutes), le joueur qui a mar-qué le plus de points est le gagnant.

La course de kangourous

La balle au prisonnier

10 à 40 joueurs

6 à 12 ans

1 balle ou 1 ballon

Les joueurs se répartissent en deux camps.
On trace une ligne au milieu du terrain et deux
autres pour délimiter chaque camp, à 8 mètres
de la ligne centrale.

C e jeu consiste à faire prisonniers tous les
adversaires. Un joueur est prisonnier lorsque le ballon, lancé par un adversaire, le touche
avant de tomber à terre. Si le ballon touche deux
joueurs avant de tomber, tous les deux sont prisonniers ; mais, si le second joueur parvient à
bloquer le ballon, ils restent libres tous les deux.
À la différence des autres jeux de ballon chasseur, un prisonnier n'est pas éliminé : il se rend
derrière les lignes du camp adverse, d'où il peut
se libérer. En effet, lorsque, après avoir attrapé
ou ramassé la balle dans sa prison, il touche un
adversaire, celui-ci est fait prisonnier à son tour
tandis que lui peut reprendre sa place dans son
camp. Le joueur qui bloque le ballon dans ses
mains n'est pas prisonnier : cela lui permet de
viser plus vite un adversaire. Les joueurs d'une
équipe qui a beaucoup de prisonniers ont intérêt
à faire des passes à leurs camarades par-dessus
le camp adverse pour leur permettre de se libérer. Il y a faute lorsqu'une équipe envoie le ballon
hors des limites du terrain ou lorsqu'un joueur
franchit la ligne centrale. Le ballon est alors remis
au camp adverse. Le jeu se termine soit quand

une équipe a éliminé tous les joueurs du camp
adverse, soit au bout du temps prévu ; dans ce
cas-là l'équipe gagnante est celle qui a gardé le
plus de joueurs libres.

La course de kangourous

8 à 30 joueurs

6 à 10 ans

Balles, ballons ou sacs de sable

Les équipes se placent en file indienne.
La ligne de départ et la ligne d'arrivée sont
espacées de 5 à 10 mètres. Chaque joueur
en tête de file tient une balle, un ballon,
un sac de sable ou tout autre objet
de forme comparable, comme un bloc
de bois. L'important est que les objets soient
les mêmes pour toutes les équipes.

A u signal donné, le joueur de tête de
chaque file place l'objet entre ses
genoux et procède par sauts, les pieds joints,
jusqu'à la ligne d'arrivée, puis il revient et
remet l'objet au joueur suivant. Il n'a pas le
droit de maintenir l'objet avec ses mains ; si
l'objet tombe, le joueur doit le ramasser et le
replacer entre ses genoux. L'équipe gagnante
est celle dont tous les joueurs ont achevé le
parcours en premier.

Les piles de sacs

16 à 30 joueurs

7 à 11 ans

Une vingtaine de sacs de sable

Les joueurs se divisent en deux files égales.
On donne la moitié des sacs de sable
au dernier joueur de chaque file.

A u signal donné, les joueurs de chaque
équipe se passent les sacs, de l'arrière

vers l'avant de la file. Les joueurs en tête de file doivent empiler les sacs de façon que seul le sac du bas touche le sol. Si la pile s'effondre, le joueur doit la refaire ; pendant ce temps, la circulation des sacs est interrompue. La première équipe qui a empilé tous ses sacs gagne la manche. La partie se joue en cinq manches.

VARIANTE

Pour compliquer le jeu, on peut remplacer les sacs de sable par d'autres objets plus difficiles à empiler, comme des épingles à linge.

· · · · · · · · · · · · · · · · · ·

Le ballon au mur

8 à 30 joueurs

7 à 11 ans

Ballons de basket

Les équipes se placent en file indienne derrière une ligne de départ tracée à une dizaine de mètres d'un mur. À environ 3 mètres du mur, on trace une ligne de service. On donne un ballon au premier joueur de chaque équipe. (On utilise généralement des ballons de basket, mais on peut aussi prendre des balles ou encore des ballons de volley.)

Lorsque le signal est donné, les joueurs de tête des diverses équipes courent jusqu'à la ligne de service, lancent leur ballon contre le mur et essaient de le rattraper après le premier rebond. Ceux qui échouent doivent reprendre leur lancer. Les joueurs retournent en courant à la ligne de départ, où ils remettent le ballon au second de leur équipe, qui va lancer à son tour le ballon à la ligne de service, et ainsi de suite. L'équipe qui termine en premier gagne la partie.

VARIANTE

Pour rendre le jeu plus difficile, on peut obliger les joueurs à dribbler, c'est-à-dire à faire rebondir le ballon avec le plat de la main tout en courant, entre la ligne de départ et la ligne de service.

· · · · · · · · · · · · · · · · · ·

La course en sac

8 à 40 joueurs

8 à 12 ans

Grands sacs

Les équipes se placent en file indienne derrière une ligne de départ qui a été tracée à 10 mètres de la ligne d'arrivée. On donne au premier joueur de chaque file un grand sac, de jute par exemple, comme ceux dont on se sert pour les pommes de terre ou la paille.

Au signal convenu, les premiers joueurs des diverses équipes enfilent leur sac jusqu'à la taille. En le tenant des deux mains, ils vont en sautant jusqu'à la ligne d'arrivée puis reviennent à la ligne de départ pour passer le sac au suivant. Celui-ci l'enfile le plus

La course en sac

Le tour du b

rapidement possible pour ne pas perdre de temps et effectue le même parcours. L'équipe gagnante est celle qui finit en premier.

Les débuts sont un peu ardus mais l'agilité vient vite avec la pratique.

Le tour du bâton

 8 à 30 joueurs

8 à 12 ans

Battes de base-ball
ou manches à balai

Les joueurs forment deux files derrière la ligne de départ située à une dizaine de mètres de la ligne d'arrivée. On donne au premier joueur de chaque file une batte de base-ball, un manche à balai ou un simple bâton d'environ 1 mètre de long.

Lorsque le signal est donné, le premier joueur de chaque file court le plus vite possible jusqu'à la ligne d'arrivée. Là, il tient son bâton droit, un bout posé sur le sol et, touchant du front l'autre bout du bâton, il en fait trois fois le tour complet ; puis il revient en courant à la ligne de départ, sans oublier le bâton, qu'il remet au joueur suivant. L'équipe gagnante est celle dont les joueurs ont terminé leur parcours en premier.

Les montagnes russes

8 à 30 joueurs

9 à 12 ans

Balles ou ballons

Les équipes se rangent en file indienne. On remet une balle au premier joueur de chaque file.

Au signal convenu, le premier joueur de chaque file remet la balle au deuxième en la faisant passer au-dessus de sa tête. Le deuxième joueur la remet au troisième en la faisant passer entre ses jambes, le troisième au quatrième par-dessus sa tête, et ainsi de suite, jusqu'au dernier joueur de la file, qui court se placer en tête de file, et le jeu continue. L'équipe qui termine en premier gagne la partie.

La course en huit

8 à 30 joueurs

8 à 12 ans

Quilles ou bouteilles en plastique

Les équipes se placent en file indienne derrière la ligne de départ. À une dizaine

de mètres de là, on aligne devant chaque file trois quilles (ou bouteilles en plastique) à environ 1,50 mètre les unes des autres.

Lorsque le signal est donné, le premier joueur de chaque file court vers les quilles. Il doit passer à droite de la première, à gauche de la deuxième et à droite de la dernière, puis revenir de la même façon, de manière à ce que le parcours forme un huit suivi d'une boucle ouverte. De retour à la ligne de départ, il est aussitôt remplacé par le joueur suivant.

Si un joueur fait tomber une quille, il doit la relever avant de reprendre sa course. La première équipe qui termine gagne la partie.

La course à la cuillère

8 à 30 joueurs

8 à 12 ans

Pommes de terre ou balles de ping-pong, cuillères

Les équipes se placent en file indienne derrière la ligne de départ, à 5 mètres de la ligne d'arrivée. Trois pommes de terre (des œufs durs ou des balles de ping-pong feront aussi l'affaire) ont été posées sur la ligne d'arrivée devant chaque équipe.

La course à la cuillère

plein air avec peu de matériel

Le premier joueur de chaque file tient à la main une cuillère.

Le premier joueur de chaque équipe court jusqu'à la ligne d'arrivée et ramasse une pomme de terre dans sa cuillère, sans s'aider de la main ni du pied. Il revient en courant à la ligne de départ, portant la pomme de terre dans sa cuillère. Là, il la dépose par terre et va de la même façon chercher la deuxième puis la troisième. Bien sûr, s'il en perd une, il doit s'arrêter pour la ramasser, sans s'aider des mains. Il passe ensuite la cuillère au deuxième joueur de son équipe, qui lui, doit rapporter les pommes de terre jusqu'à la ligne d'arrivée. L'équipe gagnante est celle qui termine en premier. Si les joueurs n'ont que 6 ou 7 ans, on peut faciliter le jeu en leur permettant de placer les pommes de terre sur la cuillère avec leurs mains.

• • • • • • • • • • • • • • • • • • • •

La course à la brique

■ 6 à 20 joueurs

▮▮▮ 8 à 12 ans

▮ Briques ou morceaux de bois

Les joueurs se divisent en deux équipes et se rangent en file indienne derrière la ligne de départ. On trace la ligne d'arrivée à 5 mètres de celle-ci. Chaque équipe reçoit deux briques ou deux morceaux de planche de bois.

Au signal, les joueurs de tête des deux équipes posent les briques par terre et montent dessus. Ils doivent atteindre la ligne d'arrivée, puis revenir à la ligne de départ, en ne marchant que sur les briques, celles-ci ne pouvant être déplacées qu'à la main. Tout joueur qui met le pied à terre ou tente de déplacer les briques en les poussant du pied doit retourner à la ligne de départ s'il est sur le trajet de l'aller, et à la ligne d'arrivée s'il est sur le trajet du retour. Le joueur suivant prend la relève dès que son camarade a terminé le parcours, et la première équipe qui termine gagne la partie.

VARIANTE

On peut donner à chaque équipe trois briques au lieu de deux, ce qui est moins fatigant pour les coureurs. Enfin, les deux équipes peuvent se diviser en deux, chaque moitié se plaçant derrière une des lignes. Dans ce cas, les coureurs n'ont à faire qu'un trajet simple puisqu'il leur suffit de se rendre à la ligne d'en face, où un de leurs camarades prend la relève.

• •

La course sur trois pattes

■ 12 à 40 joueurs

▮▮▮ 8 à 12 ans

▮ Cordes ou foulards

La course sur trois pattes

Les équipes se divisent en paires et se placent en file derrière la ligne de départ, à environ 10 mètres de la ligne d'arrivée. Chaque joueur a une jambe liée à celle de son partenaire par une corde ou un foulard, la jambe droite pour le joueur de gauche et la jambe gauche pour celui de droite.

Au signal, les deux premiers joueurs de chaque équipe s'élancent vers la ligne d'arrivée, la franchissent et reviennent. Ils touchent les deux joueurs suivants, qui font le même parcours, et ainsi de suite. L'équipe gagnante est celle qui termine la première.

Le cercle-relais

██ 12 à 36 joueurs

▲▲ 6 à 8 ans

✂ Ballons

Les joueurs se divisent en équipes égales. Chaque équipe forme un cercle. On remet un ballon à l'un des joueurs de chaque équipe.

A u signal convenu, le joueur qui tient le ballon fait en courant le tour de son cercle. De retour à sa place, il passe le ballon au joueur qui se trouve à sa droite. Celui-ci fait le tour du cercle et remet le ballon au joueur suivant, et ainsi de suite. La première équipe dont tous les joueurs ont achevé leur parcours gagne la partie.

VARIANTE
Pour augmenter la difficulté, on peut obliger les joueurs à dribbler en faisant le tour du cercle.

Saute-bâton

██ 12 à 40 joueurs

▲▲ 9 à 12 ans

✂ Bâtons

Les joueurs se placent en file indienne derrière la ligne de départ. Les deux premiers joueurs de chaque file tiennent par les deux bouts un bâton d'environ 1 mètre de long ; ils se placent de part et d'autre de leur équipe.

E n tenant le bâton près du sol, les deux premiers joueurs de chaque équipe courent en remontant leur file. Au passage, chaque joueur de la file doit sauter par-dessus le bâton. Quand les deux joueurs qui tiennent le bâton arrivent au bout de la file, le premier lâche le bâton et prend place en queue de file tandis que le second, tenant toujours le bâton, court se placer en tête de file et prend le troisième joueur comme partenaire. Ensemble, ils remontent le long de leur file, et ainsi de suite jusqu'à ce que tout le monde ait eu son tour. La première équipe qui termine aura bien sûr gagné la partie.

plein air avec peu de matériel

Saute-bâton

La balle-relais

12 à 30 joueurs

7 à 9 ans

Balles ou ballons

Les joueurs se divisent en équipes égales et forment autant de files derrière la ligne de départ, située à 5 ou 6 mètres de la ligne de service. On donne une balle au premier joueur de chaque file.

L e premier joueur de chaque équipe court jusqu'à la ligne de service, se retourne et, de là, lance la balle au second joueur. Celui-ci doit la rattraper et courir à son tour à la ligne de service, d'où il lance la balle au troisième, et ainsi de suite. S'il laisse tomber la balle, le lanceur doit la ramasser et repartir de la ligne de départ. L'équipe qui termine en premier est gagnante. Selon l'âge des joueurs, on peut augmenter ou réduire l'écart entre les deux lignes.

VARIANTES

Une première variante consiste à faire rouler la balle au lieu de la lancer. Dans une autre, le receveur doit laisser la balle faire un rebond avant de l'attraper. S'il la prend au vol ou après plusieurs rebonds, il la remet au lanceur, qui doit recommencer.

La balle au choix

4 à 8 joueurs

6 à 7 ans

Balles et ballons divers

Les joueurs se placent sur un rang, face au meneur de jeu. Celui-ci a près de lui des balles et des ballons de diverses sortes : balle de caoutchouc, balle de tennis, ballon de basket, etc.

L e meneur de jeu choisit une balle et la lance, en la faisant rebondir une fois, à chacun des joueurs qui doit l'attraper et la lui renvoyer de la même façon. Quand il l'a envoyée à tous les joueurs, il se place à un bout de la rangée et le joueur placé à l'autre bout devient meneur de jeu, et ainsi de suite. Chaque meneur de jeu décide de la balle ou du ballon qu'il veut lancer. Il n'y a ni gagnants ni perdants. Le jeu n'a pas d'autre but que d'apprendre aux enfants à manier les divers genres de balles et de ballons.

La balle au choix

La balle en cercle

La course contre la balle

👥 12 à 24 joueurs

👤 10 à 12 ans

✂ 1 balle ou 1 ballon

Les joueurs se divisent en deux équipes égales. L'une des équipes forme un cercle, les joueurs étant espacés d'environ 1 mètre. L'autre équipe se place en file, à l'extérieur du cercle. On remet une balle à l'un des joueurs du cercle.

Lorsque le signal est donné, les joueurs du cercle se passent la balle en la faisant rebondir une fois d'un joueur à l'autre. Si un joueur laisse échapper la balle, il court la chercher, puis revient rapidement à sa place avant de la passer à son voisin. La balle doit faire autant de tours du cercle qu'il y a de joueurs dans l'équipe.

Pendant ce temps, le premier joueur de la file fait en courant le tour du cercle, revient à sa place et touche le deuxième joueur, qui part à son tour, et ainsi de suite. La première équipe qui a terminé sa tâche (les passes de balle pour l'une, les tours du cercle pour l'autre) gagne la partie. Les deux équipes inversent les rôles pour la partie suivante.

La balle en cercle

👥 4 à 15 joueurs

👤 8 à 12 ans

✂ 1 balle ou 1 ballon

Les joueurs se placent en cercle à 1,50 mètre les uns des autres.

Les joueurs se passent vite la balle de la main gauche, dans les positions difficiles demandées par le meneur de jeu : en arrière, entre les jambes, par-dessus la tête, sur un pied, etc. Chaque fois qu'un joueur manque la balle, il marque un point. Le joueur qui, après 10 minutes de jeu, totalise le moins de points est le gagnant.

Le ballon en rond

👥 6 à 15 joueurs

👤 6 à 7 ans

✂ Balle ou ballon de volley-ball

Les joueurs forment un cercle, en se tenant à 1 ou 2 mètres les uns des autres.

Les joueurs se lancent la balle de façon à lui faire faire le tour du cercle. Tout joueur qui, visant mal, fait un mauvais lancer (trop difficile à recevoir) ou n'attrape pas la balle sur un bon lancer est éliminé. Le dernier joueur qui reste est le gagnant. C'est le meneur de jeu qui décide si les lancers sont bons ou mauvais. On peut aussi donner des points de punition chaque fois qu'un joueur rate un bon lancer ou en fait un mauvais. Dans ce cas, le gagnant est celui qui a le moins de points après le temps prévu : 10 ou 15 minutes.

VARIANTE

Dans Le ballon en rond par équipes, les joueurs forment deux cercles, et chaque équipe se passe la balle de façon à lui faire faire le tour du cercle. Le but est de faire avec la balle le plus de passes possible durant le temps prévu, par exemple 2 ou 3 minutes. Si un joueur rate la balle ou la laisse tomber, la passe ne compte pas. L'équipe gagnante est celle qui a fait le plus de passes.

La chandelle à la balle

La chandelle à la balle

🎭 4 à 20 joueurs

🕯️ 7 à 10 ans

🎱 1 balle

Les joueurs se divisent en deux équipes égales et se dispersent sur un terrain d'environ 10 mètres sur 10.

Un joueur de la première équipe lance la balle à au moins 3 mètres dans les airs. Elle doit retomber dans les limites du terrain. Les joueurs de la seconde équipe doivent l'attraper avant qu'elle ne retombe. Si l'un d'entre eux réussit, son équipe marque un point. Autrement, le point va à l'équipe du lanceur. La balle est alors remise à un joueur de la seconde équipe, qui la lance à son tour, et ainsi de suite, jusqu'à ce que tous les joueurs aient à leur tour lancé la balle. L'équipe qui a marqué le plus de points au bout de 15 minutes de jeu gagne la partie.

Les petites quilles

🎭 8 à 20 joueurs

🕯️ 7 à 12 ans

🎱 2 balles, 10 quilles de gymnaste, bouteilles de plastique ou cartons de lait

Les joueurs se divisent en deux équipes et se placent à la file derrière la ligne de départ, une autre ligne se trouvant à 6 mètres environ de là. Derrière celle-ci, on aligne en face de chaque équipe cinq quilles, bouteilles ou cartons de lait, espacés d'environ 60 centimètres. On remet une balle à chaque équipe.

Le premier joueur de chaque équipe fait rouler la balle en visant une des quilles. Il court ensuite chercher la balle et la lance au joueur suivant, puis il reste derrière les quilles pour recueillir la balle. Les autres joueurs se succèdent jusqu'à ce qu'ils aient abattu toutes les quilles. La première équipe qui renverse toutes ses quilles gagne la partie.

VARIANTE

On peut aussi ne se servir que d'une seule quille par équipe, que l'on place à environ 7 mètres de la ligne de tir. Chaque fois qu'un joueur renverse la quille, il marque un point

pour son équipe. L'équipe gagnante est celle qui a marqué le plus de points au bout de 5 minutes, ou la première à marquer un nombre de points convenu, par exemple 10.

La balle au seau

▦ 6 à 10 joueurs

♙♙ 6 à 9 ans

✂ 1 balle et 1 seau

Les joueurs forment un cercle d'environ 6 mètres de diamètre. Au milieu du cercle, on place un seau (ou une corbeille à papier ou quelque autre récipient).

D e la place qu'il occupe dans le cercle, chaque joueur essaie, à son tour, d'envoyer la balle dans le seau. (Il est permis de faire rebondir la balle.) S'il touche le seau, il marque un point ; si la balle tombe dans le seau, il marque deux points. Chaque joueur a droit à cinq essais. Celui qui marque le plus de points gagne.

VARIANTE

On peut aussi jouer en équipes. Chaque équipe forme un cercle. Le jeu se déroule de la

même façon et l'équipe gagnante est celle qui a marqué le plus de points dans le temps prévu, généralement de 8 à 10 minutes.

Le gardien de quilles

▦ 6 à 20 joueurs

♙♙♙ 8 à 12 ans

✂ Quilles de gymnaste (ou bouteilles de plastique ou cartons de lait) 1 balle ou 1 ballon

Les joueurs forment un cercle d'environ 8 mètres de diamètre. Au milieu du cercle, on dispose en triangle des quilles (ou des cartons ou des bouteilles), à environ 1 mètre les unes des autres. Le joueur qui fait le gardien se place au centre, près des quilles.

L es joueurs installés sur le cercle essaient de renverser les quilles avec la balle, qu'ils peuvent tout simplement lancer ou faire rouler, ou encore faire rebondir. Le gardien doit intercepter la balle soit en l'attrapant soit en l'arrêtant et en la renvoyant, uniquement avec ses mains. Les autres joueurs peuvent chercher à le prendre en défaut en se passant la balle entre eux, mais ils n'ont pas le droit de quitter leur place. Le meneur de jeu compte le temps que les joueurs prennent à renverser toutes les quilles. Chacun leur tour, les joueurs deviennent gardien : celui qui protège les quilles le plus longtemps gagne la partie.

La chasse au lanceur

▦ 8 à 15 joueurs

♙♙ 6 à 8 ans

✂ 1 balle ou 1 ballon

Un des joueurs, le lanceur, tient le ballon et se place au milieu d'un cercle formé par les autres joueurs.

Le lanceur envoie la balle à l'un des joueurs qui, après l'avoir attrapée, vient la déposer au milieu du cercle et part à la poursuite du lanceur. Ce dernier doit sortir du cercle par l'espace laissé libre par son poursuivant, faire le tour du cercle et revenir toucher la balle, en passant encore par l'ouverture. S'il réussit à toucher le lanceur avant que celui-ci ait fini son parcours, le poursuivant prend la place du lanceur et le jeu continue. Sinon, le lanceur garde sa place jusqu'à ce qu'un autre joueur l'en déloge. Le meneur de jeu veillera à désigner un nouveau lanceur de temps à autre pour donner à tous les joueurs une chance de participer activement au jeu.

• • • • • • • • • • • • • • • •

Le ballon captif

🁢 8 à 15 joueurs

👥 7 à 10 ans

⚉ 1 balle ou 1 ballon

Les joueurs forment un cercle en se tenant debout, les jambes écartées, chacun touchant des pieds ceux de ses voisins, sauf le lanceur qui se place au milieu du cercle avec le ballon.

Le lanceur essaie de faire sortir le ballon du cercle soit en le faisant rouler entre les jambes des joueurs, soit en le lançant entre deux joueurs mais pas plus haut que leurs épaules. Les joueurs, qui ne doivent surtout pas se déplacer, cherchent à bloquer le ballon avec les mains ou à le faire rebondir vers le lanceur. Si le ballon passe entre les jambes d'un joueur, celui-ci prend la place du lanceur. Si le ballon passe entre deux joueurs, c'est le joueur de gauche qui va remplacer son camarade au centre.

• • • • • • • • • • • • • • • •

Le ballon touché

🁢 6 à 20 joueurs

👥 8 à 12 ans

⚉ 1 balle ou 1 ballon

Les joueurs forment un cercle, à environ 1,50 mètre les uns des autres. L'un d'entre eux se place au centre.

Les joueurs se passent rapidement la balle en la lançant dans n'importe quelle direction, de l'autre côté du cercle ou à leur voisin. Le joueur du centre s'efforce de l'intercepter, en sautant, courant et gesticulant. Lorsqu'il réussit, le joueur qui avait lancé la balle le remplace.

Le ballon touché

Le net-ball

Le net-ball

8 à 24 joueurs

8 à 12 ans

1 ballon et 1 filet de volley-ball

Les joueurs forment deux équipes et se placent de part et d'autre du filet de volley-ball, réglé à 1,80 mètre de hauteur et tendu au milieu d'une zone d'environ 6 mètres sur 12.

Un des joueurs lance le ballon dans la zone adverse. Le joueur qui l'attrape doit le renvoyer immédiatement, de l'endroit où il se trouve, par-dessus le filet, et ainsi de suite d'un camp à l'autre. Si le ballon touche le sol, dans les limites du terrain adverse, l'équipe qui l'a lancé marque un point. S'il sort du terrain ou s'il heurte le filet, c'est l'équipe adverse qui marque le point. L'équipe gagnante est celle qui a marqué le plus de points après 5 ou 10 minutes de jeu.

Le ballon en l'air

8 à 24 joueurs

9 à 12 ans

2 ballons légers

Les joueurs se divisent en deux équipes égales et se mettent en cercle par équipe, en se plaçant assez près les uns des autres. Chaque équipe a son ballon.

Lorsque le signal est donné, dans chaque équipe, un joueur lance le ballon en l'air. Tous les joueurs de l'équipe doivent empêcher le ballon de retomber au sol en le frappant des deux mains. Comme au volley-ball, il est interdit de tenir ou de porter le ballon.

L'équipe dont le ballon reste en l'air le plus longtemps marque un point. On peut ensuite faire autant de manches qu'on veut, la victoire allant bien sûr à l'équipe qui a marqué le plus de points.

Le service en cercle

La passe à dix

▮▮ 8 à 20 joueurs

♟♟ 7 à 12 ans

✂ 1 balle ou 1 ballon, des mouchoirs

Les joueurs se divisent en deux équipes de force égale et se dispersent sur un terrain d'au moins 12 mètres sur 18. Les membres d'une des équipes portent des mouchoirs noués autour de leurs bras, pour se reconnaître.

Une des deux équipes a le ballon. Lorsque le signal est donné, les joueurs de cette équipe se passent rapidement le ballon tandis que ceux de l'autre équipe s'efforcent de l'intercepter. Il est interdit de donner le ballon à un partenaire, il faut toujours le lancer. Toute brutalité est également interdite et les joueurs ne doivent ni se bousculer, ni se retenir, ni se faire de crocs-en-jambe. On peut d'ailleurs exclure un joueur provisoirement, à titre de punition. Les joueurs comptent les passes, et chaque fois qu'une équipe est parvenue à en faire dix sans se faire prendre le ballon et sans qu'il tombe par terre, elle marque un point. Le ballon est alors remis à l'autre équipe. L'équipe gagnante est celle qui a le plus de points.

Le service en cercle

▮▮ 6 à 12 joueurs

♟♟ 8 à 11 ans

✂ 1 ballon de volley-ball

Les joueurs forment un cercle de 3 mètres de diamètre.

Le joueur qui tient le ballon désigne du doigt un autre joueur, en face de lui, fait rebondir le ballon une fois et le lui envoie avec un service. Le service se fait avec le plat de la main ; il est accompagné d'un mouvement du bras, soit par-dessous, soit de côté. Le receveur doit attraper le ballon, le faire rebondir et, après avoir indiqué du doigt un autre joueur, le lui servir. Tout joueur qui ne lance pas le ballon comme il faut ou qui ne parvient pas à bloquer le ballon lorsqu'on le lui a lancé se voit attribuer un point de pénalité. Le joueur qui a le moins de points au bout de 10 minutes de jeu est déclaré gagnant.

VARIANTE

Dans La balle riposte, les joueurs forment un cercle de 10 mètres de diamètre, et celui d'entre eux qui tient le ballon appelle un de ses camarades, fait rebondir le ballon sur le sol puis le lui envoie avec un service. Si le ballon est bien envoyé, le joueur appelé doit l'arrêter à la volée ou après un rebond et, sans le saisir, le frapper de la paume de la main pour le renvoyer à un autre joueur qu'il a nommé. L'ensemble demande beaucoup de dextérité. Le ballon passe ainsi d'un joueur à l'autre. C'est au meneur de jeu de décider dans chaque cas si le service est bon et si le receveur a bien renvoyé le ballon. Tout joueur qui commet une erreur est éliminé, et le jeu continue jusqu'à ce qu'un des deux derniers joueurs commette à son tour une erreur, donnant ainsi la victoire à son adversaire.

La passe en cercle

■■■ 8 à 15 joueurs

♙♟♙ 8 à 12 ans

Ⓨ 1 ballon de volley-ball

Les joueurs, espacés de 1 ou 2 mètres, forment un cercle d'environ 10 mètres de diamètre. L'un d'entre eux se place au centre du cercle avec le ballon.

L e joueur du centre fait une passe de volley (en frappant le ballon des deux mains) à un joueur. Celui-ci doit attraper le ballon et le renvoyer de la même façon. Le lanceur recommence avec un autre jusqu'à ce que chacun ait eu son tour.

Le volley-ball avec rebond

■■■ 12 à 16 joueurs

♙♟♙ 10 à 12 ans

Ⓨ 1 ballon et 1 filet de volley-ball

Les joueurs se divisent en deux équipes qui se placent de part et d'autre du filet. Celui-ci, réglé à une hauteur d'environ 1,80 mètre, est tendu au milieu d'un terrain mesurant à peu près 6 mètres sur 12.

D e sa ligne de service, un joueur lance le ballon par-dessus le filet. Après l'avoir laissé rebondir sur le sol, un joueur de l'équipe adverse le renvoie par-dessus le filet. Le jeu continue ainsi jusqu'à ce qu'un joueur rate le ballon ou l'envoie hors des limites du terrain. Si l'erreur est commise par l'équipe du receveur, celle du serveur marque un point et garde le service. Dans le cas contraire, c'est l'équipe adverse qui prend le service et cherche à marquer des points. Chaque serveur a droit à deux

plein air avec peu de matériel

La passe en cercle

essais. Les joueurs doivent toujours frapper le ballon la main ouverte, et il est interdit de taper deux fois dans le ballon avant de le renvoyer ou de le rattraper après plus d'un rebond.

● ●

Le vingt-et-un au basket

4 à 6 joueurs

9 à 12 ans

Terrain de jeu, gymnase
ou terrain de basket

1 ballon de basket

Les joueurs se placent en file derrière la ligne de tir, en face du panier. Le but du jeu est de marquer 21 points, en lançant le ballon dans le panier. Les joueurs ont droit à tour de rôle à trois lancers successifs. Le premier, qui doit être effectué de la ligne de tir, rapporte 5 points si le ballon tombe dans le panier. Les deux lancers suivants se font à partir de l'endroit où le joueur a ramassé le ballon. Le deuxième lancer, s'il est réussi, vaut 3 points, et le troisième, 1 point. Le jeu se poursuit jusqu'à ce qu'un joueur ait obtenu 21 points, mais tout joueur qui dépasse ce nombre doit repartir à zéro.

VARIANTE

On peut jouer aussi au Vingt-et-un ou plus. Les règles sont les mêmes mais le joueur gagnant est le premier qui marque 21 points ou plus.

Le vingt-et-un au basket

Le ballon à la volée

6 à 12 joueurs

8 à 11 ans

1 ballon de volley-ball

On trace sur le sol deux lignes parallèles, à 5 ou 6 mètres de distance. Tous les joueurs, sauf le lanceur, se placent derrière une des lignes. Le lanceur, en revanche, se tient derrière l'autre.

Le lanceur lance le ballon en l'air d'une main et le frappe de l'autre pour l'envoyer en direction du groupe des joueurs. Si un de ceux-ci l'attrape avant qu'il rebondisse, il prend la place du lanceur. Autrement, le lanceur recommence jusqu'à ce qu'un joueur ait réussi à attraper le ballon à la volée.

Le ballon au panier

8 à 12 joueurs

8 à 10 ans

Terrain de jeu, gymnase ou terrain de basket

2 ballons de basket

Les joueurs se divisent en deux équipes. Chaque équipe se place en file indienne derrière la ligne de tir située devant les paniers. On donne un ballon au premier joueur de chaque équipe, le dernier joueur se plaçant sous le panier de son équipe.

Au signal, le premier joueur de chaque équipe lance le ballon de la ligne de tir, en s'efforçant de le placer dans le panier ou, à défaut, jusqu'à ce qu'il ait fait les cinq essais qui lui sont accordés en cas d'échec répété. Le joueur placé sous le panier recueille le ballon et le renvoie à son équipe. Tout lanceur qui réussit un panier marque un point pour son équipe.

Dès qu'il a réussi un point, de même qu'au bout de cinq essais manqués, le lanceur va se placer sous le panier et est remplacé par le deuxième joueur de son équipe. Le joueur qui se trouvait sous le panier se met en queue de file en attendant son tour. Quand tous les joueurs ont eu leur tour à la ligne de tir, l'équipe qui a marqué le plus de points gagne la partie.

VARIANTE

Chaque joueur lance le ballon jusqu'à ce qu'il l'ait placé dans le panier. Il cède alors sa place au joueur suivant. L'équipe qui termine en premier gagne la partie.

Le mini-base-ball

8 à 12 joueurs

7 à 11 ans

Terrain de jeu

Balle molle et batte

On trace le marbre, la plaque du lanceur et un but. On désigne ensuite le lanceur, le receveur et le frappeur. Les autres joueurs se placent dans le champ. (Voir Base-ball page 121)

Le frappeur prend sa place. Le lanceur envoie la balle, par en dessous. Le frappeur essaie de frapper toute balle qui lui semble bien placée. Quand il a frappé la balle, il court au but et revient aussitôt au marbre (pièce pentagonale de caoutchouc durci encastré dans le sol). Le frappeur est éliminé : s'il fait trois essais sans parvenir à frapper la balle ; si la balle qu'il a frappée est attrapée au vol par un joueur ; si, un joueur de champ ayant envoyé la balle au receveur, celui-ci touche le marbre avec la balle avant que le frappeur y soit revenu. Autrement, le frappeur marque un point et garde sa place jusqu'à ce qu'il ait été éliminé ; il prend alors le champ (surface totale du terrain) et tous les joueurs avancent d'une place. Le lanceur devient receveur et le receveur prend la batte. Si certains joueurs lancent mal la balle, le meneur de jeu peut les remplacer quand c'est leur tour d'être lanceur.

plein air avec peu de matériel

VARIANTE

On peut aussi jouer en équipes. La formation est la même et chaque équipe compte de 6 à 10 joueurs. L'équipe qui tient le champ se compose du receveur, du lanceur, du joueur de but et de joueurs de champ. Quand le premier frappeur frappe la balle, il court au but. Il peut alors tenter de revenir au marbre ou attendre sur place que le frappeur suivant lui donne l'occasion de le faire sans trop de danger. Chaque fois qu'un frappeur revient au marbre, son équipe marque un point. Le frappeur est éliminé : s'il a tenté trois fois sans succès de frapper la balle ; si la balle qu'il a frappée est prise au vol par un joueur ; s'il arrive au but après que le joueur placé là a reçu la balle d'un joueur du champ ; s'il est touché dans son parcours par un joueur du champ qui tient la balle ; s'il arrive au marbre après que le receveur a reçu la balle.

Le basket-élimination

 6 à 8 joueurs

10 à 12 ans

Terrain de jeu, gymnase ou terrain de basket

1 ballon de basket

Les joueurs se dispersent sur le terrain et désignent l'un d'entre eux pour lancer le premier.

Le joueur désigné lance le ballon de là où il veut, cherchant à le placer dans le panier. S'il réussit, le joueur suivant doit lancer le ballon du même endroit et réussir lui aussi son panier, autrement il est éliminé. En revanche, s'il rate son coup, le premier lanceur n'est pas éliminé et le suivant peut lancer de là où il veut sans craindre d'être éliminé. Au fond, n'est éliminé que celui qui rate un panier alors que son ou ses prédécesseurs l'avaient réussi du même endroit. Le gagnant est celui qui reste le dernier en jeu.

Le stop

12 à 20 joueurs

10 à 12 ans

1 ballon

Les joueurs se divisent en deux équipes égales. Ceux de la première équipe se placent en file derrière le marbre, les autres se dispersent sur le terrain, qui doit avoir environ 12 mètres de long.

Le stop

Le base-ball au ballon

plein air avec peu de matériel

L e premier joueur de l'équipe qui est disposée en file frappe le ballon avec le poing ou la paume de la main, de façon à l'envoyer dans le champ. Puis il fait en courant le tour de son équipe. Pendant ce temps, les membres de l'autre équipe se forment en file derrière le joueur qui a attrapé le ballon, en écartant les jambes. Le joueur qui a recueilli le ballon le fait rouler entre ses jambes et entre celles des joueurs qui suivent, qui se le passent ainsi jusqu'au dernier joueur de la file ; celui-ci le ramasse et crie : « Stop ! » Le frappeur doit immédiatement s'arrêter. S'il a fait trois fois le tour de son équipe, celle-ci marque un point. Autrement, aucune équipe ne marque de point. Les équipes changent de rôle dès que trois joueurs ont occupé la place du frappeur. L'équipe gagnante est celle qui a marqué le plus de points après cinq manches.

Le base-ball au ballon

8 à 20 joueurs

7 à 10 ans

1 ballon

On trace le but et le marbre, à 10 ou 12 mètres de distance. Les joueurs se divisent en deux équipes. L'une se place derrière le marbre, l'autre dans le champ, derrière le but.

L e frappeur se place au marbre et envoie le ballon dans le champ en le frappant avec le poing ou la paume de la main. Pour marquer un point, il doit courir jusqu'au but et revenir au marbre sans s'arrêter. Il est éliminé si un joueur

Le ballon libre

du champ attrape le ballon au vol ou s'il se fait toucher par le ballon au-dessous de la ceinture avant de revenir au marbre. Les joueurs du champ peuvent se passer le ballon entre eux pour atteindre plus facilement le frappeur. Quand trois frappeurs ont été éliminés, leur équipe cède la place à l'autre et prend le champ. La partie se joue en quatre manches.

• • • • • • • • • • • • • • •

Le ballon libre

🔴🔴 **4 à 8 joueurs**

🕯️ **6 à 8 ans**

✂️ **1 ballon**

Les joueurs se placent en ligne, à une dizaine de mètres en face du meneur, qui tient le ballon.

L e meneur crie le nom d'un de ses camarades et lui envoie le ballon en le frappant avec le côté du pied. Le joueur appelé bloque et renvoie le ballon au meneur de la même façon. Le meneur envoie ainsi le ballon à tous les joueurs tour à tour. Quand il a fini, il crie « Ballon libre ! » et, toujours avec son pied, envoie le ballon vers la ligne des joueurs. Le joueur qui s'empare du ballon devient meneur à son tour. Au bout de 10 minutes, on arrête le jeu : celui qui a été meneur le plus souvent est déclaré gagnant.

• • • • • • • • • • • • • • •

La balle au vol

🔴🔴 **6 à 10 joueurs**

🕯️ **8 à 12 ans**

🏟️ **Terrain de jeu**

✂️ **Balle molle et batte**

Le frappeur se place sur le marbre, les autres joueurs dans le champ. Il n'y a pas de buts.

e frappeur lance la balle en l'air et la frappe en direction du champ. Si un joueur l'attrape au vol, il remplace aussitôt le frappeur qui prend place dans le champ. Si la balle retombe au sol, le joueur qui la ramasse reste à sa place et fait rouler la balle jusqu'à la batte que le frappeur a posé par terre devant lui. Si la balle manque la batte ou si, l'ayant touché, elle rebondit et est reprise au vol par le frappeur, celui-ci garde sa place. Si par contre la balle touche la batte et retombe au sol sans être interceptée, le joueur qui l'a lancée prend la place du frappeur. On ne marque pas de points. Le but du jeu est de rester à la batte le plus longtemps possible.

• • • • • • • • • • • • • • • • • • • •

La course aux buts

 10 à 20 joueurs

👶 6 à 8 ans

🔲 Terrain de jeu

✂ 1 ballon

Les joueurs se divisent en deux équipes égales. L'une a le ballon, l'autre est au champ. Le terrain est marqué comme un losange de base-ball, en plus petit : les buts sont espacés d'une dizaine de mètres.

e premier frappeur place le ballon sur le marbre et l'envoie dans le champ d'un coup de pied. Il doit alors passer en courant par les trois buts avant que les joueurs du champ aient renvoyé le ballon au marbre. Dès que le ballon arrive au marbre, le receveur crie « Stop ! » Le frappeur se voit attribuer un point s'il est au premier but, deux points s'il est au deuxième, etc. Chaque joueur frappe le ballon à son tour puis les deux équipes changent de place. Celle qui a le plus de points gagne la partie.

• • • • • • • • • • • • • • • • • •

Le ballon à un but

 8 à 20 joueurs

👶 7 à 10 ans

🔲 Terrain de jeu

✂ 1 ballon

On trace le marbre et un but à une dizaine de mètres de distance. Les joueurs forment deux équipes égales, dont une est au marbre, l'autre dispersée derrière le but.

e premier joueur se place au marbre et envoie le ballon dans le champ en le frappant du pied. Il doit alors courir jusqu'au but

plein air avec peu de matériel

La course aux buts

et revenir au marbre avant que les joueurs du champ aient pu renvoyer la balle au receveur, placé derrière le marbre. Le lanceur est éliminé si un joueur attrape le ballon au vol ou si, lorsqu'il arrive au marbre, le receveur a le ballon. Quand chacun des joueurs de la même équipe a lancé le ballon, les deux équipes changent de place. L'équipe qui a marqué le plus de points après deux ou trois manches remporte la victoire.

Le ballon empoisonné

🤾 **6 à 12 joueurs**

🕯️ **6 à 8 ans**

✂️ **1 ballon**

Le ballon empoisonné

Les joueurs se mettent en cercle. On place le ballon aux pieds de l'un des joueurs.

L e joueur qui a le ballon le frappe avec le côté du pied, de façon à l'envoyer de l'autre côté du cercle. Tous les joueurs, lorsque l'occasion se présente, repoussent ainsi le ballon, comme s'il était empoisonné, jusqu'à ce que le ballon sorte du cercle. On recommence alors le jeu. Il n'y a ni gagnants ni perdants ; il s'agit simplement de faire circuler le ballon à l'intérieur du cercle le plus longtemps possible.

On arrête généralement le jeu au bout d'une dizaine de minutes.

Le ballon roulé

🤾 **16 à 20 joueurs**

🕯️ **10 à 12 ans**

⚾ **Terrain dégagé**

✂️ **1 ballon**

Le terrain est semblable à un losange de base-ball. Les trois buts sont espacés d'environ 10 mètres. Les joueurs forment deux équipes égales : l'une est à la batte, l'autre au champ. Les joueurs de champ prennent les mêmes positions qu'au base-ball.

D ans l'ensemble, les règles sont celles du base-ball (voir page 121) et de la balle molle (voir page 124), mais le frappeur renvoie d'un coup de pied le ballon que le lanceur a fait rouler jusqu'à lui. Le frappeur est éliminé s'il manque trois fois le ballon, s'il fait quatre hors-jeu, si un joueur attrape le ballon au vol, ou s'il est touché entre deux buts (ou entre le marbre et le premier but) par un joueur qui tient le ballon. Dès que trois frappeurs ont été éliminés, les deux équipes changent de place. L'équipe gagnante est celle qui a marqué le plus de points au bout de cinq manches.

VARIANTES

Au Ballon lancé, on suit les mêmes règles, mais le frappeur lance le ballon au lieu de le frapper du pied. Il marque un point pour son équipe s'il passe par les trois buts sans être éliminé, et il n'a pas le droit de s'arrêter à un but. Le frappeur est éliminé si un joueur de champ attrape le ballon au vol ou si un joueur de but reçoit le ballon avant que le frappeur ait atteint son but. Les joueurs de champ doivent envoyer le ballon d'abord au gardien du premier but, puis à celui du deuxième, puis à celui du troisième, et enfin au marbre, avant que le frappeur y soit arrivé. On peut aussi appliquer les règles du ballon lancé au Ballon roulé. Le lanceur fait rouler le ballon jusqu'au frappeur, qui l'envoie d'un coup de pied dans le champ. Le frappeur essaie alors de passer par les trois buts et de revenir au marbre avant que le ballon, lancé d'un gardien de but à l'autre, ait fait le même parcours. S'il réussit, le frappeur marque 1 point pour son équipe. Il est éliminé si un joueur attrape le ballon au vol ou si le ballon arrive avant lui à l'un des buts ou au marbre. Quand trois frappeurs ont été éliminés, les deux équipes changent de place. Les variantes se jouent toutes les deux en cinq manches.

• • • • • • • • • • • • • • • • •

Le ballon à bloquer

🏁 **10 à 20 joueurs**

🕯 **8 à 12 ans**

⚑ **Terrain dégagé**

✂ **1 ballon**

Les joueurs forment deux équipes égales qui se disposent derrière leurs lignes de but respectives. Les lignes de but sont espacées de 10 à 16 mètres, selon l'âge et la force des joueurs.

Un joueur envoie le ballon, en le frappant du pied, vers la ligne de but de l'équipe adverse. Si le ballon traverse la ligne sans qu'aucun joueur ne le bloque, le lanceur marque un point pour son équipe. En revanche, si le ballon ne se rend pas jusqu'à la ligne ou si un joueur adverse l'attrape au vol, c'est l'autre équipe qui marque le point. Le ballon est ensuite remis à un joueur de la seconde équipe, qui l'envoie à son tour. Quand tous les joueurs ont eu leur tour de frapper le ballon, la partie se termine et l'équipe gagnante est celle qui a le plus de points.

• • • • • • • • • • • • • • • • • •

Le football-poursuite

🏁 **6 à 15 joueurs**

🕯 **7 à 10 ans**

⚑ **1 ballon**

Les joueurs se dispersent sur un terrain d'au moins 8 mètres sur 8. On désigne trois meneurs qui portent des mouchoirs noués aux bras ou quelque autre signe permettant de les reconnaître facilement.

plein air avec peu de matériel

Le football-poursuite

En frappant le ballon du pied, les meneurs essaient d'atteindre les autres joueurs au-dessous de la ceinture. Tout joueur atteint se joint aux meneurs. Le jeu continue jusqu'à ce que tous les joueurs aient été touchés sauf un. Celui-ci est le gagnant. Il devient meneur pour la partie suivante et choisit deux de ses camarades pour l'aider.

Le football en cercle

🏃 10 à 20 joueurs

🕯 8 à 12 ans

✂ 1 ballon

Les joueurs se mettent en cercle en se tenant par la main autour d'un de leurs camarades. Celui-ci a devant lui un ballon.

Le joueur du centre doit faire sortir le ballon du cercle à coups de pied. Ses camarades empêchent le ballon de passer, sans lâcher les mains de leurs voisins. Pour éviter les bousculades et les coups de pied malencontreux, chacun défend son côté droit. Si le ballon réussit à passer entre les mains et les jambes, le joueur fautif prend la place du lanceur ; s'il passe par-dessus la tête des joueurs, le lanceur va à l'extérieur du cercle et ses camarades se retournent pour lui faire face. Il doit alors, de la même façon, faire pénétrer à coups de pied le ballon

dans le cercle. Le joueur qui laisse rentrer le ballon prend sa place.

La course à obstacles

🏃 3 à 20 joueurs

🕯 10 à 12 ans

✂ 1 chronomètre

Le meneur de jeu aligne divers obstacles (poubelles, boîtes, etc.) sur une trentaine de mètres. Les joueurs se placent en file derrière la ligne de départ.

Au signal du meneur de jeu, le premier joueur fait le parcours en courant et en faisant le tour complet de chacun des obstacles. Au bout du parcours, il revient en ligne droite. Le suivant prend sa place. Tous sont chronométrés par le meneur de jeu, et celui qui a été le plus rapide gagne la course.

VARIANTE

S'il y a beaucoup de joueurs, on peut procéder par élimination. On divise les joueurs en groupes et les gagnants des divers groupes s'affrontent dans des demi-finales puis dans une épreuve finale. Dans La course d'obstacles, il faut sauter par-dessus les obstacles, passer par-dessous ou les contourner, selon le cas. Le parcours peut être allongé.

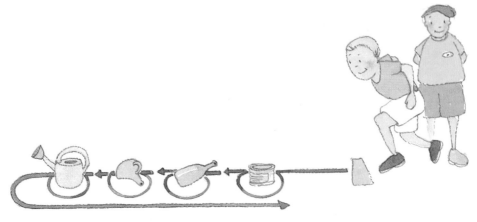

La course à obstacles

Le ballon-monopole

6 à 12 joueurs

8 à 10 ans

1 ballon

Les joueurs se divisent en deux équipes et se dispersent sur un terrain d'environ 10 mètres sur 12. Pour s'identifier plus rapidement, les membres d'une des équipes portent des mouchoirs noués au bras.

Chaque équipe cherche à s'assurer le monopole du ballon en empêchant les adversaires de s'en emparer. On tire au sort pour désigner l'équipe qui aura le ballon en premier. Les membres de cette équipe se passent le ballon en le frappant avec le côté du pied. Les joueurs de l'équipe adverse s'efforcent d'intercepter le ballon avec leurs pieds, leur tête ou leur corps. Chaque manche dure 7 minutes. Le meneur de jeu note pendant combien de temps chaque équipe a gardé le ballon : celle qui l'a eu le plus longtemps a gagné.

Roméo et Juliette

12 à 24 joueurs

1 bandeau ou 1 foulard

On désigne deux joueurs, un garçon et une fille, pour assumer respectivement les rôles de Roméo et de Juliette. Ils se placent au milieu d'un cercle formé par les autres joueurs. On bande d'abord les yeux de Roméo. Chaque fois qu'il appelle Juliette, celle-ci doit immédiatement répondre : « Ici, Roméo ! » Se fiant uniquement à la voix qu'il entend, Roméo poursuit Juliette à l'intérieur du cercle et doit la toucher. S'il réussit, on bande les yeux de Juliette, qui doit à son tour trouver Roméo à la voix. Enfin, on peut décider de bander les yeux des deux joueurs, ce qui

plein air avec peu de matériel

Roméo et Juliette

rendra la tâche difficile à la pauvre Juliette qui, privée de ses yeux, n'aura pas la même liberté de mouvements.

VARIANTE

Pour jouer à L'aveugle et la clochette, on bande les yeux du poursuivant et on donne au joueur poursuivi une clochette, que l'on peut remplacer par une boîte de conserve contenant quelques cailloux. Le poursuivant se fie au bruit de la clochette pour attraper l'autre joueur. Quand il y arrive, les deux changent de rôle.

Le concours de ballons gonflables

⚎ **6 à 10 ans**

✄ **Ballons de baudruche**

On donne à chaque joueur un ballon dégonflé. Lorsque le meneur de jeu donne le signal, chacun commence à souffler dans son ballon. Le gagnant est celui qui a le plus gros ballon au bout de 3 minutes. Bien entendu, tout joueur qui fait éclater son ballon est éliminé.

Le hockey-balai

⚎ **8 à 12 ans**

✄ **2 balais, torchon, 4 chaises**

Les joueurs forment deux équipes qui se placent en ligne, face à face, aux deux extrémités du terrain. Pour délimiter les buts, on place deux chaises à 1,20 mètre de distance sur chaque ligne. Au centre du terrain, on pose sur le sol un torchon entre deux balais orientés chacun vers un des buts. On attribue aux joueurs des numéros, de façon à ce que les numéros 1 et suivants de chaque équipe soient diagonalement opposés. Le meneur de jeu appelle un numéro. Les joueurs des deux équipes qui portent ce numéro courent au milieu du terrain pour prendre le balai dont le manche est orienté vers leur équipe. Chacun des deux joueurs s'efforce alors de pousser le torchon, avec son balai, dans les buts de l'adversaire ; les autres membres n'ont pas le droit de participer à l'action. Dès qu'un joueur marque un point, on remet les balais et le torchon au milieu du terrain et on appelle un autre numéro. Après 10 minutes, l'équipe qui a marqué le plus de points a gagné.

Le concours de ballons gonflables

Le hockey-balai

Le relais au ballon

Le barrage

12 à 30 joueurs

10 à 12 ans

Terrain de jeu

1 ballon

**Les joueurs se divisent en deux équipes égales.
Les joueurs de chaque équipe, à l'exception
de trois, les gardiens, se placent sur un terrain
d'environ 15 mètres de long, divisé en deux
par une ligne centrale. Les trois gardiens
de chaque équipe se postent derrière la ligne
de but de l'équipe adverse.**

L es membres de l'équipe qui a le ballon
essaient de le lancer au-dessus de
l'équipe adverse à un de leurs gardiens de
but. Les joueurs de l'autre équipe s'efforcent
d'intercepter le ballon. Personne ne doit
dépasser les limites de sa zone, et un pied
dans l'autre camp entraîne la remise du ballon
à l'adversaire. Les joueurs ne doivent pas non
plus se déplacer avec le ballon, mais ils peuvent se le passer. La même équipe continue de
lancer tant qu'elle garde le ballon ; elle
marque un point à chaque fois qu'elle envoie
le ballon à l'un de ses gardiens de but. L'autre
équipe ne peut avoir le ballon qu'à condition
de l'intercepter.

La partie dure au total 15 minutes ; l'équipe
gagnante est celle qui a marqué le plus de
points. Le meneur de jeu doit avant tout se
débrouiller pour que le ballon soit toujours en
mouvement.

Le relais au ballon

6 à 10 ans

2 ballons ou balles

L es joueurs se divisent en deux équipes et
se placent en file indienne. On donne un
ballon (ou une balle) au premier joueur de
chaque équipe. Au signal convenu, il doit passer le ballon par-dessus sa tête et le donner à
son adversaire, qui le passera au suivant entre
ses jambes, et ainsi de suite. L'équipe qui termine la première gagne le concours.

Les trois tours

12 à 24 joueurs

6 à 7 ans

Ballons

**Les joueurs se divisent en équipes égales.
(Il peut y en avoir plus de deux.) Les équipes**

forment autant de cercles et on remet un ballon à un joueur de chaque équipe.

Le joueur qui a le ballon le passe des deux mains au joueur placé à sa droite, qui le passe à son voisin, et ainsi de suite. Quand le ballon est revenu au premier joueur, celui-ci le fait rebondir une fois sur le sol, crie « Premier tour ! » et le passe de nouveau à son voisin de droite. Quand le ballon lui revient pour la deuxième fois, le même joueur le fait rebondir deux fois et crie « Deuxième tour ! » La troisième fois, il le fait rebondir trois fois et crie « Troisième tour ! » La première équipe qui a fait faire trois tours à son ballon gagne la partie et s'assoit par terre pour en avertir les autres.

Colin-maillard

6 à 20 joueurs

1 foulard ou 1 bandeau

Les joueurs se dispersent sur le terrain. Le colin a les yeux bandés et on le fait tourner sur lui-même pour lui faire perdre le sens de l'orientation. Il doit ensuite trouver un des joueurs. Ceux-ci n'ont pas le droit de bouger les pieds mais ils peuvent faire, sur place, les mouvements qu'ils veulent pour lui échapper. Lorsqu'il a attrapé un joueur, le colin essaie de l'identifier en palpant son visage et ses vêtements. S'il y parvient, il change de rôle avec lui. Sinon, il part à la recherche des autres joueurs, jusqu'à ce qu'il réussisse à en identifier un.

VARIANTES

Dans le colin-maillard assis, tous les joueurs sauf le colin s'assoient sur des chaises, en cercle. Les bras croisés, le colin va s'asseoir sur les genoux d'un joueur et essaie de l'identifier, sans cependant le toucher des mains. S'il tombe juste, il change de place avec lui. Dans le cas contraire, on recommence le jeu. Après trois essais infructueux, le colin cède sa place à un autre. Dans le colin-maillard au toucher, le colin doit identifier les objets de formes et de matières différentes que ses camarades lui présentent. Celui dont l'objet a été identifié prend

la place du colin. Dans le colin-maillard à la voix, le colin se fait interpeller par l'un des joueurs ; s'il parvient à nommer celui qui l'a appelé, il change de place avec lui. Sinon, il recommence jusqu'à ce qu'il ait réussi.

Le ballon fuyant

6 à 10 ans

Rectangles de carton, ballons de baudruche

Le ballon fuyant

Les joueurs se placent derrière une ligne de départ. On trace la ligne d'arrivée à l'autre bout du terrain. Chaque joueur tient un ballon de baudruche gonflé et un gros morceau de carton. Au signal convenu, chaque joueur pose son ballon par terre et, en l'éventant avec le carton, le dirige vers la ligne d'arrivée et le ramène de la même façon. Le ballon décrira sans doute un parcours assez fantaisiste selon que les joueurs l'éventent avec plus ou moins de vigueur et de conviction. Le premier qui achève le parcours gagne la course. Bien entendu, il est interdit de toucher au ballon. Le jeu peut servir aussi de course à relais.

Le tir à la chandelle

8 à 12 ans

Chandelles, pistolets à eau

Les joueurs s'alignent. On place devant eux, à 2 mètres ou plus, une chandelle

plein air avec peu de matériel

La brocante

allumée, posée sur une assiette ou un plateau. Les joueurs essaient tour à tour d'éteindre la chandelle avec un pistolet à eau. Il peut y avoir autant de pistolets que de joueurs, ou simplement un pistolet pour tour le monde, qu'on remplira après chaque essai. Quand un joueur éteint la chandelle, il marque un point et on rallume la chandelle pour le suivant. Le gagnant est celui qui obtient le plus de points. Si les joueurs sont très adroits, on peut aligner plusieurs chandelles ; à ce moment-là, chaque joueur a le droit de tirer et d'éteindre des chandelles tant que son pistolet n'est pas vide. Comme dans tous les jeux où on se sert du feu, la présence d'un adulte est chaudement recommandée.

. . . .

Le bowling-bouteilles

7 à 12 ans

10 bouteilles de plastique ou de carton, balle ou ballon

On dispose les bouteilles comme des quilles, de façon à former un triangle dont le sommet est orienté vers les joueurs, qui se placent à environ 5 mètres. Tour à tour, les joueurs essaient de renverser les quilles avec la balle, en la faisant rouler. Chaque quille renversée vaut un point, mais tout joueur qui les renverse toutes d'un seul coup marque 10 points plus une prime de 5 points pour l'abat. Chaque joueur a droit à deux lancers. Celui qui marque le plus de points gagne la partie. Le concours peut être individuel ou opposer des équipes.

. . . .

La brocante

7 à 12 ans

Divers menus objets

Les joueurs forment deux équipes et s'alignent derrière la ligne de départ. Sur la ligne d'arrivée, distante de 5 mètres, on place devant chaque équipe un tas de menus objets : livres, crayons, vieux vêtements, etc. Au signal du meneur de jeu, le premier joueur de chaque équipe court à la ligne d'arrivée, y ramasse un objet et revient en courant le remettre au deuxième joueur de l'équipe, qui le passe au troisième, et ainsi de suite, jusqu'à ce que l'objet soit arrivé au bout de la file, où on le dépose par terre. Dès qu'il a transmis l'objet au joueur qui se trouve derrière lui, le deuxième joueur court à son tour en chercher un autre, qu'il rapporte au troisième joueur, et ainsi de suite. L'équipe gagnante est la première qui reconstitue chez elle le tas d'objets qui lui était destiné.

. . . .

Les pommes flottantes

6 à 12 ans

1 grande cuvette, des pommes

Les joueurs se placent autour d'une grande cuvette (ou d'un bac) remplie d'eau dans laquelle flottent des pommes. Les joueurs, tour à tour ou tous en même temps, doivent essayer de prendre une pomme entre les dents. Il leur est interdit de se servir de leurs mains. Si tous les joueurs procèdent en même temps, le gagnant est le premier qui arrive à prendre une pomme. Si les joueurs se suivent, on les minute avec une montre ou, mieux, un chronomètre. Le gagnant est celui qui a pris le moins de temps. Prévoir des serviettes pour que les joueurs puissent s'essuyer le visage et se sécher les cheveux.

. . . .

Les pommes suspendues

6 à 12 ans

Ficelle, pommes, boutons, aiguille à repriser

On enfile une longue ficelle dans une grosse aiguille à repriser, puis on fait passer la ficelle dans le trou d'un bouton et on attache solidement le bouton. On fait alors passer

plein air avec peu de matériel

l'aiguille et la ficelle à travers une pomme, le bas de la pomme reposant sur le bouton ; puis on suspend la pomme à une branche de façon à ce qu'elle se trouve à peu près à la hauteur du menton d'un joueur. On recommence avec une autre, jusqu'à ce que chacun des joueurs alignés ait ainsi une pomme devant lui. Au signal du meneur de jeu, chaque joueur essaie de mordre sa pomme, tout en gardant les mains derrière le dos. Si, au bout de quelques minutes, aucun joueur n'a obtenu de résultat, le meneur de jeu explique qu'en donnant à la pomme un mouvement de pendule il est relativement facile de la mordre quand elle arrive sur le joueur.

VARIANTE

Dans La pomme-grelot, au lieu de suspendre les pommes à une branche, on en attache une au cou de chaque joueur, de façon qu'elle se balance librement. Chaque joueur se place à quatre pattes en face de son adversaire. Au signal du meneur de jeu, chacun essaie de mordre dans la pomme qui pend au cou de l'autre, en restant toujours à quatre pattes. Le champion est celui qui a pris le plus de bouchées à l'expiration du temps convenu.

• • • • • • • • • • • • • • • • • •

Le front à front

🕯 **8 à 12 ans**

✂ **2 oranges**

Le front à front

Dans chacune des deux équipes formées, les joueurs se mettent deux par deux et

se placent en file indienne derrière la ligne de départ. On trace la ligne d'arrivée à 5 mètres. Les deux premiers joueurs de chaque équipe se placent l'un en face de l'autre et glissent une orange entre leurs deux fronts. Sans se servir de leurs mains, ils doivent courir, ou en tout cas se diriger le plus vite possible avec l'orange vers la ligne d'arrivée et revenir de la même façon. Ils placent alors l'orange (avec leurs mains) entre les fronts des deux joueurs suivants, qui doivent faire le même parcours. L'équipe gagnante est celle qui termine en premier. Si l'orange tombe, les joueurs la ramassent avec leurs mains et la replacent avant de reprendre leur course.

• • • • • • • • • • • • • • • • • •

La course aux cartes

🕯 **8 à 12 ans**

✂ **1 jeu de cartes, 2 boîtes en carton, 2 tables**

Les joueurs forment deux équipes qui ne doivent pas comprendre plus de 13 joueurs chacune. Ils s'alignent face à face aux deux bouts du jardin. On place au milieu du jardin deux tables sur lesquelles se trouvent deux boîtes contenant chacune un jeu de cartes complet. On mélange bien les cartes et on les éparpille à l'envers sur le fond de la boîte. Au signal du meneur de jeu, le premier joueur de chaque équipe court vers la boîte qui lui est attribuée, en tire des cartes une à une et les remet au fur et à mesure dans la boîte jusqu'à ce qu'il trouve un roi. Il court alors à un coin du jardin, dépose la carte par terre, à l'endroit, et revient à sa place toucher le deuxième joueur de son équipe. Celui-ci, à son tour, doit aller chercher une reine (de n'importe quelle couleur) et la placer à côté du roi. Le troisième joueur doit trouver un valet, et ainsi de suite. La première équipe qui aligne ainsi une hiérarchie complète, du roi à l'as, gagne la partie. S'il n'y a pas assez de joueurs pour faire des équipes de 13, on retire le nombre de cartes voulu, du roi en descendant, pour qu'il y ait autant de cartes que de joueurs dans chaque équipe, par exemple : si les équipes comptent

11 membres, on enlèvera tous les rois et reines, et la série commencera au valet.

VARIANTES

Pour rendre le jeu plus difficile, on peut exiger que les hiérarchies soient de la même couleur (par exemple du roi à l'as de cœur). À ce moment-là, le premier joueur de la file annoncera la couleur du premier roi qu'il trouvera, à moins qu'on ait décidé de tirer au sort une même couleur pour les deux équipes. Le meneur de jeu peut aussi demander aux équipes de tirer les diverses combinaisons du poker : brelan, séquence, full, carré, quinte floche, etc.

La pêche aux trombones

🕯️ **7 à 12 ans**

✂️ **Trombones, cintres en fil de fer, cuvette ou grande casserole**

On vide une boîte de trombones dans une grande cuvette. Les joueurs s'agenouillent autour de la cuvette. On donne à chacun d'eux un cintre en fil de fer que l'on a déplié et dont le bout est recourbé en forme de crochet. Au signal du meneur de jeu, les concurrents doivent retirer les trombones de la cuvette en les accrochant à leur cintre. Quiconque s'aide de la main est éliminé. Quand il ne reste plus de trombones dans la cuvette, le joueur qui en a récupéré le plus grand nombre est déclaré gagnant.

Le relais triple

🕯️ **8 à 12 ans**

✂️ **2 balayettes, 2 pommes de terre, 2 assiettes en carton, 2 chaises, de la ficelle**

Les joueurs forment deux équipes qui vont se placer en file indienne derrière la ligne de départ, à 5 mètres de l'arrivée, où se trou-

Le relais triple

vent deux chaises (une pour chaque équipe). On donne au premier joueur de chaque file une pomme de terre, une assiette incassable (plastique dur ou carton) et une balayette à laquelle est attachée une ficelle. Au signal convenu, le premier joueur de chacune des équipes pose l'assiette sur sa tête, place la pomme de terre entre ses genoux et enroule à son doigt le bout de la ficelle attachée à la balayette. Tout en faisant tournoyer la balayette et sans lâcher la pomme de terre ni faire tomber l'assiette, il doit aller jusqu'à la chaise, en faire le tour et revenir à la ligne de départ, où il touche le joueur suivant qui prend sa place. Si l'un des objets tombe, le joueur doit le ramasser et le replacer avant de reprendre sa course. L'équipe qui termine en premier gagne le concours.

Le pas japonais

🕯️ **8 à 12 ans**

✂️ **Rectangles de carton**

Les joueurs se placent derrière la ligne de départ, à 5 mètres de la ligne d'arrivée. On donne à chacun deux rectangles ou carrés de carton. Au signal convenu, chaque joueur place ses deux cartons par terre, l'un devant l'autre, puis pose les deux pieds dessus. Se dirigeant vers la ligne d'arrivée, il lève un pied en arrière, prend avec ses mains le carton correspondant et le place devant l'autre, puis il pose les deux pieds dessus. Il doit procéder ainsi jusqu'à la ligne d'arrivée et revenir de la

Le tir à la capsule

même façon. Le gagnant est celui qui a fini son parcours en premier. Le concours peut se faire entre joueurs ou entre équipes sous la forme de course à relais.

VARIANTE

Les joueurs peuvent aussi former des équipes réduites à deux personnes. Un joueur de chaque paire déplace les cartons sur lesquels l'autre marche. Quand le premier a terminé, les deux changent de rôle. La première équipe dont les deux joueurs ont terminé leur parcours gagne la course.

Le pieds à pieds

🕯 **8 à 12 ans**

✂ **2 balles de tennis**

L es joueurs se divisent en deux équipes et s'assoient ensuite par terre, côte à côte, en face de l'équipe adverse. On donne au premier joueur de chaque équipe une balle de tennis, qu'il pose délicatement entre ses chevilles. Il doit alors faire passer la balle de tennis, sans s'aider des mains, sur les pieds de son voisin ; celui-ci se trouve dans la même position et la passe, à son tour, au troisième joueur de l'équipe. La balle de tennis passe ainsi, dans chaque équipe, d'un joueur à l'autre pour revenir au premier. Si la balle tombe par terre, le joueur qui la détenait doit la ramasser

avec ses pieds. L'équipe qui termine l'épreuve en premier gagne le concours.

Le tir à la capsule

🕯 **7 à 12 ans**

✂ **5 capsules de bouteille**

O n dessine par terre une cible composée de cinq cercles qui se chevauchent (voir l'illustration) et dont chacun porte un numéro, de 1 à 5. Si l'on ne veut pas faire de marques sur le sol, on peut dessiner les cercles sur une grande feuille de papier ou de carton. Les joueurs se placent en ligne, à environ 4 mètres de la cible. Tour à tour, chacun des joueurs lance les cinq capsules vers la cible. Il obtient le nombre de points correspondant à l'emplacement des capsules. Si une capsule tombe sur une ligne médiane, le joueur obtient le plus haut pointage. Le joueur qui marque le plus grand nombre de points est déclaré champion.

VARIANTE

Le tir à l'aveuglette se pratique de la même façon, mais la valeur des cercles est établie au hasard et est donc inconnue des joueurs. Elle est indiquée uniquement sur un dessin que détient le meneur de jeu. Les résultats ne sont annoncés que lorsque tous les joueurs ont tiré.

La course à l'équilibre

 7 à 12 ans

 Gobelets en carton

Une fois les équipes formées, les joueurs se placent en file indienne derrière la ligne de départ, à 5 mètres de la ligne d'arrivée. Le premier joueur de chaque équipe place un gobelet sur sa tête. Au signal du meneur de jeu, il doit se rendre à la ligne d'arrivée et revenir sans faire tomber le gobelet. S'il tombe, il le ramasse et le remet en place avant de continuer son parcours. À son retour, il passe le gobelet au joueur suivant, et ainsi de suite. L'équipe gagnante est celle qui termine en premier. On peut, bien entendu, remplacer le gobelet par divers autres objets : livres, pommes, sacs de haricots, etc.

La course à la valise

 7 à 12 ans

 Valise, vêtements variés

Les joueurs se divisent en deux équipes ; chacune est munie d'une valise contenant une jupe longue et une veste assez large et peu fragile, un foulard et un chapeau. Au signal du départ, le premier joueur de chaque file ouvre sa valise, met tous les vêtements sur lui, prend la valise sous son bras, accomplit le parcours déterminé, revient à la ligne de départ, se déshabille et remet tous les vêtements dans la valise, qu'il passe au joueur suivant. La course sera d'autant plus drôle qu'il y aura beaucoup de garçons : attention à ne pas s'empêtrer dans la jupe ! L'équipe gagnante est celle qui termine la première.

Le manteau et le chapeau

 6 à 8 ans

 2 manteaux, 2 chapeaux

Les joueurs forment deux équipes qui se placent en rang. On donne à chaque équipe un chapeau et un manteau. Au signal convenu, le premier joueur de chaque équipe met son chapeau et enfile son manteau, qu'il doit boutonner complètement. Puis il les enlève et les passe au joueur suivant, qui doit en faire autant. L'équipe gagnante est celle qui termine en premier.

La balle au sou

 7 à 11 ans

 Pièce de monnaie, balle de caoutchouc

Deux joueurs se placent face à face, debout, à environ 2 mètres l'un de l'autre. On pose une pièce de monnaie par

La balle au sou

terre, entre les deux, à égale distance. Les joueurs s'envoient la balle en la faisant rebondir sur le sol et en essayant de lui faire toucher la pièce de monnaie au rebond. Chaque coup réussi vaut un point. Le premier joueur qui obtient 5 points gagne l'épreuve. On peut alors faire une autre manche ou procéder par élimination si les joueurs sont très nombreux.

VARIANTE

La Balle aux cartes s'inspire du même principe. On étale par terre, entre les joueurs, un jeu de cartes. Les cartes sont à l'endroit et bien espacées. Le premier joueur annonce la couleur de son choix, par exemple les piques. Il doit alors lancer la balle de façon qu'elle rebondisse sur la plus basse carte de la couleur : l'as. Il doit ensuite atteindre le 2, puis le 3 et ainsi de suite, jusqu'au roi. Dès qu'il rate son coup, il passe la balle à son adversaire qui procède de la même façon en choisissant une autre couleur. Quand ce sera à nouveau son tour, le premier joueur reprendra la séquence là où il l'avait laissée. Le gagnant est celui qui a atteint en premier toutes les cartes de sa couleur dans l'ordre prescrit.

Le tir à l'entonnoir

7 à 12 ans

1 balle de caoutchouc, 1 entonnoir

Les joueurs se placent à la queue leu leu derrière une ligne de tir tracée sur le sol,

Le tir à l'entonnoir

à 3 mètres d'un mur. On donne au premier joueur une petite balle de caoutchouc et un entonnoir. Il lance la balle sur le sol de façon à ce qu'elle rebondisse, frappe le mur et revienne en faisant un autre rebond. Il s'agit alors de la reprendre avec l'entonnoir avant qu'elle ne touche le sol une nouvelle fois et sans franchir la ligne de tir. Chaque joueur a droit à cinq essais et marque un point à chaque essai réussi. Le gagnant est celui qui a le plus de points.

Le tir à rebondissement

7 à 12 ans

1 seau, 1 balle de caoutchouc

On place un seau par terre, au pied d'un mur, et on trace une ligne de tir sur le sol, à 3 mètres du mur. Les joueurs doivent envoyer une balle de caoutchouc dans le seau, à partir de la ligne de tir, en la faisant rebondir une fois par terre. Chaque coup réussi vaut un point. Les tireurs ont droit à cinq essais en tout. Celui qui marque le plus de points gagne le concours.

L'anneau voyageur

8 à 12 ans

2 anneaux, 2 longues ficelles

On enfile un anneau sur chaque ficelle, que l'on noue solidement aux deux bouts. Les joueurs constituent deux équipes, qui forment chacune un cercle. Ils peuvent s'asseoir ou rester debout. On donne une ficelle à chaque équipe ; un des joueurs tient l'anneau. Au signal du départ, les joueurs se passent l'anneau le plus rapidement possible. La première équipe qui fait faire ainsi trois tours complets à l'anneau gagne la course. On peut changer de sens à chaque tour et, bien sûr, remplacer l'anneau par une bobine ou une rondelle de métal ou de caoutchouc.

VARIANTE

Le beignet voyageur se joue de la même façon, mais on remplace l'anneau par un beignet. Les joueurs doivent manipuler le beignet avec beaucoup de précautions car il risque de s'émietter et de se défaire avant même d'avoir accompli les trois tours. Si la chose se produit, l'équipe en cause perd le concours.

La corde à linge

8 à 12 ans

1 corde à linge et 8 épingles à linge
2 chemises, 2 paires de chaussettes,
2 shorts

Divisés en deux équipes, les joueurs se placent en file indienne derrière la ligne de départ. On tend à 5 mètres de là une corde à linge. On donne au premier joueur de chaque équipe une chemise, un short, une paire de chaussettes et quatre épingles à linge. Au signal du meneur de jeu, il doit courir jusqu'à la corde à linge, y épingler les vêtements et revenir à son point de départ, où il touche le deuxième joueur. Celui-ci court aussitôt à la corde à linge, décroche les vêtements et les rapporte au joueur suivant, qui va les replacer, et ainsi de suite. L'équipe qui termine en premier gagne le concours.

Les contrebandiers

6 à 12 joueurs

Petits morceaux de papier

Les joueurs se divisent en deux équipes : celle des contrebandiers et celle des douaniers. On donne 10 petits morceaux de papier à chaque contrebandier. Les douaniers quittent la pièce. En leur absence, chaque contrebandier doit cacher sur lui ses 10 morceaux de papier (dans ses cheveux, ses vêtements, ses chaussures, etc.), de façon cependant à ce que chaque morceau de papier soit partiellement visible.

Les contrebandiers

Les contrebandiers se placent en file au milieu du terrain. Les douaniers reviennent et marchent lentement le long de la file des contrebandiers, prenant au passage les morceaux de papier qu'ils aperçoivent. Les douaniers ont le droit de fouiller les contrebandiers. Arrivés au bout de la file, ils la redescendent de l'autre côté. Ils n'ont pas le droit de revenir sur leurs pas et ont, en tout, 3 minutes pour faire leur inspection. On accorde ensuite un point aux douaniers pour chaque morceau de papier qu'ils ont saisi, et deux points aux contrebandiers pour chaque morceau de papier qu'ils ont fait passer. Les deux équipes changent ensuite de rôle. L'équipe qui, tantôt en contrebandiers tantôt en douaniers, a accumulé le plus de points gagne la partie.

Le football-éventail

7 à 12 ans

Rectangles de carton, balle de ping-pong

On trace sur le sol deux lignes de but aux deux extrémités d'un terrain. Les joueurs forment deux équipes et se déploient de façon à occuper des endroits stratégiques, sachant qu'ils n'auront pas le droit de se déplacer de plus de 1 mètre dans quelque direction que ce soit. On donne à chacun un morceau de carton, puis le meneur de jeu lance au milieu de la pièce une balle de ping-pong. Se servant de leur carton comme éventail, les joueurs de chaque équipe cherchent à se passer la balle pour lui faire franchir la ligne de but adverse.

La réussite vaut six points. En revanche, si un joueur frappe la balle avec son carton, son équipe perd un point. Si la balle franchit une ligne de but après avoir été frappée par un joueur, le coup ne compte pas. L'équipe gagnante est celle qui a marqué le plus de points au bout de 10 minutes de jeu.

• • • • • • • • • • •

La gamelle

▦ **5 à 15 joueurs**

ͰͰͰ **6 à 12 ans**

✂ **1 ballon**

Ce jeu doit s'effectuer dans un endroit où les joueurs sont susceptibles de trouver des endroits pour se cacher (grand jardin, sous-bois, etc.).

On désigne un des joueurs comme gardien du ballon, puis quelqu'un pose le ballon par terre et shoote dedans. Quelque soit l'endroit où le ballon atterrit, le gardien reste à proximité. En effet, il doit empêcher les autres joueurs de shooter dedans. Ces derniers essaient de s'approcher du ballon sans se faire voir du gardien. S'ils sont aperçus, le gardien dit leurs prénoms et ils sont éliminés. Si un joueur parvient à tirer dans le ballon sans se faire prendre, le gardien change alors de place avec le ballon. Le jeu se termine quand le gardien a repéré tous les autres joueurs. On change alors de gardien.

• • • • • • • • • • • • • • • •

Le relais multiple

ͰͰͰ **7 à 12 ans**

✂ **2 sacs de sable, 2 cordes à sauter, 2 balles de caoutchouc**

Divisés en deux équipes, les joueurs se placent à la queue leu leu derrière la ligne de départ. Sur la ligne d'arrivée, à 5 mètres de là, on pose devant chaque équipe une corde à sauter, un sac de sable ou de haricots et une balle de caoutchouc. Au signal convenu, le premier joueur de chacune des équipes court jusqu'à la ligne d'arrivée. Là, il fait dix sauts à la corde, puis lance le sac dix fois en l'air et finalement fait rebondir la balle dix fois sur le sol. Il revient alors à la ligne de départ et touche le joueur suivant, qui doit en faire autant, et ainsi de suite. L'équipe qui termine en premier gagne la course.

• • • • • • • • • • • • • • • • • •

La prise de foulards

▦ **10 à 20 joueurs**

ͰͰͰ **6 à 10 ans**

✂ **Autant de foulards (ou de mouchoirs) que de joueurs**

Chaque joueur porte derrière le dos un foulard coincé dans la ceinture qui ne doit pas être attaché. Les joueurs sont partagés en deux équipes qui se font face. On forme ainsi des couples d'adversaires qui s'éloignent les uns des autres. Au signal donné, chaque joueur essaie de prendre le foulard de son adversaire tout en conservant le sien. Il est interdit de se mettre dos à un mur, un arbre, etc. L'équipe qui remporte le plus de foulards, pendant un temps défini en début de partie, est déclarée vainqueur.

• • • • • • • • • • •

La tomate

▦ **10 à 20 joueurs**

ͰͰͰ **6 à 12 ans**

✂ **1 ballon**

Les joueurs se placent debout en cercle, légèrement penchés en avant, jambes écartées et mains jointes.

Un des joueurs prend le ballon, le place entre ses jambes et l'envoie avec ses

La gamelle

mains liées en direction d'un adversaire. Ce dernier doit empêcher le ballon de passer entre ses jambes (sans plier les genoux et en gardant les jambes écartées) et doit le renvoyer vers un autre joueur. Si le ballon passe entre les jambes d'un joueur, celui-ci doit alors se tourner face à l'extérieur du cercle et se retrouve dos aux autres. Il doit alors se pencher davantage pour voir le jeu entre ses jambes, la tête à l'envers. S'il parvient à faire passer le ballon entre les jambes d'un joueur, il peut reprendre sa place initiale à l'intérieur du cercle. Si le ballon passe une deuxième fois entre les jambes du joueur, il est éliminé.

La partie se termine lorsque le cercle n'est plus suffisamment grand pour permettre de renvoyer le ballon.

• • • • • • • • • • • • •

La chandelle

🔲 6 à 20 joueurs

🔲 6 à 12 ans

🔲 1 mouchoir

L es joueurs sont placés en cercle, à l'exception d'un coureur qui se trouve hors du cercle et tient un mouchoir à la main. Il court à l'extérieur du cercle afin de pouvoir poser discrètement le mouchoir derrière un des joueurs. Dès que ce dernier s'en aperçoit, il ramasse le mouchoir et court après le coureur, qui se dépêche de terminer son tour de cercle pour prendre la place devenue libre. Si

le joueur parvient à le rattraper, il reprend sa place dans le cercle tandis que le coureur continue, lui, à courir.

En revanche, si le coureur parvient à faire le tour complet du cercle sans que le joueur s'aperçoive du mouchoir posé derrière lui, ce dernier se trouve être la chandelle. Il va alors au centre du cercle tandis que le coureur reprend également sa place.

La chandelle ne peut être délivrée que si un autre joueur prend sa place.

• • • • • • • • • • • •

Le dauphin

🔲 5 à 15 joueurs

🔲 6 à 12 ans

🔲 1 ballon

L es joueurs forment un cercle, se lâchent la main et reculent de deux pas. Ils se lancent le ballon en s'interpellant par leur prénom. Le joueur ainsi appelé doit donc rattraper le ballon qu'il lui est interdit de relancer sur celui qui vient de l'envoyer. Celui qui commet cette erreur ou ne rattrape pas le ballon perd un point. Au bout de trois points perdus, le joueur est éliminé.

Le jeu n'est amusant que si le cercle ne diminue pas trop. Pour éviter cela, il ne peut y avoir plus de quatre participants hors du cercle ; sinon, les joueurs éliminés reviennent dans le cercle au fur et à mesure que d'autres en sont exclus.

La course de relais à quatre

Chamboule tout (jeu de massacre)

2 à 4 joueurs

6 à 12 ans

Des boîtes de conserve, des balles de chiffon

On dispose en quinconce six boîtes de conserve sur trois étages, à hauteur des yeux. Le joueur debout, à 3 ou 4 mètres de distance, a le droit à 3 balles pour faire tomber toutes les boîtes de conserve. Pour pimenter le jeu, on peut organiser des concours.

LES PETITES OLYMPIADES

8 à 12 joueurs

6 à 12 ans

Il arrive assez fréquemment que les enfants aient envie de s'affronter entre eux de façon plus ou moins sportive et humoristique, à la manière des champions des jeux Olympiques. Les petites Olympiades, qui s'inspirent très symboliquement des véritables manifestations sportives, sont alors tout indiquées.

Le saut en longueur

Les concurrents prennent une forte inspiration puis sifflent. Le champion est celui qui émet le plus longtemps la même note.

La course de relais à quatre

Les joueurs se divisent en équipes de quatre. On donne à chaque équipe quatre petits gobelets en carton et une grande bouteille d'eau gazeuse. Au signal du meneur de jeu, le premier joueur de chaque équipe ouvre la bouteille, remplit son gobelet, boit et le retourne pour montrer qu'il est bien vide. Il passe alors la bouteille au joueur suivant, qui en fait autant, et ainsi de suite. L'équipe qui vide en premier sa bouteille gagne le concours.

Le lancer du disque

Les joueurs, munis d'assiettes en carton, se placent en ligne à un bout du jardin. À l'autre bout, on trace un petit carré sur le sol. Le meneur de jeu montre comment lancer le disque : la main à plat et le poignet tourné vers l'extérieur. Il s'agit de lancer le disque dans le carré. Chaque joueur a droit à trois essais. Celui qui réussit à approcher le plus son disque du carré ou à le placer à l'intérieur de celui-ci gagne le concours.

L'épreuve du sourire

Les joueurs se placent en ligne et sourient tour à tour. Les sourires étant mesurés, celui qui a fait le plus large gagne l'épreuve.

Le plongeon

Le plongeon

On donne à chaque joueur une dizaine de bouchons et on place par terre devant lui un verre rempli d'eau. En tendant le bras à la hauteur de l'épaule, il doit laisser tomber les bouchons un à un dans le verre. Le champion est celui qui en place le plus. Si les résultats sont trop piteux, on peut faciliter l'épreuve en remplaçant les verres par des bols.

La course à l'eau

On donne à chaque joueur une paille, une cuillère et un grand bol rempli d'eau. Le meneur de jeu compte à haute voix les 10 premières secondes : pendant ce temps, les concurrents doivent boire avec leur paille. Pendant les 10 secondes qui suivent, ils doivent se servir de leur cuillère. Puis, au signal du meneur de jeu, ils boivent l'eau qui reste directement au bol. Le gagnant est celui qui termine le premier. Il est possible d'organiser ce concours à l'intérieur un jour de pluie ; il est alors conseillé de protéger le sol !

Le marathon

Les joueurs se placent en ligne à un bout du jardin. Au signal de départ, ils vont jusqu'à l'autre bout du jardin et reviennent, plaçant tour à tour le talon d'un pied contre la pointe de l'autre. Celui qui termine le parcours le premier est proclamé champion.

Le lancer du disque en arrière

Chaque joueur, à son tour, tourne le dos à un cerceau (ou à une large boucle de corde) suspendu à une branche. On lui donne un miroir et une balle de ping-pong, ou un sac de sable ou de haricots. Visant à l'aide du miroir, il doit lancer la balle par-dessus son épaule dans le cerceau. Les joueurs ont droit à cinq essais. Tout lancer réussi vaut un point. Le champion est celui qui a marqué le plus de points.

VARIANTE

On peut compliquer le jeu en accrochant au cerceau, de sorte qu'elle arrive en son milieu, une feuille d'aluminium ménager assez étroite. Si la balle de ping-pong frappe la feuille au passage, le joueur marque trois points. Si la balle passe dans le cercle sans toucher la feuille, le joueur marque un seul point. Si la balle passe à l'extérieur du cercle, on enlève un point au joueur.

Le lancer du javelot

On trace un petit cercle sur le sol. Les joueurs, tour à tour, se placent dans le cercle, tournent sur place deux ou trois fois et lancent un cure-dents en direction d'une ligne tracée 3 mètres plus loin. Chaque joueur a droit à trois lancers, dont on ne retient que le plus long. Le joueur qui a lancé le plus loin gagne.

Le lancer du javelot

La course des 40 mètres

On donne à chaque joueur une grosse aiguille (du même genre que celle dont on se sert pour l'initiation à la couture), dans laquelle on a fait passer un fil, et deux morceaux d'étoffe, l'un d'environ 10 centimètres de côté, l'autre plus grand. Lorsque le signal est donné, les concurrents doivent coudre le petit morceau sur le grand en faisant exactement 40 points, chaque point étant censé représenter 1 mètre. Le premier qui termine est déclaré champion.

La course du kilomètre

On remet à chaque joueur un crayon et une feuille de papier où sont déjà écrits des nomres qu'il faut additionner. Il s'agit de calculer correctement le total : 1 000, c'est-à-dire le nombre de mètres dans un kilomètre. Le premier qui termine ses opérations gagne le concours.

Le lancer du poids

On gonfle un sac en papier ou un ballon de baudruche. Chaque joueur, à son tour, lance ce poids improvisé le plus loin possible, à partir d'une ligne tracée sur le sol. Celui qui lance le plus loin gagne le concours. En raison de sa légèreté, le ballon n'ira jamais très loin : il y aura lieu de mesurer minutieusement les distances pour déterminer le vainqueur.

JEUX DE PISCINE

6 à 12 ans

5 à 15 joueurs

La baleine et les harengs

Un des joueurs est la baleine ; les autres sont les harengs. Ils sont tous dans

La baleine et les harengs

plein air avec peu de matériel

l'eau jusqu'à la ceinture. Les harengs se placent en file indienne, chacun ayant les mains sur les épaules de celui qu'il suit. Au signal, la baleine s'élance vers les harengs pour essayer d'avaler le dernier. Pour l'en empêcher, les harengs pivotent sur eux-mêmes tout en demeurant en file indienne et sans se lâcher. Lorsque la baleine réussit à toucher le dernier hareng, elle va se placer en queue de file et c'est au tour du premier hareng de devenir baleine. Le jeu continue ainsi jusqu'à ce que tous les joueurs aient été baleine au moins une fois.

Le nageur le plus inventif

Pour jouer à ce jeu, il faut être dans l'eau jusqu'à la ceinture. Il s'agit d'imaginer des façons différentes de traverser la piscine. À tour de rôle, chacun doit montrer une manière de le faire. Au début, les joueurs utiliseront les nages les plus courantes : le crawl, la brasse, la brasse coulée, le dos crawlé, la brasse papillon, etc. Une fois ces mouvements passés en revue, les joueurs seront obligés de faire appel à leur imagination. S'ils restent pris de court, ils devront se retirer du concours. Le gagnant sera le dernier nageur à traverser la piscine.

VARIANTE

Dans le jeu Suivez le guide, le meneur de jeu se tient debout sur le bord de la piscine et commande des mouvements aux nageurs. Les joueurs qui n'exécutent pas scrupuleusement ses ordres sont éliminés. Le gagnant est celui qui reste le dernier.

Le tir à la corde

 1 corde robuste, 1 gros ballon

Les joueurs, qui se tiennent dans l'eau jusqu'à la ceinture, se divisent en deux équipes de deux ou trois joueurs chacune, disposées comme pour Le tire-à-la-souque hors de l'eau. Chaque équipe tire sur la corde, l'objectif étant d'amener le ballon fixé au milieu de la corde dans sa propre ligne de buts.

VARIANTE

Dans La souque à l'eau, les équipes s'alignent de chaque côté de la piscine. Elles tirent chacune de leur côté sur la corde jusqu'à ce qu'une équipe entraîne l'autre dans l'eau, gagnant ainsi la partie.

Les chevaux de mer

Les chevaux de mer

Les joueurs sont dans l'eau jusqu'à la taille. Ils se mettent deux par deux, l'un des joueurs (généralement le plus petit) montant sur les épaules de l'autre. L'objectif du combat qui s'engage alors est de désarçonner les autres cavaliers en les poussant ou en les tirant. Il est interdit de frapper cavaliers et montures ou de les tirer par les cheveux. Le cavalier désarçonné tombe à l'eau, de sorte que personne ne peut se blesser. Ce jeu peut se pratiquer comme un concours ordinaire entre deux équipes de deux joueurs ou comme un concours éliminatoire, les gagnants de chaque série de combats devant lutter les uns contre les autres.

Le requin

Ce jeu est réservé aux bons nageurs. On choisit un des joueurs pour faire le requin. Il nage au centre de la piscine où il se tient en bougeant le moins possible. Les autres joueurs se mettent en ligne, hors de l'eau, d'un côté ou de l'autre de la piscine. Chaque joueur plonge dans la piscine quand il le juge opportun et essaie de la traverser sans se faire toucher par le requin. S'il se fait manger, c'est lui qui devient le requin et le jeu continue de la même façon, l'ancien requin rejoignant les autres joueurs sur le bord de la piscine.

VARIANTE

Dans Gare au requin, les joueurs essaient de traverser la piscine le plus grand nombre de fois possible en 5 minutes, sans se faire toucher par le requin. Quiconque se fait manger est éliminé. Le gagnant, celui qui a traversé le plus de fois sans se faire toucher, devient à son tour le requin et le jeu recommence pour 5 minutes.

Le chat à la corde

1 courte corde

L' un des joueurs porte la corde enroulée autour de la taille ; les autres sont les poursuivants. Au signal, le chat, qui laisse traîner un bout de corde d'environ 1 mètre de long derrière lui, se met à nager, poursuivi par les autres, qui cherchent à mettre la main sur l'extrémité libre de la corde. Aucun poursuivant n'a le droit de toucher au porteur de la corde et celui-ci peut utiliser tous les moyens qu'il veut pour échapper à ses poursuivants, dans la mesure où il demeure à l'intérieur des limites fixées au départ. Celui qui finit par attraper la corde devient chat à son tour.

Le chat sous-marin

C e jeu se joue dans la partie la moins profonde de la piscine. L'un des joueurs agit comme poursuivant. Il essaie de toucher un autre joueur ; celui-ci, pour l'éviter, doit soit s'éloigner en nageant, soit se mettre complètement sous l'eau. Dans cette dernière situation, il est intouchable. Pour que ce jeu soit très amusant, il faut que les joueurs soient assez nombreux. Il est important de rester en eau peu profonde pour que les nageurs moins habiles puissent quand même participer sans danger. Bien sûr, tout joueur touché prend la place du poursuivant. Le jeu peut durer une bonne quinzaine de minutes.

Le jeu de la grenouille

L es joueurs se partagent en deux équipes qui se mettent en file indienne ; ils ont de l'eau jusqu'à la taille et se tiennent debout, les jambes écartées. Lorsque le signal est donné, le premier de chaque équipe se tourne vers ses camarades, plonge sous l'eau et va passer entre les jambes de ses coéquipiers. Lorsqu'il refait surface, il se place en queue de file, les jambes écartées, et c'est alors au second joueur à prendre le départ. Le jeu continue ainsi jusqu'à ce que tous les joueurs aient nagé, comme des grenouilles, dans ce tunnel improvisé. La première équipe à terminer est victorieuse.

plein air avec peu de matériel

Le jeu de la grenouille

Le plongeon le plus long

Chaque participant plonge du bout de la piscine et essaie de parcourir la plus grande distance possible sous l'eau sans remuer les pieds et les mains ni sortir la tête. Quand le plongeur fait surface, on mesure la distance qu'il a parcourue à partir du bout de la piscine jusqu'à l'extrémité de ses bras tendus. On fait alors une marque sur le bord de la piscine et on passe au joueur suivant. Celui qui a parcouru la plus grande distance est déclaré gagnant.

Le base-ball aquatique

🎏 3 ou 4 flotteurs, 1 balle de caoutchouc

Ancrés au fond, les flotteurs forment les buts. Le jeu peut se jouer avec deux buts seulement, le premier et le troisième, placés de façon à former un triangle avec le marbre, ou avec trois buts formant un losange avec le marbre. Le joueur « au bâton » doit frapper une balle de caoutchouc de 10 à 12 centimètres de diamètre avec son poing ou des deux mains, comme au volley-ball. On ne lui permet qu'un essai. Après avoir frappé, il doit nager jusqu'au premier but, tandis que les joueurs de champ nagent à la poursuite de la balle. Un joueur est éliminé si la balle est lancée au but vers lequel il se dirige avant qu'il n'y parvienne, s'il est touché par la balle entre deux buts, si la balle qu'il a frappée est saisie au vol ou s'il l'envoie hors des limites de la piscine. Chaque équipe a droit à trois retraits par manche et les coups de circuit se font comme au véritable base-ball en passant par tous les buts avant de revenir au marbre. Dès qu'une équipe a subi trois retraits, c'est au tour de l'autre de venir au bâton. La partie est de neuf manches, mais on peut la limiter à quatre ou cinq. Les équipes peuvent n'être formées que de trois ou quatre joueurs.

VARIANTE

Dans Le jouer au bâton, chaque frappeur, après avoir lancé la balle, essaie de nager au premier but et de revenir sans se faire éliminer. S'il y parvient, il demeure au bâton et marque un point ; sinon, il prend la place d'un joueur de champ.

Quand tous les joueurs ont eu la chance de passer au bâton, celui qui a marqué le plus de points gagne.

La plongée aux trésors

🎏 Petits objets de couleurs vives, 1 montre-bracelet ou 1 chronomètre

Les joueurs se divisent en deux équipes et chacune se choisit un capitaine. L'un des deux capitaines jette dans l'eau un petit objet assez lourd pour couler au fond ; l'objet doit en outre être de couleur vive pour que les concurrents le voient bien sous l'eau. Un membre de l'équipe adverse plonge alors l'eau et va chercher l'objet. Le capitaine mesure au chro-

La plongée aux tréso...

nomètre le temps que le joueur a pris. Le jeu continue de la sorte, chaque équipe allant à son tour repêcher un objet. Quand tous les joueurs sont passé, on additionne les différents temps obtenus et l'équipe dont le total est le plus bas gagne.

VARIANTE

Dans la course aux capsules, on jette dans l'eau des capsules de bouteilles de boissons gazeuses et deux joueurs essaient en même temps d'en repêcher le plus possible avant d'être obligés de remonter à la surface pour respirer.

. . . .

Courses de natation inédites

L a plupart des personnes qui pratiquent la natation connaissent les différentes sortes de nages conventionnelles et ont l'habitude de s'y exercer à la course. Nous vous présentons ici des courses qui ressemblent davantage à des jeux qu'à des concours. Elles peuvent avoir lieu dans la piscine ou à la plage dans la mesure où l'on aura délimité le champ d'action. Les participants, qu'il s'agisse d'adultes ou d'enfants, doivent tous savoir bien nager ; un adulte au moins agira comme surveillant et arbitre.

. . . .

La course aux bouchons

Bouchons de liège

L es participants se divisent en deux équipes et se tiennent debout sur le bord de la piscine. Le meneur de jeu jette un plein panier de bouchons de liège dans la partie profonde de la piscine. Les joueurs sautent tous à l'eau en même temps et essaient de s'en emparer. L'équipe qui rapporte le plus de bouchons sur la margelle de la piscine gagne. Ce concours peut également se disputer entre deux personnes seulement.

plein air avec peu de matériel

La course aux bouchons

Nage et chante !

Il s'agit ici d'une course ordinaire ou à relais, sauf qu'au début chaque participant se fait assigner une chanson qu'il devra chanter d'une voix nette et claire tout en nageant vers l'autre bout de la piscine. Si la course est à relais, il lui faudra de plus revenir toucher son coéquipier. Si le participant arrête de chanter – on ne tiendra pas compte des gargouillis occasionnels –, il est disqualifié ; mais si la course est à relais, il doit reprendre la nage et la chanson depuis le début. Le premier nageur ou la première équipe à terminer gagne la course.

La course siamoise

 Courtes cordes

Les participants se groupent deux par deux et se tiennent debout derrière la ligne de départ d'un côté de la piscine. Ils sont liés ensemble par la cheville. Au signal, les membres de chaque paire se donnent la main et sautent à l'eau. Ils nagent vers l'autre côté de la piscine en n'ayant que leur jambe et leur bras libres pour se mouvoir. Le premier groupe à atteindre l'autre côté gagne.

VARIANTE

Le jeu peut se faire en équipes. Au signal, les deux premiers joueurs de chaque équipe sautent à l'eau et traversent la piscine aller et retour. Ils touchent alors les deux suivants, qui sautent à leur tour à l'eau et font de même. La première équipe à terminer la course est victorieuse.

La course au ballon

 Ballons de baudruche

Les concurrents se mettent en ligne du côté le moins profond de la piscine. Au signal, chaque joueur nage jusqu'à l'autre extrémité de la piscine et revient en poussant devant lui un ballon de baudruche. Comme les ballons, de par leur légèreté, ont tendance à rebondir un peu partout sur l'eau, le gagnant n'est pas forcément le meilleur nageur.

VARIANTE

Dans La course au ballon à relais, les joueurs forment des équipes. Dès qu'un joueur revient à son point de départ, il tend le ballon à son coéquipier, qui part à son tour. La première équipe à terminer gagne.

La course au parapluie

 1 parapluie par équipe

Les joueurs se mettent en équipe deux par deux et se placent à l'extrémité la moins profonde de la piscine. Lorsque le signal est donné, le premier joueur de chaque équipe nage jusqu'à l'autre bout de la piscine (ou, dans un lac, jusqu'à un radeau) ; il y prend un parapluie fermé (déposé là auparavant), plonge avec sous l'eau, ouvre le parapluie, et revient à la nage, en maintenant celui-ci hors de l'eau, vers son partenaire, qui doit faire le contraire : c'est-à-dire nager avec le parapluie ouvert jusqu'à l'extrémité de la piscine, plonger sous l'eau, refermer le parapluie, le déposer sur la margelle et revenir à son point de départ. La première équipe à terminer la course gagne.

La nage au cerceau

 Cerceaux de plastique, corde, gros cailloux

Plusieurs cerceaux flottants sont immobilisés dans l'eau avec de la corde et des cailloux. Ils sont tous placés à la même distance de la ligne de départ. Lorsque le signal est donné, chaque participant nage jusqu'au cerceau qu'on lui a assigné, plonge au travers puis revient à la ligne de départ. Le premier concurrent à terminer est déclaré gagnant. Le jeu peut aussi se jouer en équipes.

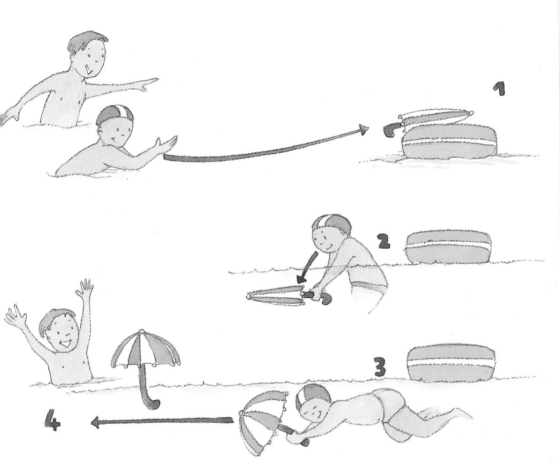

La course au parapluie

Jeux
de Plein air
SANS MATÉRIEL

Jeux
de Plein air
AVEC PEU DE MATÉRIEL

Jeux
de Plein air
AVEC MATÉRIEL
OU CADRE SPÉCIFIQUE

Jeux
d'Intérieur
SANS MATÉRIEL

Jeux
d'Intérieur
AVEC PEU DE MATÉRIEL

Jeux
d'Intérieur
AVEC MATÉRIEL
SPÉCIFIQUE

Jeux de Plein air

AVEC MATÉRIEL OU CADRE SPÉCIFIQUE

Football, tennis, volley-ball, base-ball, croquet, fléchettes ou billes : des jeux classiques mais aux règles bien précises, souvent partiellement connues des enfants. Ces règles leur sont expliquées ici, pour qu'ils puissent s'amuser, en plein air, avec du matériel spécifique ou dans un cadre bien particulier, comme la campagne, une forêt ou une patinoire.

La course d'échasses

▌▌▌ 4 à 12 joueurs

░ⁱ░ 8 à 12 ans

✂ Boîtes de conserve, corde

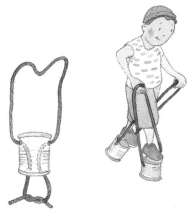

La course d'échasses

Pour faire les échasses, on prend tout simplement de grosses boîtes de conserve vides ; on perce sur les côtés deux trous opposés, près du haut de la boîte. On fait passer dans les trous une corde solide et assez longue, dont on noue les deux bouts à l'intérieur de la boîte. Les joueurs montent sur les boîtes et tiennent solidement la corde. Au signal convenu, ils partent de la ligne de départ pour aller jusqu'à la ligne d'arrivée, située 5 mètres plus loin, et revenir. Tout joueur qui tombe d'une de ses échasses doit y remonter avant de reprendre sa course. Le premier qui achève le parcours est déclaré champion. Le jeu peut prendre la forme d'une course à relais.

Le cerceau

ⁱ 8 à 12 ans

✂ 1 cerceau et 1 bâton
d'une trentaine de centimètres de long

Le but est de faire avancer le cerceau à l'aide de la baguette de bois. S'il est relati-vement aisé de courir avec le cerceau, il est beaucoup plus difficile de le diriger tout en marchant au pas.

VARIANTES

On peut également organiser une course entre plusieurs joueurs. Tout le monde se place sur la même ligne et au signal donné, s'élance. Le premier arrivé gagne.

Il existe aussi le Houlahoop, cerceau en plastique que l'on fait tourner sur les hanches.

Le diabolo

ⁱ 8 à 12 ans

✂ 1 diabolo, 2 baguettes,
1 ficelle de 1 mètre de long

Ce jeu se compose d'un double cône (le diabolo) et de deux baguettes reliées entre elles par une ficelle de 1 mètre à 1,50 mètre de long. On engage la ficelle dans l'axe du diabolo, puis le joueur, qui tient une baguette dans chaque main, soulève le diabolo en donnant à l'une des baguettes un mouvement vertical pendant que l'autre reste quasiment immobile. Par la suite, si le joueur remue les deux baguettes dans le sens horizontal de droite à gauche, le diabolo va rouler d'un côté à l'autre de la ficelle. Le joueur pourra à ce moment-là lancer le diabolo en l'air en écartant les baguettes d'un coup sec et le rattraper sur la ficelle présentée de biais et tendue, lors de sa descente.

La toupie

ⁱ 6 à 8 ans

✂ 1 toupie

La toupie est un jouet en bois dur, en forme de poire, pourvue d'une pointe métallique à sa base et d'une queue à son sommet. Le joueur enroule une cordelette autour de la toupie en commençant par le bas. Il garde une extrémité de

La toupie

la cordelette dans la main droite et maintient la toupie avec la gauche à quelques centimètres du sol. Dans le même temps, il doit lâcher la toupie et tirer d'un coup sec sur la cordelette. Pour que la toupie tourne le plus longtemps possible, les deux mouvements doivent être simultanés.

Après un peu de pratique, il est possible d'organiser des concours de durée. On peut également faire des rencontres : les joueurs essaient de projeter leurs propres toupies sur celles des adversaires pour les faire tomber. Est déclaré vainqueur celui qui a réussi à faire tomber la toupie adverse tandis que la sienne continue de tourner.

Le boomerang

Terrain dégagé

1 boomerang

Le but est de lancer, et surtout de rattraper le boomerang, dans un terrain dégagé (type champ ou pré). On tient le boomerang entre le pouce et l'index, côté arrondi vers soi et les deux extrémités vers l'avant. Il faut le lancer d'un coup de poignet, en mettant un pied vers l'avant afin de prendre un meilleur appui. Pour rattraper le boomerang à son retour, il faut tendre les bras, écarter les doigts et le plaquer contre soi.

L'élastique

3 joueurs

1 élastique

Un élastique relativement grand, dont on a noué les deux extrémités, est maintenu à une hauteur déterminée par 2 joueurs. Il est

plein air avec matériel ou cadre spécifique

L'élastique

positionné en premier lieu au niveau des chevilles, puis des genoux, des cuisses, des hanches et des épaules (pour les plus doués). Un troisième joueur doit sauter dans l'élastique à droite puis à gauche sans le toucher. On définit en début de partie une série de sauts à réaliser. Chaque fois que cette série est effectuée, l'élastique monte d'un cran. Pour compliquer le jeu, il suffit de croiser l'élastique.

Le bilboquet

La corde à sauter

1 à 5 joueurs

6 à 8 ans

1 corde à sauter

S i le joueur est seul, il fait le plus souvent tourner la corde en avant ou en arrière. Le saut appelé à l'huile s'exécute en rebondissant entre les passages lents de la corde. Le vinaigre, en revanche, se réalise très vite sans rebondir.

Il est aussi possible de jouer à plusieurs. Deux personnes se chargent de faire tourner la corde toujours sur le même rythme. Puis les joueurs, les uns après les autres, doivent entrer dans la corde et en sortir, sans l'arrêter. Celui qui arrête la corde est éliminé. Si la corde est vraiment longue, les joueurs peuvent aussi décider d'entrer les uns à la suite des autres et de s'y trouver réunis. Par exemple, le premier entre et fait trois sauts puis le deuxième rentre à son tour et fait également trois sauts en compagnie du premier... On fait de même pour ressortir de la corde.

Le water-polo

8 à 12 joueurs

1 ballon

Piscine

I l s'agit d'une sorte de handball dans l'eau. Deux équipes de 4 à 6 joueurs (dont un gardien de but) s'affrontent dans une piscine qui est partagée en deux camps. Par une série de passes entre coéquipiers, il faut rejoindre la partie de terrain adverse et essayer de marquer 1 but. Quelques règles sont à respecter si l'on veut assister à une partie de jeu agréable :
– Le ballon ne doit pas être enfoncé sous l'eau.
– Il doit être attrapé et lancé d'une seule main.
– Le gardien de but a le droit d'attraper le ballon à deux mains.
– Il est interdit d'envoyer de l'eau à la figure de son adversaire, de le tirer, de le frapper ou de lui donner des coups de pied.

Le frisbee

Terrain dégagé, plage

1 frisbee

L e but est de lancer le frisbee, un disque de plastique, à un autre joueur. Généralement, c'est un jeu très prisé sur les plages. On tient le frisbee d'une main, bien à plat. Pour le lancer à son coéquipier, il faut se mettre de profil et l'envoyer d'un coup sec du poignet. Pour le rattraper, on doit tendre les bras et le saisir entre les deux mains.

Le bilboquet

6 à 12 joueurs

1 bilboquet

e bilboquet se compose d'une boule percée d'un trou et d'un bâtonnet, reliés ensemble par une cordelette. Le bâtonnet est pointu à l'une de ses extrémités.

Il faut lancer la boule en tenant le bâtonnet dans une main de manière à ce que la boule vienne s'y enfoncer.

· · · · · · · · · · · · · ·

Le badminton

2 ou 4 joueurs

Raquettes et filet

e badminton se joue à deux ou à quatre (en équipe), en plein air ou en salle. Originaire des Indes, il a été remis à l'honneur en 1873 chez le duc de Beaufort, à Badminton House, en Angleterre, par des officiers de l'armée des Indes, et popularisé à la même époque en Amérique du Nord. Il arriva ensuite en France.

Le badminton fait souvent partie des programmes d'éducation physique dans les écoles. Comme il ne demande qu'un petit court, des raquettes et un filet, et qu'il s'apprend facile-ment, il est extrêmement populaire. De plus, c'est un jeu qui peut se pratiquer en famille.

LE COURT ET L'ÉQUIPEMENT

Le court doit mesurer 13,40 mètres sur 6,10 pour les doubles, et 13,40 mètres sur 5,18 pour les simples ; le filet est installé entre deux poteaux de 1,55 mètre de haut. En famille, on peut varier les dimensions du court selon l'habileté des joueurs et le tracer sommairement avec des cailloux ou de petites cordes fixées au sol. Les raquettes, de bois ou d'acier, sont plus légères que celles de tennis. Le volant est formé de 14 à 16 plumes fixées sur une base de liège ou de plastique.

LE JEU

Avant de commencer la partie, on tire au sort : l'équipe qui gagne à pile ou face choisit soit de servir en premier, soit de commencer la partie sur le côté qui, selon elle, est le plus avantageux. Si elle choisit le service, par exemple, l'autre équipe choisit alors le côté. L'équipe qui sert s'appelle l'équipe au service et l'autre, l'équipe recevant. Les joueurs s'efforcent de renvoyer le volant dans le camp adverse de façon à ce qu'il ne puisse riposter.

plein air avec matériel ou cadre spécifique

Le badminton

Le badminton

Si l'adversaire est incapable de renvoyer le volant dans les limites du court, l'équipe au service marque 1 point. Lorsqu'elle manque son service ou ne parvient pas à renvoyer le volant dans le camp adverse, il y a changement de service. Seule l'équipe qui sert peut marquer.

Dans les simples, le serveur se tient derrière la ligne de service, dans le demi-court droit. Il laisse tomber le volant ; quand celui-ci arrive au-dessous de la ceinture, il le frappe de bas en haut et l'envoie en diagonale dans le demi-court droit de l'adversaire. Si le service est réussi et que le serveur gagne la série d'échanges, il marque 1 point et recommence à servir en se plaçant cette fois-ci dans le demi-court gauche.

Dans les doubles, un seul joueur de l'équipe qui sert la première a droit au service. Ensuite, chaque fois que le service passe à l'équipe adverse, les deux partenaires servent à tour de rôle. Seul le joueur qui doit recevoir le service peut retourner ce dernier, autrement il y a faute. Mais, dès que le service a été effectué et reçu, les joueurs peuvent occuper n'importe quelle place de leur côté du filet, sans tenir compte des lignes. Le côté qui gagne une partie servira toujours le premier dans la partie suivante, mais n'importe lequel des vainqueurs pourra servir et n'importe quel joueur de l'équipe adverse pourra décider de recevoir.

LA MARQUE

Il y a faute au service : si le volant est frappé au-dessus du niveau de la ceinture du joueur qui sert ; s'il tombe au sol du côté du serveur ; s'il n'atterrit pas dans les limites du demi-tour diagonalement opposé ; s'il touche le filet. Dans ce dernier cas, le serveur reprend son service si le volant parvient quand même à franchir le filet. Mais dans les autres cas, le service change de camp.

Il y a faute du receveur (ou de l'équipe recevant) : s'il ne renvoie pas le volant dans les limites du camp adverse ; s'il frappe deux fois de suite le volant avant de l'envoyer par-dessus le filet ; s'il frappe le filet avec sa raquette ou passe par-dessus pour atteindre le volant. Les fautes plus générales incluent les circonstances où le volant tombe en dehors des limites du court, s'il passe sous le filet, à travers celui-ci ou ne le franchit pas, s'il touche le toit, les murs, l'un des joueurs ou les vêtements de ces derniers. Lorsque les receveurs font une faute, l'équipe au service marque 1 point. Seule l'équipe au service peut marquer.

Les doubles et les simples messieurs se jouent en 15 ou 21 points, le gagnant devant avoir 2 points d'écart avec son adversaire, à moins qu'il n'applique le principe suivant : si, dans une partie de 15 points, il y a égalité à 13, l'équipe qui la première a marqué 13 points peut demander que le sort de la partie se joue en 5 points ; s'il y a égalité à 14, l'équipe qui la première a marqué 14 points peut demander que le sort de la partie se joue en 3 points. L'équipe qui marque la première 5 ou 3 points, selon le cas, gagne la partie. La demande de décider du sort de la partie doit être faite avant le service suivant, après avoir atteint une égalité de 13 ou de

14 points. Dans une partie de 21 points, la même méthode sera utilisée en changeant cependant les nombres 13 et 14 par 19 et 20 respectivement.

Les simples dames se jouent en 12 points. S'il y a égalité à 9, celle qui aura marqué la première 9 points pourra décider du sort de la partie en 3 points. S'il y a égalité à 10, celle qui aura marqué la première 10 points pourra décider que le sort de la partie se joue en 2 points.

LA TECHNIQUE

Pour le service, on tient le volant par les plumes entre le pouce et l'index de la main gauche, on le lâche et on le frappe par en dessous. Pour le coup droit, la raquette est saisie à pleine main, à l'extrémité du manche, les doigts bien écartés. Pour le coup de revers, certains joueurs utilisent la même prise ; d'autres donnent à la raquette un quart de tour dans le sens des aiguilles d'une montre. Dans les deux cas, main, poignet et bras doivent rester souples ; c'est d'un coup du poignet très vif qu'on frappe le volant. Avant le coup, le poignet reste bien en arrière ; après le coup, le bras suit le mouvement.

Parmi les principaux coups, on note : le service, un coup haut ou chandelle, ou un coup bas ou volée amortie, toujours frappés par en dessous ; le coup écrasé ou smash, un coup violent porté de haut en bas d'un mouvement du poignet ; la chandelle, un coup en hauteur et de longue portée, surtout défensif ; le dégagé, un coup bas et plat qui peut atterrir n'importe où du côté de l'adversaire ; et l'amorti, un coup qui fait retomber le volant sitôt le filet franchi.

Au badminton, la stratégie consiste à contrôler tout le court de façon à ne pas laisser d'espaces vides où l'adversaire puisse envoyer le volant, et à ne pas lui envoyer de coups faciles qui lui permettront de rétorquer par un smash ou un amorti. Le receveur a intérêt à se tenir à

environ 1 mètre derrière la ligne de service court, près de la ligne médiane, et à y retourner après chaque coup. Il est bon de faire alterner coups courts et coups longs. En général, les smashs d'un bout à l'autre du court ou les dégagés près des couloirs sont employés pour mettre l'adversaire sur la défensive.

VARIANTES
Le tennis aérien

Le tennis aérien ressemble au badminton mais se joue sur un court de 6,10 mètres sur 15,25 pour les simples, et de 7,90 mètres sur 15,25 pour les doubles. Le haut du filet est à 2,13 mètres du sol et la ligne de service à 3,05 mètres de la ligne de fond. Les raquettes de badminton sont remplacées par des raquettes de ping-pong. Le jeu obéit à toutes les règles du badminton, mais on peut aussi le jouer à relais, en groupant plusieurs joueurs d'un côté et de l'autre du filet. Le volant peut alors passer de l'un à l'autre avant de franchir le filet.

La balle-éponge

La balle-éponge est une autre variante du badminton dans laquelle on utilise une balle taillée dans un morceau d'éponge et mesurant 8,9 centimètres de diamètre, et des raquettes de badminton ou de ping-pong. Les règles sont celles du badminton.

• • • • • • • • • • • • • • • •

La balle au mur

2 ou 4 joueurs

10 à 12 ans

1 petite balle en caoutchouc

La balle au mur peut se jouer en simple ou en double (par équipes). Le jeu consiste à lancer une petite balle de caoutchouc sur un mur, de façon qu'il soit difficile pour l'adversaire de la renvoyer au mur.

Ce sport demande de la rapidité, de l'énergie et une bonne coordination des mouvements. Il se pratique sur un court à un ou quatre murs, le plus courant étant le court à quatre murs.

plein air avec matériel ou cadre spécifique

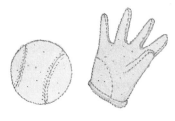

La balle au mur

On peut comparer la balle au mur à la pelote à mains nues pratiquée dans les sept provinces basques (trois en France et quatre en Espagne).

L'ÉQUIPEMENT

La balle, régulière, en caoutchouc noir, mesure 4,8 centimètres de diamètre et pèse 70 grammes, mais on peut la remplacer par une simple balle de tennis. Les joueurs portent des gants de cuir souple, bien que la chose ne soit pas indispensable. Les gants palmés sont interdits et aucune pièce de matière dure ne sera glissée dans les gants.

Le court à un mur

Il doit avoir 10,35 mètres de long sur 6,10 de large et un des murs les plus étroits doit avoir 4,90 mètres de haut : c'est celui sur lequel on jouera. Une ligne appelée ligne de courte est tracée sur le plancher à 4,90 mètres du mur et parallèlement à celui-ci. À 2,75 mètres devant la ligne de courte, une seconde ligne est tracée : la ligne de service. Pour servir, les joueurs doivent se placer devant cette ligne. Il s'agit ici du court réglementaire, tel que prévu par les règlements officiels. En pratique, on peut se servir de n'importe quel mur assez grand, en plein air ou à l'intérieur, et tracer des lignes sur le sol pour délimiter la zone de jeu.

LE JEU À UN MUR

Le serveur se place dans la zone de service, entre la ligne de courte et la ligne de service. Il fait rebondir la balle une fois et, la frappant avec sa main, l'envoie sur le mur de façon à ce qu'elle retombe entre la ligne de service et la ligne de courte. L'adversaire doit renvoyer la balle au mur en la frappant soit à la volée soit après un rebond. Le service change de camp : si le serveur dépasse deux fois de suite la ligne de courte en faisant son service, s'il dépasse deux

fois les limites de la zone de jeu ou si, après avoir frappé le mur, la balle retombe pendant le service ailleurs qu'entre la ligne de courte et la ligne de service.

Dans les doubles, n'importe quel joueur d'une équipe peut renvoyer la balle après que l'adversaire l'a frappée. La même équipe garde le service tant qu'elle ne commet pas de faute en servant la balle et qu'elle la retourne conformément aux règles du jeu. La perte du service n'entraîne pas de perte de point étant donné que seule l'équipe qui a le service peut marquer des points.

Pour commencer le jeu, le serveur se place dans la zone de service et son partenaire doit se tenir en dehors des limites de la zone de jeu. Les deux joueurs de l'équipe adverse se placent derrière la ligne de courte. Dès que la balle a été servie et a franchi la ligne de courte, le partenaire du serveur entre dans la zone de jeu. Les deux équipes frappent la balle l'une après l'autre. Aussitôt que le premier joueur commet une faute ou que son partenaire et lui n'arrivent pas à renvoyer la balle, le service passe à l'autre équipe, qui sert à son tour. À partir de ce moment, les joueurs de chaque équipe servent tous deux la balle avant que le service ne repasse aux adversaires. La première équipe qui marque 21 points gagne la partie. (L'équipe qui est au service marque 1 point chaque fois que l'adversaire commet une faute ou ne parvient pas à renvoyer la balle.)

Le court à quatre murs

La salle doit avoir 12,20 mètres de long sur 6,10 de large et 6,10 de haut. Le mur arrière mesure 3,70 mètres de haut. La ligne de courte divise le terrain en deux parties égales. La ligne de service est tracée à 1,52 mètre devant la ligne de courte, délimitant ainsi la profondeur de la zone de service. Deux lignes tracées à 45 centimètres des murs latéraux délimitent la largeur de la zone de service ; elles forment elles-mêmes avec les murs deux rectangles appelés boîtes de service.

LE JEU À QUATRE MURS

Comparativement au jeu à un mur, il y a une exception importante ; lorsque, après avoir été servie et reçue, la balle frappe le mur de ser-

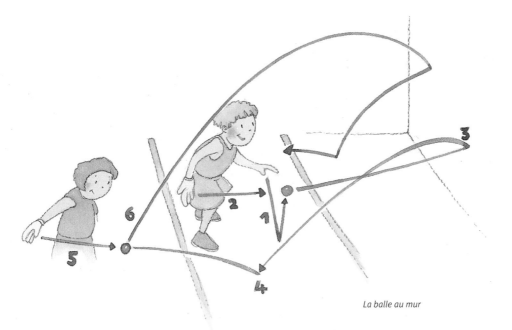

La balle au mur

vice et rebondit sur un autre mur ou sur le plafond, elle reste en jeu et les joueurs peuvent la frapper à la volée ou après un rebond. Le serveur doit faire son service n'importe où dans la zone de service et, dans les doubles, son partenaire doit se tenir immobile, les pieds à plat sur le plancher et le dos tourné au mur de service, dans une des boîtes de service, jusqu'à ce que la balle soit revenue au-delà de la ligne de courte. Pour que le service soit valable, la balle doit atterrir et rebondir sur le plancher derrière la ligne de courte. Le serveur a droit à deux essais pour chaque point. Le service est faux : si la balle ne retombe pas derrière la ligne de courte (service court) ; si elle frappe le plafond avant de rebondir sur le plancher (service de plafond) ; si, après avoir frappé le mur de service, elle rebondit sur les deux murs latéraux avant de toucher le plancher (service à deux murs) ; si elle sort du court (service hors court) ; si la balle va toucher directement le mur arrière sans rebondir au sol (service long) ; si le serveur sort de la zone de service avant que la balle n'ait dépassé la ligne de courte, ou que son partenaire sort de la boîte de service avant que la balle n'ait dépassé la ligne de courte (faute de pied).

Une fois la balle servie, les équipes (ou les joueurs) la renvoient tour à tour sur le mur de service après lui avoir laissé faire un bond, ou à la volée. Dans les doubles, n'importe quel joueur de chaque équipe peut frapper la balle ; dans les simples, les joueurs frappent à tour de rôle. Une balle qui frappe un mur ou le plafond est valable à condition qu'elle ait tout d'abord frappé le mur de service. Si une balle lancée sur le mur frappe un adversaire, on reprend le service.

Dans les doubles, si la balle frappe le partenaire, l'équipe perd 1 point ou le service. Si un joueur renvoie la balle de façon à ce qu'elle tombe à l'intersection du mur de service et du plancher, il commet une faute et perd 1 point ou passe le service à l'adversaire. Tout joueur qui bloque ou retient un adversaire, l'empêchant ainsi de renvoyer la balle, est coupable d'une obstruction. Si l'obstruction est volontaire, le joueur (ou son équipe) perd 1 point ou le service, selon le cas. Si elle est involontaire, on reprend le service. Les points sont marqués de la même façon que dans le jeu à un mur.

LA POSITION ET LA STRATÉGIE
Quelle que soit la forme du jeu, il est essentiel de bien étudier la façon dont la balle rebondit en frappant les murs pour apprendre à la lancer de sorte que les adversaires ne puissent pas la renvoyer. Les mouvements de pieds sont particulièrement importants. On doit avancer légèrement le pied gauche, répartir également son poids sur les deux pieds, plier les genoux et se

plein air avec matériel ou cadre spécifique

La balle au mur

pencher légèrement en avant, ce qui permettra de se déplacer rapidement.

Il existe plusieurs coups classiques. Ainsi, on peut frapper la balle soit en abaissant soit en levant le bras, soit encore sur le côté, à l'horizontale. Le coup « par en bas » se fait en relevant le bras et en frappant la balle avec la paume de la main ; on s'en sert lorsqu'on veut que la balle frappe le bas du mur et rebondisse à une vitesse telle que l'adversaire ne puisse pas prendre le retour. Tout dépend de la position dans laquelle le joueur se trouve par rapport à la balle. Il est permis de frapper la balle avec la paume et le creux de la main, ou même avec le poing. Un bon coup de poignet donne de la vitesse à la balle. Une fois la balle frappée, le bras achève le mouvement jusqu'à ce que la main se trouve à la hauteur de l'endroit visé. Le grand principe de la stratégie est de déceler et d'exploiter les faiblesses de l'adversaire. Il est souvent rentable de faire alterner les coups rapides et les longues courbes. En résumé, il s'agit d'envoyer la balle de façon à ce que le retour soit difficile à prendre ou de forcer l'adversaire à se placer dans un angle défavorable. Généralement, on s'efforce de rester au milieu du court en refoulant l'adversaire vers les côtés.

Le base-ball

18 joueurs

à partir de 8 ans

1 balle en cuir et 1 batte

L e base-ball est le sport national des Américains. Issu du Jeu de balle au camp ou Thèque, il a été codifié en 1858. Des millions d'amateurs se pressent dans les divers stades du printemps à l'automne pour voir à l'œuvre leurs joueurs préférés. Les parties télévisées attirent aussi un nombre incroyable de spectateurs. Un peu partout, dans les quartiers et les villages, des ligues locales sont organisées, regroupant tous les jeunes selon leur âge. Il serait impossible de dénombrer tous les matches qui se disputent, non officiellement, dans les terrains de jeux et les arrière-cours. Le base-ball devient aussi de plus en plus populaire au Canada, surtout depuis la création des Expos de Montréal, première équipe canadienne à entrer dans les ligues majeures de base-ball.

LA FORMATION ET L'ÉQUIPEMENT

Le base-ball se joue avec deux équipes de neuf hommes chacune : le lanceur, le receveur, le premier-but, le deuxième-but, l'intercepteur ou arrêt-court, le troisième-but, le voltigeur du champ droit, le voltigeur du centre et le voltigeur du champ gauche. Quand il est placé à la batte, un joueur prend le nom de frappeur.

Le base-ball se joue sur un losange de 27,45 mètres de côté. Aux trois angles supérieurs se trouvent les buts. Le marbre est situé dans le quatrième angle, face au champ, et devant un écran arrière ; le marbre désigne une pièce pentagonale de caoutchouc durci encastrée dans le sol. De chaque côté du marbre se trouvent les deux rectangles du frappeur, où se tiennent les frappeurs selon qu'ils sont droitiers ou gauchers. Aux trois autres buts, un coussin

plein air avec matériel ou cadre spécifique

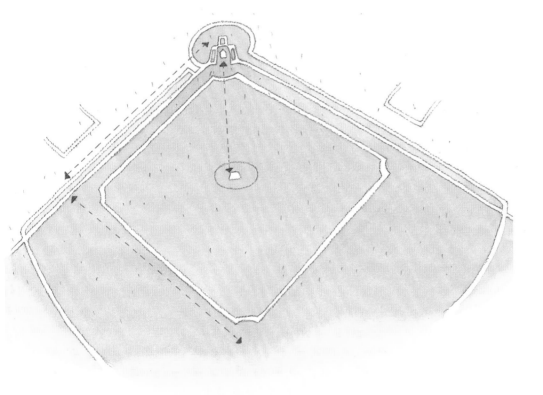

Le base-ball : Le carré se nomme le diamant

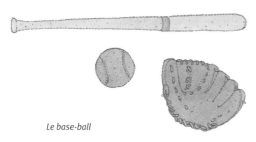

Le base-ball

de grosse toile de 38 centimètres de côté est fixé au sol. Au centre du champ, à 18,45 mètres du marbre et sur l'axe allant du marbre au deuxième but, se trouve le monticule du lanceur. La plaque du lanceur (61 centimètres sur 15,25) est située sur ce monticule. Derrière le losange s'étend le grand champ, dont les dimensions ne sont pas fixées.

Le base-ball se joue avec une batte de bois (ou d'aluminium) arrondie et lisse et une balle dure recouverte de cuir. La batte ne doit pas avoir plus de 7 centimètres de diamètre. La balle pèse environ 142 grammes.

LE JEU

L'objectif de l'équipe à la batte est de marquer le plus grand nombre de points possible. Un point est marqué lorsqu'un frappeur réussit à parcourir le circuit de buts et à revenir au marbre.

Le premier frappeur de l'équipe à la batte se tient sur le rectangle du frappeur, près du marbre. Il essaie avec sa batte de frapper les balles que lui envoie le lanceur. S'il rate la balle ou s'il ne frappe pas une balle qui passe au-dessus du marbre et à une hauteur comprise entre ses genoux et ses épaules, c'est une prise contre lui. Après trois prises, le frappeur est retiré, à la condition que le receveur garde la balle dans ses mains après la troisième prise. S'il laisse tomber la balle, le frappeur peut courir au premier but : il est sauf s'il y arrive avant la balle, ou avant que le receveur ne le touche avec la balle qu'il a reprise en mains.

Lorsque la balle passe en dehors de la zone de frappe et que le frappeur n'essaie pas de la frapper, on dit que c'est une balle. Après quatre balles, le frappeur a le droit de se rendre au premier but : c'est un but sur balles. Si le frappeur vise la balle et la frappe hors ligne, on dit que c'est une balle fausse et elle compte pour une prise si le frappeur n'a pas déjà deux prises contre lui. La balle fausse ne compte comme

Le base-ball

troisième prise que si le receveur – ou l'un des voltigeurs l'attrape au vol (ce qui entraîne le retrait du frappeur). Toute fausse balle attrapée au vol entraîne un retrait, sauf si elle ne s'élève pas à plus de 3,05 mètres, auquel cas il n'y a pas de retrait.

Un arbitre placé derrière le receveur décide à chaque lancer si c'est une prise ou une balle, une bonne balle ou une balle fausse. Dans les matches professionnels, il y a également deux autres arbitres, l'un près du premier but et l'autre près du troisième ; c'est à eux de décider si le frappeur est sauf au but ou si la balle a été saisie correctement.

Lorsque le frappeur touche la balle, il court au premier but. Si la balle tombe au sol à l'intérieur du champ, c'est une bonne balle. Elle doit être ramassée par un joueur au champ, lancée au premier but et attrapée par le premier-but avant que le frappeur n'y arrive. Si cela se produit, le frappeur est retiré. Dans le cas contraire, on dit qu'il réussit un simple. S'il a le temps de se rendre au deuxième but, on dit que c'est un double ; s'il se rend au troisième, c'est un triple.

S'il fait le tour du circuit et revient au marbre après avoir frappé la balle très loin ou l'avoir envoyée dans les gradins, c'est un circuit (ou coup de circuit). Si le frappeur frappe la balle et qu'elle est attrapée au vol sans avoir touché terre, cela entraîne automatiquement le retrait du frappeur. Lorsque le premier frappeur a été retiré ou s'est rendu à un but, il est remplacé par un autre. Si celui-ci frappe une bonne balle et qu'il y a un homme au premier but, ce joueur doit se rendre au deuxième. Si la balle est placée au deuxième but avant que l'homme du premier but n'y soit rendu, c'est un retrait systématique ; l'homme est retiré pendant que le frappeur reste au premier but. Si la balle est lancée au deuxième but puis au premier but avant que le frappeur n'atteigne celui-ci, les deux joueurs sont retirés et on parle de double jeu. Si la balle est attrapée au vol et lancée à un but avant que le coureur qui s'était élancé vers le but suivant n'ait eu le temps d'y revenir, c'est encore un double jeu. Si un coureur est atteint entre deux buts par une balle frappée, il est retiré. Dès que la balle est en jeu, un coureur peut essayer de voler un but en s'y rendant à la course sans qu'on parvienne à le toucher avec la balle. Il est retiré s'il est touché par la balle avant d'avoir atteint le but ou avant d'avoir pu revenir au but qu'il venait de quitter.

LA MARQUE

Une équipe demeure à la batte tant qu'on n'a pas enregistré trois retraits contre elle ; elle va alors au champ. C'est à l'équipe opposée de venir à la batte ; elle y reste jusqu'au troisième retrait. Cette période constitue une manche. Une partie comporte en général neuf manches ; on peut en réduire le nombre pour les jeunes. On peut en outre suspendre la partie après cinq manches à cause du mauvais temps ou de l'obscurité, sans annuler le score. L'équipe qui a produit le plus de points au cours de toute la partie a gagné.

Il existe bien d'autres règles dans le jeu officiel, notamment celles qui s'appliquent à la taille du gant des voltigeurs, à la position du lanceur, à la façon dont il doit lancer la balle, etc. En outre, l'équipe à la batte peut faire appel à plusieurs sortes de stratégies. Elles sont habituellement communiquées au frappeur par

Le base-ball

plein air avec matériel ou cadre spécifique

l'instructeur qui se tient au troisième but, au moyen de signaux faits avec les mains. Enfin, il y a un système qui permet de prendre note de tout ce qui se passe durant la partie : nombre de présences à la batte, coups sûrs, points produits et buts volés, pour les frappeurs ; retraits, assistances et erreurs, pour les voltigeurs.

Comme on l'a vu, le base-ball requiert au moins 18 joueurs. (Souvent, il y a autant de joueurs sur le banc, prêts à intervenir au besoin.) En outre, il faut des arbitres, un équipement spécial et un terrain de dimensions convenables. Il existe un championnat national de base-ball en France, mais il est toujours possible de s'amuser en jouant au base-ball plus simplement. En voici des exemples.

VARIANTES
La balle molle

Par son équipement et ses règles, la balle molle est plus propice aux jeux récréatifs. Le terrain de jeu ressemble à celui du base-ball, mais il est beaucoup plus petit. (La distance entre les buts, par exemple, est de 18,30 mètres et non de 27,45 mètres.) La distance entre le marbre et le rectangle du lanceur est de 11,60 mètres pour les femmes et de 14 mètres pour les hommes. La balle est plus grosse que celle du base-ball ; sa circonférence est en moyenne de 30 centimètres et elle pèse de 170 à 190 grammes. La batte ne doit

pas avoir plus de 86 centimètres de long et son diamètre est d'un peu plus de 5 centimètres à son plus gros bout. La balle molle exigeait autrefois la participation de 10 joueurs ; aujourd'hui, il n'en faut pas plus que 9, comme au base-ball. La partie normale se fait en sept manches. Comme au base-ball, la partie suspendue après cinq manches demeure valable. Si l'équipe qui est deuxième à la batte mène après quatre manches et demie, il n'est pas nécessaire de finir la cinquième manche.

La grande différence entre la balle molle et le base-ball réside dans la technique du lancer. Le lanceur doit faire face au frappeur, les deux pieds posés sur le rectangle du lanceur. Il ne peut faire qu'un pas en avant vers le frappeur pour lancer la balle par-dessous, ses doigts ne la lâchant que lorsque sa main et son poignet ont dépassé la ligne de son corps. Un pied doit demeurer sur le rectangle.

Il existe deux variétés de balle molle : le *hard-pitch* et le *soft-pitch*. Dans le premier cas, le lanceur peut lancer la balle en ligne droite vers le frappeur ; dans le second, la balle doit décrire un arc élevé avant de traverser le marbre. Comme le soft-pitch demande moins d'habileté de la part du lanceur et du frappeur, il est recommandé aux jeunes qui essaient d'apprendre les règles du jeu.

La balle molle

Le triangle-ball

Le base-ball rotation

Dans Le base-ball rotation, plusieurs joueurs occupent les postes ordinaires au champ pendant que trois autres sont frappeurs. Les mêmes règles s'appliquent aux lancers, aux frappés, aux balles fausses et à la progression d'un but vers l'autre. Comme il n'y a pas d'arbitre, balles et prises ont été supprimées. Le but de la partie est de rester à la batte le plus longtemps possible et de faire le plus de points possible. Lorsqu'un frappeur est sur les buts, il attend que les autres lui permettent de rentrer au marbre, ou il peut se faire retirer comme au base-ball. Il va alors au champ, où il devient voltigeur de droite. Les autres voltigeurs avancent tous d'un cran, du champ droit au champ centre puis au champ gauche, au troisième but, à l'arrêt court, au deuxième but, au premier but, pour arriver finalement aux postes de lanceur et de receveur. Si le frappeur frappe une balle qu'un voltigeur attrape avant qu'elle ait touché terre, il lui laisse immédiatement la place à la batte ; les autres avancent de façon à occuper la position qu'avait le voltigeur, et le joueur à la batte va au champ droit.

Le triangle-ball

Le triangle-ball, aussi appelé Punch-ball, se joue facilement dans la rue. Le terrain est plus petit que celui du base-ball et il n'y a que trois buts : le marbre, le premier et le troisième buts. Ils sont placés en triangle ; la distance du marbre au premier but peut être de 7,50 à 12 mètres et celle du premier au troisième but ne doit pas dépasser 7,50 mètres. On se sert d'une petite balle de caoutchouc ou d'une balle de tennis et le frappeur doit frapper la balle avec son poing. Le lanceur peut la lui envoyer avec un rebond ou le frappeur peut tout simplement la lancer lui-même en l'air et la frapper au moment où elle retombe. Les courses d'un but à l'autre ainsi que le système de score sont identiques à ceux du base-ball classique. Le jeu est rapide et demande une certaine habileté.

plein air avec matériel ou cadre spécifique

Le basket-ball

Le speed-ball

Le speed-ball se joue souvent dans les gymnases quand il est utile de faire cinq manches en relativement peu de temps. Quatre frappeurs seulement viennent au marbre durant une manche. Celle-ci se termine pour une équipe si les trois premiers frappeurs sont retirés ou lorsque le quatrième frappeur fait marquer 1 point à son équipe ou qu'il est retiré de quelque manière. Cependant, 1 point produit par le quatrième frappeur ne compte que si ce dernier parvient à arriver sauf au premier but. Comme au base-ball, on peut voler des buts, et même se rendre au marbre de la sorte, en partant aussitôt que le lanceur commence son lancer. Le frappeur gratifié d'un but sur balles, après quatre balles, ne rentre pas dans le compte des quatre frappeurs alloués à son équipe.

Le punch-ball

Si l'espace est encore plus limité, le punch-ball à deux buts s'impose. Il ne comporte que le marbre et un but, où se trouve généralement le monticule du lanceur. Le frappeur frappe la balle et court dans un sens puis dans l'autre entre le marbre et le but. Il compte 1 point pour chaque aller-retour qu'il réussit avant d'être touché par un joueur au champ.

Le basket-ball

10 joueurs

8 à 12 ans

1 ballon, 2 paniers de basket

C'est au collège de Springfield, dans le Massachusetts (États-Unis) que ce sport fut inventé par le docteur Naismith, d'origine canadienne, en 1891 (il sera codifié en 1892). C'est un sport que l'on pratique aussi en salle. Populaire au Canada et aux États-Unis, il s'est répandu sur les autres continents et est aujourd'hui beaucoup apprécié des Européens. Le docteur Naismith voulait mettre au point un jeu rapide pouvant se jouer aussi à l'intérieur durant les rigoureux mois d'hiver. Son succès dépassa ses espérances.

Le basket-ball oppose deux équipes de cinq joueurs dont l'objet est de marquer le plus de points possible en faisant entrer le ballon dans le panier de l'équipe adverse. C'est un sport qui n'exige aucun matériel coûteux et qu'on peut pratiquer partout où il est possible d'installer un anneau de métal sur un mur ou à des poteaux. Les règles de base sont si simples qu'un enfant de 8 ou 9 ans peut les comprendre, et pourtant elles sous-tendent un jeu qui combine une très grande rapidité à des stratégies raffinées.

LA FORMATION ET L'ÉQUIPEMENT

Chaque équipe comprend cinq joueurs : un centre ou « pivot » (le joueur le plus grand d'ordinaire), deux avants qui se tiennent près des formations défensives de l'équipe adverse, et deux arrières.

Le basket-ball se joue normalement sur une surface rectangulaire de 26 mètres sur 14. Mais on peut facilement y jouer sur un terrain plus petit ou plus grand, en fonction de l'endroit où l'on se trouve, un jardin, une cour de récréation ou d'immeuble. Aux deux extrémités du terrain,

à 1,20 mètre en avant de la ligne de fond, se trouve un panneau ; un panier (anneau de métal de 45 centimètres de diamètre muni d'un filet ouvert) y est fixé à 3,05 mètres du sol et à égale distance des bords verticaux du panneau. Une ligne de lancer franc est peinte sur le sol à 5,80 mètres de chaque panneau. Habituellement fait d'une vessie de caoutchouc recouverte d'une enveloppe de cuir ou de matière synthétique, le ballon doit avoir entre 75 et 78 centimètres de circonférence.

LE JEU

L'objectif de chaque équipe est de pénétrer sur le terrain de l'adversaire avec le ballon et de marquer 2 ou 3 points en lançant celui-ci par en haut à travers le panier. Le coup d'envoi se fait dans le cercle central par un entre-deux. L'arbitre lance le ballon au-dessus des deux adversaires et chacun s'efforce de le passer

plein air avec matériel ou cadre spécifique

Le basket-ball

aux joueurs de son équipe. L'équipe qui en prend possession se dirige vers le panier de l'adversaire et essaie de marquer. Si elle réussit, un membre de l'autre équipe prend possession du ballon et se place derrière la ligne de fond, à l'endroit de son choix. Il passe le ballon à l'un de ses coéquipiers, qui essaie d'atteindre le panier de l'équipe adverse pour marquer à son tour.

Le jeu se fait par passes successives ou par dribbles (le joueur court en faisant rebondir le ballon avec la main). L'équipe qui monte à l'attaque peut perdre le ballon si un des joueurs fait plus d'un pas avec le ballon sans faire de passe, de dribble ou de lancer, s'il botte le ballon ou sort des limites du terrain. L'équipe adverse peut aussi intercepter une passe, se saisir d'un ballon échappé, intervenir dans un dribble en volant le ballon sans toucher aucune partie du corps du dribbleur, ou s'emparer du ballon qui rebondit sur le panneau après avoir raté le panier.

La partie se joue en deux mi-temps de 20 minutes (temps effectif) avec 10 à 15 minutes entre les mi-temps. Les équipes scolaires font quatre quarts de 8 minutes. Si la marque est à égalité à la fin de la période normale de jeu, les joueurs doivent aller en prolongation : 5 minutes (et cela pour autant de périodes nécessaires à un résultat décisif).

Le basket-ball

LES LANCERS FRANCS

En plus de marquer 2 points pour un lancer réglementaire, une équipe peut marquer 1 point pour chaque lancer franc qu'elle réussit. Un lancer franc est le privilège accordé à un joueur de marquer 1 point en lançant, sans qu'il en soit empêché, le ballon au panier à partir d'une position prise immédiatement derrière la ligne de lancer franc. Les lancers francs sont accordés contre certaines fautes personnelles : obstruction, rudesse, coups ou mises en échec. Si une faute est commise par un adversaire pendant qu'un joueur lance, il a droit à deux lancers francs, mais s'il réussit son lancer réglementaire, il n'a plus droit qu'à un. Tout joueur qui commet cinq fautes, personnelles ou techniques, est exclu.

Outre les fautes personnelles, il y a les fautes techniques : retarder le jeu, donner des direc-

tives à partir des lignes de touche durant le jeu, ne pas lever la main quand une faute est sifflée, négligence de la part des remplaçants de signaler leur présence au jeu au marqueur ou à l'arbitre. Ces fautes entraînent des sanctions : elles font généralement perdre le ballon à l'équipe qui les commet.

LES PASSES, LE DRIBBLE ET LES LANCERS

Le basket-ball est essentiellement un jeu de passes. Il en existe plusieurs sortes : la passe au niveau de la poitrine – le joueur tient le ballon contre sa poitrine avant de le projeter en avant d'un vigoureux coup de poignet vers un coéquipier ; la passe par-dessus la tête – le ballon est maintenu des deux mains au-dessus de la tête, puis lancé d'un coup de poignet ; la passe par-dessous – le ballon est tenu très bas, presque au niveau du sol, et passé par-dessous avec un mouvement ascendant ; et enfin la passe au niveau de l'épaule ou passe à une main – le ballon est lancé comme une balle de base-ball. Les passes se font par la voie des airs, mais on peut également passer le ballon en le faisant rebondir sur le sol.

✔ Le dribble se fait d'une main ; le joueur fait rebondir le ballon devant lui pour mieux le contrôler. Le corps est penché, la tête haute et le ballon en rebondissant ne dépasse pas la ceinture. Pour éviter de se faire voler le ballon, le joueur essaie généralement de se placer entre le ballon et ses adversaires. Le joueur termine son dribble dès l'instant où il touche le ballon des deux mains. Le nombre de pas que le joueur peut faire entre les rebonds du ballon au cours du dribble est illimité.

✔ Parmi les divers types de lancers au panier ou tirs, le plus courant est le lancer à deux mains : le joueur tient le ballon des deux mains à la hauteur de son menton puis l'élève brusquement en allongeant jambes et bras. Ce lancer est maintenant communément remplacé par le lancer à une main – le joueur se baisse un peu puis lance le ballon d'une seule main, l'autre pouvant à l'occasion l'aider à stabiliser le ballon au début du mouvement. Le lancer en suspension fait généralement suite à un dribble. Le joueur s'arrête, bondit haut dans les airs et amène le ballon au-dessus de sa tête, la main qui va lancer étant placée derrière le ballon et l'autre devant. Au sommet de son bond, il propulse le ballon grâce à une soudaine détente du bras.

✔ Le lancer déposé est utilisé lorsque le joueur, près du panier, peut bondir et lancer le ballon contre le panneau ou le faire tomber directement dans le panier. Ce lancer se fait avec une ou deux mains. Dans le lancer à bras roulé, le joueur tient le ballon de côté et lance d'un mouvement balayant. Ce lancer est souvent utilisé par le joueur centre, qui se tient en position pivotante près du panier, ou dos au panier (il pirouette alors vers la gauche ou vers la droite). Ce lancer est très difficile à bloquer ou à intercepter.

LE JEU DÉFENSIF
Il est de deux types : la défense individuelle et la défense de zone. Dans le premier cas, on assigne à chaque joueur un joueur de l'équipe adverse. Il doit alors s'efforcer de s'interposer constamment entre le panier et cet adversaire pour bloquer son lancer ou empêcher une montée au panier. Dans certaines techniques

de jeu, les joueurs peuvent s'échanger l'adversaire à surveiller.

La défense de zone s'organise autour de la ligne des lancers francs, le territoire à défendre étant partagé en cinq secteurs. Chaque joueur est alors responsable d'un secteur dans lequel il peut se déplacer à sa guise. Ces techniques de défense comportent bien des variantes, tout comme il existe une grande variété de jeux offensifs. C'est cette diversité qui fait précisément du basket-ball un jeu fascinant à observer.

VARIANTES
Lorsqu'on n'a pas l'espace suffisant ou le nombre voulu de joueurs, on peut modifier légèrement le jeu de base. Voici quelques suggestions qui s'ajoutent à celles indiquées précédemment.

Le ballon gardé
Dans le ballon gardé, les joueurs se divisent également en deux équipes. L'une des deux porte un signe distinctif quelconque, par exemple un mouchoir noué autour du bras, pour qu'il soit plus facile de la distinguer de l'autre. Le but du jeu est de se passer le ballon de joueur en joueur en évitant que l'autre équipe ne s'en empare. Aucun joueur ne peut conserver le ballon plus de 5 secondes. Les règles du basket-ball s'appliquent pour les montées, les passes ainsi que les techniques défensives. Lorsqu'une équipe enfreint l'une des règles, le ballon passe à l'autre équipe. Comme il n'existe pas de marque bien définie, il n'y a généralement pas de gagnant. On peut cependant tenir compte du temps, et l'équipe qui demeure le plus longtemps en possession du ballon gagne. C'est un jeu qui apprend bien

plein air avec matériel ou cadre spécifique

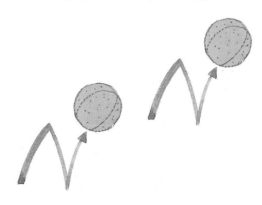

Le pin basket

à manipuler le ballon et qui peut se dérouler sur un terrain ordinaire ou dans un endroit bien délimité.

Le pin basket

Le pin basket est utile lorsqu'on n'a pas de panier. Le terrain nécessaire est sensiblement de la même grandeur qu'un terrain de basket-ball. Au centre des deux lignes de fond, on trace un cercle d'environ 1 mètre de diamètre. Une tige de bois est fixée au centre de chaque cercle. On peut l'installer sur un carré en bois pour lui donner plus de stabilité, surtout si le sol est inégal. On se sert d'un ballon de basket et les règles de ce jeu s'appliquent aux montées. Le but du jeu est de jeter à terre la tige de bois de l'adversaire tout en empêchant le camp adverse d'en faire autant. Le ballon doit toucher le sol avant de frapper la tige ; chaque lancer réussi vaut 2 points. Les joueurs n'ont pas le droit de pénétrer dans les cercles ; une telle faute, comme toutes les autres d'ailleurs, donne à l'autre équipe un lancer franc à partir d'une ligne située à 3,80 mètres des cercles.

Le basket à un panier

Dans Le basket à un panier, les deux équipes visent le même panier. La seule obligation, c'est que lorsqu'une équipe s'empare du ballon parce que l'autre a marqué, ou à la suite d'une interception ou d'un rebond, elle doit le porter jusqu'à un point situé à une dizaine de mètres du panier avant de le remettre en jeu. Chaque lancer réussi vaut 2 points ; la partie est de 20 points. On peut jouer à ce jeu avec deux ou trois joueurs seulement et dans un endroit où l'espace est restreint, notamment dans une entrée de garage, le panier étant fixé au-dessus de la porte.

Le gardien

Le gardien se joue également avec un seul panier et quatre joueurs. L'un sert de gardien et tente d'empêcher les trois autres de monter et de marquer. Chaque panier vaut 2 points. Lorsqu'un attaquant rate un lancer, il prend la place du gardien. Il en va de même si le gardien intercepte le ballon : le dernier joueur à l'avoir eu en main prend sa place. Chacun joue pour soi mais le risque de devenir gardien tempère l'ardeur des plus présomptueux. Le premier joueur à marquer 10 points gagne.

• • • • • • • • • • •

Le croquet

2 à 8 joueurs

6 à 12 ans

1 jeu de croquet

Le croquet semble avoir été inventé en France, au XIIIe ou au XIVe siècle. Au siècle suivant, il se répandit en Angleterre, mais ce n'est qu'à la fin du XIXe siècle qu'il devint populaire en Amérique du Nord. C'est un jeu idéal pour les réunions familiales du fait que n'importe qui peut s'y livrer, à tout âge : il suffit de pouvoir manier un maillet, d'ailleurs léger, et 3de comprendre les règles, qui n'ont rien de

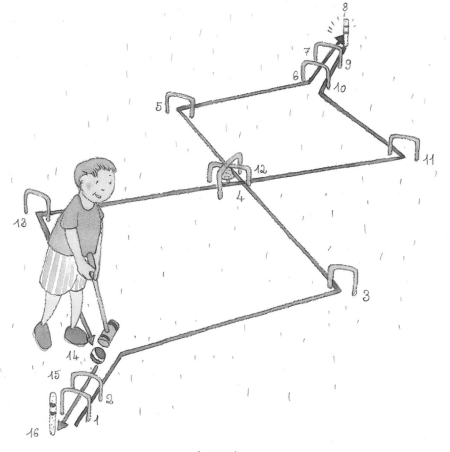

Le croquet

plein air avec matériel ou cadre spécifique

compliqué. Le nombre des joueurs peut varier de deux à huit. Le but du jeu est simple : il s'agit de faire passer sa boule, en la frappant avec son maillet, sous une série d'arceaux le long d'un parcours prévu. Le gagnant est celui qui termine son parcours le premier.

L'ÉQUIPEMENT

On trouvera facilement des jeux de croquet dans la plupart des magasins d'articles de sport. Le jeu complet se compose de deux piquets-buts en bois, de 30 à 45 centimètres de long ; de 10 arceaux (dont deux sont soudés ou disposés en croix et au centre desquels peut pendre une clochette) en fer ou en métal de 22 à 30 centimètres de haut et de 15 centimètres de large ; de huit boules de bois ou de caoutchouc dur d'environ 9 centimètres de diamètre, et du même nombre de maillets de bois. Ces maillets sont formés d'une tête cylindrique qui peut mesurer de 15 à 30 centimètres de long sur 7,5 centimètres de diamètre et un manche d'environ 80 centimètres de long.

LE TERRAIN

On utilise comme terrain une pelouse bien rase et soigneusement nivelée, de dimensions variables mais qui devrait mesurer au moins 7,50 mètres sur 15. Les championnats se jouent sur des terrains de 9 mètres sur 21. On plante un piquet dans le sol à chaque bout du terrain, à égale distance des limites latérales ; le piquet de départ s'appelle le fock, et celui d'arrivée le besan. Puis on place les 10 arceaux qui délimitent le parcours que les boules doivent suivre. Bien qu'il en existe un modèle officiel, ce parcours peut varier.

Normalement, on place le premier arceau près du fock et le dernier près du besan, à l'autre bout du terrain. Pour les autres arceaux, on peut suivre à peu près n'importe quelle disposition, selon que l'on veut rendre le jeu plus ou moins difficile. Dans tous les cas, les joueurs doivent faire passer leurs boules sous tous les arceaux dans l'ordre qui a été convenu.

LE JEU

Une fois les piquets et les arceaux en place, chaque joueur se choisit un maillet et une boule. Les boules sont peintes de diverses couleurs pour qu'on les reconnaisse facilement. Tour à tour, les joueurs se placent à 4,50 mètres du fock et lancent leur boule vers ce piquet. Celui dont la boule arrive le plus près joue en premier. Les autres suivent dans l'ordre déter-

Le croquet

miné par la position de leur boule par rapport au piquet, les plus près jouant les premiers. Le premier joueur peut également être désigné par tirage au sort.

On peut jouer individuellement ou par équipes. Dans les deux cas, les règles fondamentales sont les mêmes. Au départ, chaque joueur place sa boule à mi-chemin entre le fock et le premier arceau, sur la ligne médiane du jeu, et la frappe avec son maillet. Si la boule passe sous l'arceau, le joueur a droit à un second coup. Chaque fois que sa boule passe sous un arceau, le joueur obtient ainsi un autre coup. Si la boule passe sous deux arceaux au même lancer ou sous la cloche, le joueur a droit à deux coups supplémentaires. En passant sous la cloche, la boule doit faire tinter la clochette, sinon le coup est annulé et il faut recommencer. Une boule immobilisée sous la cloche y reste prisonnière jusqu'à ce qu'une autre boule vienne l'en délivrer. Lorsqu'un joueur a fait les coups auxquels il avait droit, c'est au tour du joueur suivant.

Dès qu'un joueur a passé le premier arceau, s'il touche une boule (d'un adversaire ou d'un coéquipier) avec la sienne, il peut, à son choix, « roquer », « croquer » ou « prendre deux coups ». Il roque lorsque, plaçant sa boule à côté de celle qu'il a touchée, il frappe un seul coup dans les deux boules à la fois, de manière à les envoyer à son gré dans une même direction ou dans deux directions différentes. Et il joue un deuxième coup.

Pour croquer, le joueur place sa boule contre celle qu'il a touchée et la maintient fermement avec son pied. Il donne un grand coup de maillet de côté (comme au golf) contre sa boule, de manière à chasser l'autre par répercussion du coup, sans bouger la sienne. Il dispose alors d'un second coup. Si la boule croquée n'a pas bougé d'au moins une tête de maillet (15 à 30 cm), il lui faut recommencer à frapper. Si sa boule se déplace, il perd le second coup auquel il a droit. Les boules déplacées par le mouvement d'une boule croquée restent à leur nouvelle place.

Enfin, le joueur peut choisir de prendre ses deux coups. Il pose sa boule à un maillet (15 à

30 cm) de la boule touchée et profite de ses deux coups comme il l'entend. Il peut toucher plusieurs boules successivement pendant un même tour de jeu.

Les arceaux que l'on fait franchir à une boule touchée, roquée ou croquée sont considérés comme franchis par le propriétaire de la boule, mais ils ne lui donnent pas droit aux coups supplémentaires. On ne peut toucher deux fois de suite la même boule ; il faut, auparavant, avoir touché une autre boule ou un piquet, ou avoir franchi un arceau. Si un joueur touche plusieurs boules en un seul coup, il choisit celle qu'il préfère pour roquer, la croquer ou prendre ses deux coups. S'il projette une boule autre que la sienne contre une autre boule, il y a carambolage, et le joueur perd les avantages de son coup. C'est alors au tour du joueur suivant.

À moins de passer sous un arceau ou de frapper une autre boule, chaque joueur n'a droit qu'à un coup à la fois. Il doit ensuite attendre que ce soit de nouveau son tour, tous les autres joueurs ayant joué. Le gagnant est celui qui termine son parcours le premier, en ayant fait passer sa boule sous tous les arceaux, à l'aller et au retour et en ayant, pour terminer, frappé sa boule contre le piquet d'arrivée.

Lorsque la partie se joue par équipes, les joueurs les plus avancés peuvent, au retour, choisir de ne pas toucher le fock : ils deviennent alors corsaires et ils aident leurs partenaires à terminer leur parcours, tout en gênant leurs adversaires dans leur progression. S'ils touchent le fock, même par mégarde, ils doivent se retirer du jeu. Un corsaire peut donc éliminer un corsaire adverse si, en le croquant, il parvient à lui faire toucher le fock. Un corsaire est libre de frapper n'importe quelle boule, même plusieurs fois de suite. Bien entendu, il ne joue que lorsque c'est son tour.

plein air avec matériel ou cadre spécifique

LA TECHNIQUE

Le croquet exige avant tout une main ferme, une bonne vue et un certain sens de la tactique. Il arrive souvent, par exemple, qu'ayant atteint avec la sienne la boule d'un adversaire, un joueur ait à décider s'il est plus rentable d'expédier au loin la boule adverse ou de prendre deux coups qui lui permettront de poursuivre son parcours. Son expérience lui sera alors utile. La boule doit être frappée avec le plat de la tête du maillet. Le joueur ne doit pas changer de maillet durant une partie, sauf en cas d'accident. Normalement, on frappe la boule comme au golf en se plaçant sur le côté. On peut aussi permettre de frapper la boule avec le maillet entre les jambes. Enfin, il est interdit de « queuter », c'est-à-dire d'accompagner la boule du maillet surtout pour lui faire exécuter une courbe. Le coup est alors annulé et le joueur fautif perd son tour.

. . . .

Les fers à cheval

 2 à 4 joueurs

 8 à 12 ans

 4 fers à cheval

Comme bien d'autres jeux et sports que nous avons décrits, le lancer du fer à cheval remonte à l'Antiquité. De nos jours, les fers à cheval destinés à ce jeu peuvent avoir diverses dimensions mais sont réglementés quant à leur poids. Les méthodes de décompte des points et les règles du jeu varient parfois selon les pays.

LA PISTE ET L'ÉQUIPEMENT

La piste réglementaire a 15,25 mètres de long sur 3,05 de large. Deux piquets de 2,5 centimètres de diamètre sont plantés dans le sol, à 12,20 mètres de distance, aux extrémités de la piste. Chacun des piquets est situé au centre d'un rectangle de 92 centimètres sur 115 : la surface de cible. Les piquets doivent s'élever de 36 centimètres au-dessus du sol et être inclinés de 7,5 centimètres vers le centre de la piste. Les quatre fers (deux par joueur) mesurent 18 centimètres de large et 19,05 de long. Un fer ne doit pas peser plus de 1,135 kg.

LE JEU

On tire à pile ou face pour décider qui jouera le premier. Ensuite, s'il y a plusieurs parties, le perdant commence. Le but du jeu est de lancer le fer à cheval du poste du lanceur sur le piquet situé à l'autre bout de la piste, de façon à ce que le fer entoure le piquet ou tombe plus près de lui que le fer de l'adversaire. Le lanceur se tient sur une plate-forme spéciale ou tout simplement à côté de la surface de cible, derrière la ligne de hors-jeu qui démarque l'avant du poste du lanceur. Si le fer tombe de façon à entourer le piquet (de sorte que, si les deux extrémités du fer étaient reliées par une ligne droite, celle-ci ne toucherait pas le piquet), le coup s'appelle un *ringer* ou encerclement ; il vaut 3 points. Un fer qui tombe contre le piquet, même s'il reste appuyé contre le piquet, ne compte pas comme ringer. Si chacun des joueurs fait un ringer, les deux résultats s'annulent et le joueur dont l'autre fer est le plus près du piquet marque 1 point. Si un joueur réussit deux ringers et que son adversaire en fait un, il ne marque que 3 points pour le ringer de différence. Si chacun des joueurs fait deux ringers,

Les fers à cheval

aucun ne marque de points. Il est à noter cependant que cette méthode de comptage par différence peut être remplacée par celle dite du comptage intégral où chaque joueur marque 3 points pour chaque ringer et 1 point pour chaque fer se trouvant à moins de 15 centimètres du piquet, quels que soient les résultats de l'adversaire. Dans le premier cas, la partie se joue en 25 tours, chaque joueur lançant donc en tout 50 fers ; en cas d'égalité, un tour supplémentaire est joué.

Dans les simples, les deux joueurs se placent au même poste de lanceur et lancent leurs fers à tour de rôle sur le piquet opposé. Après chaque tour complet, ils vont à l'autre bout de la piste, notent le score et lancent les fers dans l'autre direction. Dans les doubles, un joueur de chaque équipe se place à un bout de la piste, son partenaire étant à l'autre. Quand les deux joueurs placés au même bout de la piste ont lancé leurs fers, leurs partenaires respectifs notent le score et jouent à leur tour. La victoire va, selon la méthode du comptage intégral, au joueur ou à l'équipe qui a marqué un total de 50 points en premier, ou, selon la méthode par différence, au joueur ou à l'équipe qui a le plus haut score après que chaque joueur a fait 25 lancers de deux fers.

LA TECHNIQUE

C'est avec l'expérience que chaque joueur peut mettre au point la méthode qui lui donnera les meilleurs résultats, c'est-à-dire le plus grand nombre de ringers. Nous vous exposons ici une des méthodes considérées comme les plus efficaces. Le lanceur se tient bien droit, les pieds joints. Il tient fermement la partie arrondie du fer dans sa main droite. Il lève le fer jusqu'à son menton, le supportant légèrement avec sa main gauche, puis il tend le bras droit de façon à voir le piquet au milieu du fer. D'un seul mouvement, il abaisse le bras, toujours tendu, et le lève derrière lui tout en pliant légèrement les genoux. Il avance alors sur le pied gauche et lève le fer d'un mouvement de pendule. Immédiatement avant de lâcher le fer, il tourne le poignet de gauche à droite de façon à ce que le fer soit bien horizontal et parallèle au sol. Pendant tout le mouvement, le bras doit rester près du corps. Le fer doit tourner légèrement

Les fers à cheval

dans les airs de façon à ce que l'ouverture soit à l'avant quand il atteint le piquet.

VARIANTES

Au Lancer des anneaux, les fers à cheval sont remplacés par des anneaux en métal. Les anneaux pèsent normalement 1,36 kg. Le diamètre intérieur est de 10 centimètres et l'anneau a 3,8 centimètres de large. Les deux piquets sont normalement à 16,50 mètres de distance mais, pour les enfants et les débutants, on réduit la distance à 6 ou 10 mètres.

Le lanceur se place sur le côté de la piste, derrière le piquet, qu'il ne doit pas dépasser en lançant les anneaux. Les joueurs jouent tour à tour, chacun ayant droit à deux anneaux. Un ringer vaut 3 points. Un anneau appuyé sur le piquet vaut 2 points et un anneau placé plus près du piquet que ceux de l'adversaire vaut 1 point. Un ringer placé par-dessus celui de l'adversaire vaut 6 points et un ringer placé par-dessus deux autres rapporte 9 points. Deux anneaux appuyés sur le

plein air avec matériel ou cadre spécifique

piquet, lorsque l'adversaire a un ringer, valent 7 points et l'anneau suivant qui tombe le plus près du piquet vaut alors 1 point. Les anneaux de même valeur s'annulent. Le premier joueur ou la première équipe qui marque 21 points gagne la manche. Le gagnant de deux manches sur trois remporte la partie.

Les fléchettes

2 à 9 joueurs

8 à 12 ans

1 cible et des fléchettes

Le tir aux fléchettes est un jeu traditionnel en Angleterre, où on le pratique avec ferveur dans les pubs ; mais il s'est depuis longtemps implanté dans tout le monde occidental, où il connaît une grande popularité. Toutefois, que l'on s'y adonne en plein air ou à l'intérieur, il est bon de prendre certaines précautions. Ainsi doit-on s'assurer que personne ne risque de passer derrière la cible ou entre la cible et les joueurs. De même, on ne laissera pas les enfants jouer avec les fléchettes sans la surveillance d'un adulte.

L'ÉQUIPEMENT

Il y a deux sortes de fléchettes. Les unes se terminent par une ventouse qui adhère à la cible,

les autres sont munies d'une pointe de métal. Ce sont ces dernières qu'on utilise généralement, à cause de leur précision ; elles sont cependant dangereuses, surtout si de jeunes frères et sœurs circulent dans les parages...

Il existe aussi divers types de cibles. En général, elles sont en liège, s'accrochent à un mur (de la maison, d'une cabane) ou à un arbre : le centre de la rose doit se trouver à 1, 72 mètre du sol. On choisira un mur qui ne craint rien, étant donné qu'un certain nombre de fléchettes, en manquant la cible, iront vraisemblablement s'y planter. On peut protéger le mur des essais maladroits en y fixant un panneau de carton fort (on évitera en même temps d'époiner les fléchettes).

Le modèle de cible le plus courant, pour le tir à l'intérieur, mesure environ 40 centimètres de diamètre et se compose de cercles concentriques rouges, bleus et blancs. La largeur des bandes circulaires qui forment ces cercles varie de 4 à 5 centimètres. Chaque bande a une valeur décroissante par rapport au centre de la cible, la rose. Ainsi, les fléchettes plantées dans la rose rapportent 20 points, celles qui se fixent dans la bande la plus éloignée du centre valent 1 point. Pour le tir en plein air, on utilise le même type de cible mais de dimensions doubles : 80 centimètres de diamètre, avec 10 bandes circulaires de 8 centimètres de large. On fixe la cible à un mur ou à un arbre de telle sorte que la rose se trouve à 1,72 mètre du sol.

Dans les compétitions, on utilise une cible de type « à horloge », qui comporte 20 secteurs égaux (disposés comme les rayons d'une roue), chacun ayant une valeur différente allant de 1 à 20 points. Toute fléchette qui se loge dans le double anneau extérieur (le plus rapproché de la

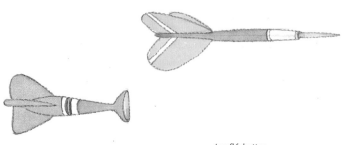

Les fléchettes

Les fléchettes

bande périphérique) rapporte le double de la valeur en points du secteur. Si la fléchette se plante dans le double anneau intérieur, le joueur marque le triple de la valeur en points du secteur. Toute fléchette placée dans le cercle extérieur de la rose rapporte 25 points. Toute fléchette plantée dans la rose vaut 50 points. Cette cible de compétition mesure 45,7 centimètres de diamètre.

LE JEU

S'ils utilisent des cibles à cercles concentriques, les tireurs (de deux à neuf) se placent en ligne, à 3 mètres de la cible à l'intérieur, et à 6 mètres à l'extérieur. À tour de rôle, chaque joueur lance une ou plusieurs fléchettes. S'il n'en lance qu'une, on note les points et on retire les fléchettes après que chacun a eu son tour. Si les joueurs lancent plusieurs fléchettes à chaque tour, on marque les points et on enlève les fléchettes chaque fois qu'un joueur a fini son tour. Le gagnant est celui qui atteint le premier un nombre de points convenu, générale-

ment 50, 100 ou 150. Dans les compétitions, la ligne de lancer est tracée à 2,44 mètres de la cible « horloge ». Chaque joueur dispose de trois fléchettes. Les points marqués sont déduits d'un total de départ de : 301, 501 ou 1 001. Le jeu doit se terminer par un double ramenant la marque exactement à zéro. Si, après avoir joué ses trois dernières fléchettes ou si, au cours de la série des trois dernières fléchettes, un joueur dépasse le chiffre zéro, il perd les points qu'il vient d'obtenir et se retrouve à la marque qu'il avait avant cette série.

• •

Le football (ou soccer)

22 joueurs

6 à 12 ans

1 ballon rond

L e football est l'un des sports les plus connus à travers le monde entier. Il oppose deux équipes de 11 joueurs qui se disputent le ballon, cherchant à le placer, en le frappant du pied, dans les buts de l'adversaire. À l'origine, le jeu s'appelait tout simplement football, mais il donna rapidement naissance à deux variantes. La première, qui permet aux joueurs

plein air avec matériel ou cadre spécifique

gulaire de 16,50 mètres sur 40,32 : la surface de réparation. Au milieu du terrain se trouve le cercle central qui sert aux coups d'envoi et mesure 18,30 mètres de diamètre. Le ballon de football réglementaire est parfaitement rond et il est généralement fait de caoutchouc recouvert de cuir.

L'équipe de football se compose de 11 joueurs : de un à trois avants qui s'occupent surtout de l'attaque ; trois ou quatre milieux de terrain qui peuvent jouer soit à l'offensive, soit à la défensive ; de trois à cinq arrières qui assurent la défense et un gardien de but qui ne joue qu'à la défense.

LE JEU

Qu'il s'agisse de sport amateur ou professionnel, la partie se compose de deux périodes de 45 minutes séparées, à la mi-temps, par une pause de 15 minutes. Pour les équipes collégiales, la partie se divise parfois en quatre périodes de 7 à 10 minutes. Le jeu est rapide et l'action soutenue.

L'objectif, pour chaque équipe, est de faire traverser le terrain au ballon en le frappant du pied, en le poussant ou en dribblant du pied, pour l'envoyer finalement dans le but de l'adversaire et marquer ainsi des points. Les joueurs peuvent se servir de toutes les parties de leur corps à l'exception des bras et des mains. Chaque fois que le ballon pénètre dans un but en passant entre les piquets et sous la barre horizontale, l'équipe du tireur marque 1 but.

Au début de chaque période et après chaque but, on procède à un coup d'envoi. Le choix des camps et de celui qui donnera le coup d'envoi sera tiré à pile ou face. Un joueur d'une des équipes frappe alors le ballon du pied, du cercle central, en direction du camp adverse. Après qu'un but a été marqué, le jeu reprend par un coup d'envoi donné par un joueur de l'équipe contre laquelle le but a été marqué.

L'équipe gagnante est celle qui a marqué le plus de buts lorsque la partie est achevée. En cas d'égalité, on peut soit prévoir une période supplémentaire d'une durée convenue, soit prolonger la partie jusqu'à ce qu'une des équipes marque le but décisif. En cas de pro-

Le football

de ramasser le ballon et de courir en le tenant, fut baptisée rugby. La seconde, où les joueurs doivent se servir principalement de leurs pieds, porte le nom de football en France et de soccer dans les pays anglo-saxons.

Ce sport est surtout pratiqué par les hommes, bien qu'il existe des équipes de football féminines. C'est par ailleurs un jeu assez complexe, par ses règles et sa stratégie, qui exige des joueurs beaucoup d'adresse et d'énergie. On peut cependant, pour le simple plaisir, s'y adonner en amateur dans des espaces plus restreints que le terrain réglementaire.

LE TERRAIN ET LA FORMATION

Le terrain, de forme rectangulaire, mesure de 90 à 120 mètres de long sur 45 à 90 mètres de large. (Pour les enfants, on utilise généralement un plus petit terrain.) Les piquets de but, espacés de 7,32 mètres, ont 2,44 mètres de haut et sont reliés à leur sommet par une barre horizontale. Ils sont plantés au milieu de la ligne qui marque la limite du terrain. Devant chaque but s'étend une zone de 5,50 mètres de profondeur sur 18,30 mètres de largeur, appelée surface de but. La surface de but est elle-même entourée d'une autre zone rectan-

longations, le choix de l'équipe qui fera le coup d'envoi est déterminé par tirage au sort. Les prolongations durent traditionnellement deux fois 15 minutes, séparées par une mi-temps de 5 minutes. Depuis le championnat d'Europe des Nations de 1996, il existe un autre réglement : pendant la prolongation de deux fois 15 minutes, la première équipe qui marque 1 but est immédiatement déclarée vainqueur ; mais au terme de la prolongation, si le score est toujours à égalité, on procède aux tirs aux buts pour départager les deux équipes.

LES COUPS

Seul le gardien de but a le droit de prendre et d'envoyer le ballon avec les mains. Les autres joueurs doivent donc apprendre à se servir de leurs pieds avec le maximum d'adresse et de précision. Ainsi un bon joueur sait comment frapper le ballon avec le talon, la pointe, les côtés et même le dessus du pied, pour l'envoyer avec la force voulue et dans la direction désirée. De même, les joueurs peuvent drib-

bler avec le ballon, l'emportant avec eux en lui donnant de légers coups avec le côté du pied. Le tir de volée, par ailleurs, consiste à frapper le ballon au vol avec le pied ou le genou, tandis que les arrêts se font en interceptant le ballon au vol avec le haut du corps, le bas des jambes ou la plante des pieds. Les joueurs expérimentés savent aussi frapper le ballon avec la tête pour le bloquer ou pour le passer à un coéquipier.

LES REMISES EN TOUCHE ET LES PÉNALITÉS

Il y a remise en touche lorsque le ballon sort des limites du terrain, par une des lignes latérales. Un des joueurs, placé à l'extérieur de la ligne latérale, à l'endroit où le ballon est sorti, fait alors une rentrée de touche : tenant le ballon des deux mains au-dessus de sa tête, il le lance sur le terrain. Si un joueur attaquant envoie le ballon derrière la ligne de but (mais pas dans le but), le gardien de but ou un arrière de son équipe remet le ballon en jeu par un

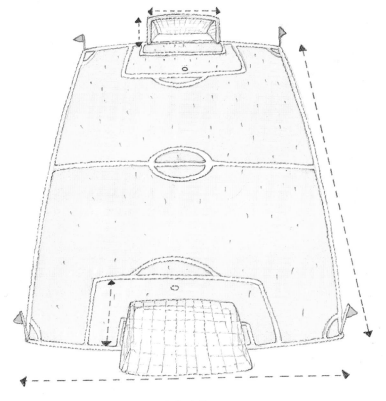

Le football

plein air avec matériel ou cadre spécifique

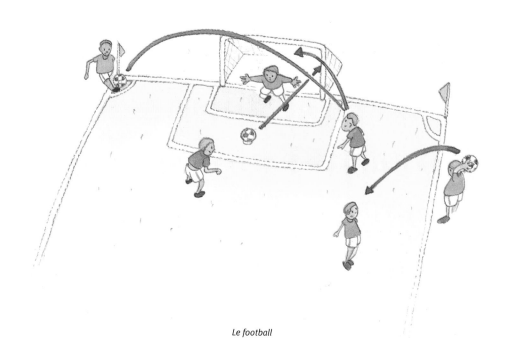

Le football

renvoi de but exécuté avec un coup de pied depuis la surface de but. Si un joueur de l'équipe défendante envoie le ballon derrière sa propre ligne de but, un des joueurs de l'équipe adverse fait un corner, toujours du pied, du coin le plus rapproché.

Toute charge dans le dos, rudesse, présence hors des limites du terrain ou contact de la main avec le ballon (sauf pour le gardien de but), constitue une faute qui donne à l'adversaire le droit à un coup franc. Le coup franc se livre à l'endroit où la faute a été commise, sauf si elle l'a été dans la surface de réparation. Dans ce dernier cas, on accorde un coup de pied de réparation (ou pénalty) : le ballon est frappé au point de réparation situé à 11 mètres en face du but de l'adversaire. Seuls le joueur qui a droit au pénalty et le gardien de but adverse doivent alors se trouver dans la surface de réparation.

VARIANTES
Le football sur terrain carré
Le football sur terrain carré est une version simplifiée du jeu réglementaire. Le nombre des joueurs peut varier de 14 à 20. On trace un carré d'au moins 6,10 mètres de côté. Les joueurs se divisent en deux équipes égales dont chacune s'aligne sur deux côtés adja-

cents du carré, de sorte que les deux équipes se font face. Il s'agit alors de faire passer le ballon à travers la ligne adverse sans l'envoyer plus haut que la tête des joueurs. On peut bloquer le ballon de n'importe quelle façon, sauf avec les mains. Les joueurs peuvent s'engager dans le terrain pour s'emparer du ballon mais ils doivent retourner à leur ligne pour le frapper. Chaque fois que le ballon franchit une ligne, l'équipe qui l'a envoyé marque 1 but. La première équipe qui marque 10 buts gagne la partie.

Le football aux massues
Le football aux massues permet de réduire jusqu'à six le nombre de joueurs et peut se pratiquer dans un espace restreint. Le jeu suit les mêmes règles que le football classique, chaque équipe s'efforçant d'atteindre avec le ballon le but de l'adversaire. On place au milieu de chaque ligne de but, à 40 centi-

mètres l'une de l'autre, deux massues de gymnastique (appelées aussi bouteilles de bois) que l'on peut remplacer au besoin par des poteaux de bois de dimensions comparables. Le but du jeu est de renverser avec le ballon les massues de l'adversaire. Chaque massue abattue donne 1 point. On la replace alors et l'équipe qui la défendait donne le coup d'envoi. Lorsqu'un joueur envoie le ballon en dehors des limites du terrain, un joueur de l'équipe adverse effectue le coup d'envoi pour remettre le ballon en jeu. L'équipe qui a marqué le plus de points à l'expiration du temps convenu gagne la partie.

●●●●●●●●●●●●●●●●●●●●●

Le football américain

24 joueurs

8 à 12 ans

1 ballon ovale

Il existe plusieurs variantes du football : l'australienne, la canadienne, l'américaine (que nous allons décrire ici), la gaélique, sans parler du rugby ni du football tel qu'il est pratiqué en France, que nous avons traité à part. Le football américain, dans sa forme officielle, n'est guère un sport que l'on peut pratiquer en famille ou avec ses voisins. Tout d'abord, les joueurs doivent être au nombre de 24 (soit 12 par équipe). Il faut aussi un terrain plat de 100 mètres de long, marqué de nombreuses lignes. Enfin l'équipement, indispensable à la protection des joueurs, est plutôt coûteux.

En raison de la nature même du jeu, les affrontements physiques entre les joueurs sont fréquents et parfois violents, de sorte que les accidents ne sont pas rares. Il faut donc être en mesure de fournir au besoin des soins médicaux aux blessés. Même dans ses versions moins brutales, comme le football à six, dont les principes sont les mêmes que ceux du jeu traditionnel, le football américain reste un sport dangereux.

Il existe cependant des jeux qui s'inspirent du football à plaquage et qui n'exigent pas de tenue ni d'équipement compliqué ; ils se pratiquent avec des équipes restreintes et représentent peu de danger. Le plus connu est sans doute le football au toucher, que nous allons décrire ci-dessous.

C'est un jeu idéal pour la famille : les enfants de 8 ans peuvent s'y adonner aussi bien que les quinquagénaires (s'ils sont en bonne santé). Les filles peuvent y jouer comme les garçons. La différence principale entre le football au toucher et le football à plaquage tient à ce que les joueurs arrêtent le porteur du ballon en le touchant simplement, au lieu de le plaquer. Quant aux autres règles et à la stratégie, elles sont essentiellement les mêmes, les passes ayant cependant une importance primordiale.

LE TERRAIN ET L'ÉQUIPEMENT
Bien sûr, lorsqu'on le peut, on jouera sur un terrain réglementaire, mais on peut aussi se contenter d'un champ beaucoup plus restreint. On se sert d'un ballon régulier (oblong). Pour ce qui est de la tenue, on peut adopter short et tee-shirt ou un jogging, selon la saison.

Il est nécessaire par ailleurs que les deux équipes aient des maillots de couleurs différentes pour faciliter l'identification des joueurs. Le casque et les rembourrages ne sont pas indispensables, mais étant donné que les blocages sont permis dans une certaine mesure, on fera bien de porter un protecteur facial.

Le football américain

plein air avec matériel ou cadre spécifique

Le football américain

LA TERMINOLOGIE

✔ La ligne de mêlée est une ligne imaginaire, parallèle à la ligne des buts, sur laquelle le ballon a été immobilisé lors d'un jeu ou d'un essai qui vient de prendre fin. (Elle passe par la partie du ballon la plus éloignée de la ligne des buts de l'équipe qui met le ballon au jeu.) Les joueurs se regroupent à cet endroit et c'est sur cette ligne que le ballon est remis en jeu.

✔ La formation en T, longtemps traditionnelle, a donné lieu à diverses variantes. Dans la formation en T classique, la ligne se compose de deux ailiers, à un bout et à l'autre de la ligne, deux plaqueurs (qui, ici, ne font que toucher les joueurs), deux gardes et un centre qui passe le ballon à l'arrière. Il y a cinq joueurs d'arrière : le quart, qui se tient derrière le centre et reçoit le ballon ; deux demis, qui se tiennent derrière le quart, l'un à sa droite et l'autre à sa gauche ; un arrière qui se tient derrière le quart, et un flanqueur qui se tient derrière la ligne de mêlée, à une extrémité ou à l'autre. Lors du jeu, quand il reçoit le ballon, le quart le passe à l'un des joueurs arrière. Au football au toucher, on modifie la formation en T selon le nombre de joueurs.

✔ Les essais sont les trois périodes de jeu pendant lesquelles l'équipe en possession du ballon doit faire avancer le ballon de 9,10 mètres en direction des buts de l'équipe adverse. En cas de réussite, l'équipe en possession gagne un premier essai et le cycle recommence. Si, après trois essais, l'équipe qui avait le ballon n'a pas gagné la distance de 9,10 mètres, le ballon est accordé aux adversaires à l'endroit où il est mort.

✔ La passe avant est une passe offensive par laquelle un joueur arrière reçoit au vol le ballon lancé d'un point en arrière de la ligne de mêlée et le renvoie à un joueur de son équipe, en direction des buts de l'adversaire. Le ballon ne devra pas toucher le sol.

✔ L'interception se produit lorsqu'un joueur de l'équipe qui n'est pas en possession du ballon attrape le ballon au vol à l'occasion d'une passe avant. L'équipe de l'intercepteur passe alors à l'offensive.

✔ La passe latérale est celle par laquelle le porteur du ballon envoie le ballon à un joueur de son équipe qui se trouve derrière lui ou à ses côtés, mais jamais devant lui.

✔ Le toucher, qui vaut 6 points, est réussi lorsque l'équipe en possession du ballon fait pénétrer celui-ci dans la zone des buts adverse en traversant ou en touchant la ligne des buts. Après un toucher, l'équipe contre qui la marque s'est faite peut effectuer un botté d'envoi de sa ligne de 41 mètres ou exiger que l'équipe qui a marqué effectue un botté d'envoi de sa ligne de 41 mètres.

✔ La transformation, qui vaut 1 point, se fait après un toucher réussi. L'équipe qui a fait le toucher peut marquer 1 point de n'importe où sur la ligne des 4,55 mètres de l'adversaire, ou au-delà de cette ligne, par un botté (c'est-à-dire un coup de pied) de placement. La transformation est également réussie si l'équipe prend possession du ballon dans la zone des buts adverses en marquant un toucher grâce à un jeu au sol ou à une passe. Dans ce dernier cas, la transformation vaut 2 points. Au football au toucher, la transformation se fait à partir de la ligne des 18,20 mètres.

✔ Le placement est marqué lorsque l'équipe qui a l'offensive envoie par un botté le ballon (tombé ou arrêté), de n'importe quel endroit du champ, au-dessus de la barre horizontale, entre les deux poteaux de l'adversaire. Le coup vaut alors 3 points.

✔ Le toucher de sûreté se produit lorsqu'un joueur de l'équipe en possession, portant le ballon, est arrêté derrière sa propre ligne des buts. Le coup rapporte 2 points à l'équipe qui joue à la défensive.

✔ Un simple est marqué lorsque le ballon, arrivé dans la zone des buts, devient mort alors qu'il est en possession d'un joueur qui se trouve dans sa propre zone des buts, ou si le ballon touche ou franchit la ligne de fond, une ligne de côté des buts et touche ensuite le sol, un joueur ou quelque objet situé au-delà de ces lignes.

LES PÉRIODES DE JEU

La partie est divisée en quatre périodes de 15 minutes chacune. À la fin de la deuxième période, on accorde aux joueurs 15 minutes de repos bien mérité. Les équipes changent de côté à la fin des première et troisième périodes. Au début de la deuxième et de la quatrième période, le ballon est remis en jeu (comme s'il n'y avait pas eu interruption) au point correspondant à celui de l'autre extrémité du terrain où il est mort à la fin de la période précédente.

Le football américain

plein air avec matériel ou cadre spécifique

Le football américain

Au football au toucher, la durée de chaque période sera de 20 minutes avec une pause de 10 minutes à la fin de la deuxième période.

Le botté d'envoi se fait à partir de la ligne des 41 mètres, au début des première et troisième périodes, après un toucher ou au début de la prolongation. Après un placement, il se fait à la ligne des 41 ou des 31 mètres. Après un toucher de sûreté, il se fait à la ligne des 31 mètres. À moins qu'il ne soit touché par l'adversaire, le ballon botté doit faire au moins 9,10 mètres en direction des buts de l'équipe adverse. Celle-ci peut alors soit l'attraper et courir en le portant, soit le déclarer mort et commencer son premier essai à partir de l'endroit où il s'est arrêté. Si le ballon, sur le botté d'envoi, franchit les limites du terrain dans la zone des buts de l'équipe qui le reçoit, sans qu'aucun joueur de l'une ou l'autre équipe ne l'ait touché, l'équipe qui le reçoit peut en prendre possession à sa ligne des 22,75 mètres.

Le botté de dégagement est généralement effectué au troisième essai par l'équipe en possession du ballon lorsque celle-ci craint de ne pouvoir marquer son premier essai dans le temps qui lui reste. Le ballon est alors envoyé à un joueur arrière qui, d'un coup de pied, l'en-voie le plus loin possible dans le territoire des adversaires.

La zone des buts est la partie du terrain qui s'étend aux deux extrémités de la zone de jeu.

LE JEU

Une équipe amorce le jeu par un botté d'envoi au tout début de la partie, au début de la troisième période et lorsqu'elle a marqué des points en bottant le ballon de sa ligne des 41 mètres. Si le ballon franchit la ligne des buts, on le met au jeu à la ligne des 22,75 mètres de l'équipe qui le reçoit. Au football au toucher, si un joueur attrape le ballon et court en le portant, les joueurs chargés de le protéger peuvent bloquer leurs adversaires pour les empêcher de passer, mais ils n'ont pas le droit de les retenir avec leurs mains ni de lever les deux pieds à la fois pour « voler » à leur rencontre. Le porteur du ballon doit s'ar-rêter et le ballon est « mort » dès qu'un joueur de l'équipe adverse le touche des deux mains à la fois.

Le ballon est également mort : lorsque l'ar-bitre indique une marque ; lorsque le ballon va hors limites ; lorsque le porteur du ballon est touché et retenu ; lorsque le porteur du ballon entre en contact avec un adversaire de sorte qu'une partie de son corps autre que ses mains ou ses pieds touche le sol ; lorsqu'un joueur, en possession du ballon dans sa zone des buts, s'agenouille intentionnellement au sol ; lorsqu'une passe avant est jugée incomplète ; lorsqu'un ballon botté frappe un poteau des buts ou la barre horizontale.

Après le botté d'envoi, l'équipe qui a l'offensive doit faire avancer le ballon d'au moins 9,10 mètres en trois essais, à partir de la ligne de mêlée, ou abandonner le ballon à l'équipe adverse. Le centre se tient sur la ligne de mêlée et fait passer le ballon entre ses jambes pour l'envoyer à un joueur arrière, qui peut alors soit courir en le tenant, soit le passer à un autre joueur, devant lui, derrière lui ou même à ses côtés. Les joueurs arrière ne doivent pas se déplacer en direction de la ligne de mêlée tant que le centre n'a pas lâché le ballon.

Au football au toucher à six, au moins trois des joueurs de l'équipe qui a l'offensive doivent se tenir sur la ligne de mêlée. Au football au toucher à neuf, ce nombre est porté à cinq.

Au cours du jeu, dans le football au toucher, tout joueur de l'équipe offensive peut recevoir une passe et tout membre de l'équipe défensive peut intercepter une passe. L'équipe qui a la défensive passe à l'offensive tout simplement en s'emparant du ballon, ce qui peut se faire de diverses façons. Le ballon peut être intercepté au cours d'une passe en avant. L'équipe qui a l'offensive peut perdre le ballon en ne réussissant pas à le faire avancer de 9,10 mètres durant les trois essais qui lui sont accordés. L'équipe qui a la défensive peut s'emparer du ballon qu'un coureur de l'équipe adverse a laissé tomber. Enfin, l'équipe qui a la défensive peut recueillir le ballon à l'occasion d'un essai manqué ou d'un coup de pied malheureux de la part des adversaires.

LES PÉNALITÉS

Diverses pénalités peuvent être imposées, tant à l'équipe qui est à la défensive qu'à celle qui joue à l'offensive. Les accrochages, les crocs-en-jambe et les actes de rudesse coûtent 13,65 mètres à l'équipe qui s'en rend coupable.

Ainsi, si l'équipe en faute a l'offensive, on recule la ligne de mêlée de 13,65 mètres dans la direction de ses buts. Si l'équipe coupable est à la défensive, c'est vers ses buts que l'on recule la ligne de mêlée. Toute obstruction irrégulière à l'endroit du receveur d'une passe, qui consisterait à le bloquer avant qu'il ait touché le ballon, entraîne une sanction de 9,10 mètres. Lorsqu'un joueur se met en mouvement avant que le centre ait lâché le ballon, la faute entraîne une pénalité de 4,50 mètres. Lorsqu'une sanction est ainsi imposée, on reprend l'essai. Par ailleurs, l'équipe victime peut refuser que s'applique la pénalité imposée à l'équipe adverse. Supposons par exemple que l'équipe offensive réussisse une passe qui lui fait gagner 27,30 mètres et qu'au cours du jeu un de ses membres ait été malmené par un joueur adverse, elle refusera certainement la pénalité, préférant gagner 27,30 mètres plutôt que 13,65 mètres.

VARIANTES
Le football aux fanions

Le football aux fanions, variante du jeu régulier, se pratique surtout dans les écoles et les collèges, entre quatre murs. Chaque joueur porte deux fanions, c'est-à-dire des rubans d'environ 5 centimètres de large et 38 de long, fixés à ses hanches par du ruban adhésif ou glissés dans sa ceinture, de façon à ce qu'il soit facile de les enlever. Pour arrêter le porteur du ballon, on doit lui ôter ses fanions, ou simplement un des deux, selon le règlement convenu. Les équipes peuvent compter de 2 à 12 membres, l'idéal étant de 5 à 9. En pratique, on adapte le règlement au lieu et aux circonstances. En général, le terrain a

plein air avec matériel ou cadre spécifique

Le football aux fanions

72,80 mètres de long sur 40 de large et on y trace deux lignes de but – à 18,20 mètres des lignes de fond. On peut aussi tracer deux lignes à 27,30 mètres des lignes de but. Les essais et les distances à franchir varient de trois essais pour 18,20 mètres à quatre essais pour 22,75 mètres ou même la longueur du terrain. Les points sont marqués de la même façon qu'au football régulier.

Le football de rue

Le football de rue est une forme de football au toucher adaptée pour que le jeu puisse se pratiquer dans la rue, les parcs et les terrains de jeu. Les enfants, au nombre de 8 à 10, forment deux équipes et s'efforcent de tirer parti de l'espace qui s'offre à eux. On trace des lignes de but et on divise le terrain en zones. En général, les joueurs n'ont pas de positions précises et le même peut très bien être tout d'abord sur la ligne de mêlée et servir d'arrière au coup suivant. On peut, bien entendu, prévoir des périodes, mais le plus souvent le jeu se poursuit jusqu'à ce que la fatigue ou la faim y mette un terme. Ce football improvisé n'est peut-être pas la meilleure école de stratégie pour les futurs champions, mais il apporte bien des heures de plaisir et de détente aux jeunes sportifs ainsi qu'à leurs parents.

Les palets

2 à 4 joueurs

10 à 12 ans

1 jeu de palets

L e jeu des palets se pratique à deux ou à quatre joueurs. Traditionnel sur les paquebots, il est aussi courant en Amérique du Nord sur les terrains de jeux et les centres récréatifs. En France, c'est un jeu particulièrement apprécié des gens d'un certain âge. Il exige normalement une piste de béton que l'on peut fort bien remplacer par une entrée de garage, une surface de tuile ou un plancher où l'on dessinera les limites à la craie ou à la peinture.

LA PISTE ET L'ÉQUIPEMENT

La piste réglementaire mesure 15,85 mètres de long sur 1,83 mètre de large. Elle est divisée, au centre, par une zone neutre de 3,66 mètres de long, délimitée par deux lignes parallèles. À chaque extrémité se trouve un triangle de 1,83 mètre de haut dont la pointe est orientée vers le centre de la piste. Chaque triangle est divisé en sections dont l'une vaut 10 points (la pointe), deux 8 points et deux 7 points. À la base de chaque triangle s'étend une zone de pénalité de – 10 points. L'équipement se compose de palets de bois et de bâtons également en bois, se terminant à un bout par une tête recourbée qui épouse la forme des palets. Le manche des bâtons a 1,52 mètre de long, la tête 9 centimètres. Les palets mesurent 15 centimètres de diamètre et 25 centimètres d'épaisseur.

LE JEU

S'il n'y a que deux joueurs, ils lancent tour à tour leurs disques (quatre disques rouges pour l'un et quatre disques noirs pour l'autre) un à la fois, de la zone de pénalité (zone – 10) située à l'une des extrémités de la piste. Il s'agit de pousser le disque de façon à ce qu'il glisse jusqu'à l'une des cases du triangle situé à l'autre bout de la piste, en évitant, bien entendu, qu'il arrive jusqu'à la zone de pénalité. En même temps, chaque joueur essaie de frapper avec ses palets ceux de l'adversaire pour les envoyer dans la zone de pénalité ou, à défaut, dans les cases qui rapportent le moins. On retire immédiatement du jeu tout palet qui s'arrête au milieu de la piste dans la zone neutre, de même que tout palet qui s'arrête à moins de 20 centimètres de la base du triangle de départ ou qui s'immobilise sur une des limites latérales de la piste alors que la moitié du palet se trouve en dehors. Un palet qui s'arrête dans le triangle mais sur une des lignes n'est pas retiré mais ne rapporte aucun point.

Quand chacun des joueurs a lancé ses quatre palets, on marque les points et on continue le jeu en lançant les palets dans l'autre direction. L'objectif est généralement fixé à 50 points : le premier qui l'atteint gagne la partie. Si les deux joueurs marquent plus de 50 points, celui qui a le score le plus fort est gagnant. En cas d'égalité, on joue un tour supplémentaire pour déterminer le gagnant.

Lorsqu'il y a quatre joueurs, on forme deux équipes. Au lieu de se déplacer, chaque joueur reste à un bout de la piste, son partenaire se trouvant à l'autre bout. Bien entendu, les partenaires additionnent leurs points respectifs.

VARIANTES

Les palets peuvent être remplacés par des sacs de sable ou de grenaille. Les règles du jeu sont essentiellement les mêmes que pour les palets. Les lignes sont dessinées à la craie ou à la peinture sur n'importe quelle surface plane et lisse. Les dimensions de la piste varient selon l'espace dont on dispose. Chaque joueur lance quatre sacs de même couleur. Dans ce jeu, lorsqu'un sac tombe sur une ligne, le lanceur marque les points de la case où se trouve la plus grande partie du sac. Le score est noté après chaque tour, comme aux palets.

plein air avec matériel ou cadre spécifique

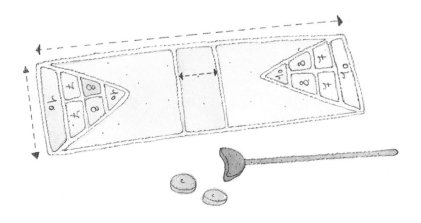

Les palets

· · · · · · · · · ·

Le tennis

🚹🚹🚹 **2 ou 4 joueurs**

👖👖👖 **6 à 12 ans**

✂ **1 raquette ; des balles de tennis**

Le tennis

Très populaire en Europe et en Amérique du Nord depuis nombre d'années, le tennis était autrefois réservé aux gens aisés. De nos jours, il est à la portée de tout le monde et on peut s'y adonner sur des terrains municipaux aussi bien que dans des clubs privés.

LE COURT ET L'ÉQUIPEMENT

Le tennis se joue en simple ou en double, selon qu'il y a deux joueurs ou deux équipes de deux. Le terrain, appelé court, peut être en plein air ou à l'intérieur. Dans le premier cas, il est en terre battue, en gazon, en quick ou en béton. Dans le second, il est généralement en quick. Pour les simples, le court mesure 23,77 mètres de long sur 8,23 de large. Pour les doubles, on ajoute deux couloirs latéraux de 1,37 mètre de large. Le filet, tendu au milieu du court dans le sens de sa largeur, a 91,5 centimètres de haut en son centre. Il est attaché à deux poteaux de 1,07 mètre de haut. À 6,40 mètres du filet, de chaque côté de celui-ci, une ligne parallèle délimite la zone de service ou avant-court.

Les balles, blanches ou jaunes, sont creuses et faites de caoutchouc recouvert de feutre ; leur surface externe est unie et sans couture. Elles ont environ 6,5 centimètres de diamètre et pèsent 57 ou 58 grammes. Les raquettes, de forme ovale, ont un cadre d'acier ou d'aluminium et des cordes de nylon, de soie, de métal ou de boyau de chat. Leur poids et leurs dimensions varient selon l'âge et la force du joueur.

LE JEU

Le but du jeu est de frapper la balle de façon à l'envoyer par-dessus le filet dans la zone de l'adversaire.

Le premier serveur garde le service durant tout le premier jeu. Pour servir, il se place à droite de la ligne médiane (qui partage le court dans le sens de la longueur), derrière la ligne de fond, et frappe la balle de façon à l'envoyer en diagonale, dans l'avant-court droit de son adversaire. Quand un point a été marqué, par un joueur ou l'autre, il sert de nouveau en se plaçant cette fois du côté gauche de la ligne médiane, pour envoyer la balle dans l'avant-court gauche de l'adversaire. Il continue ainsi, changeant de côté à chaque service jusqu'à la fin du jeu.

Pour le deuxième jeu, les deux joueurs changent de côté et le service passe au second joueur. Par la suite, ils changent de côté après chaque jeu impair : le troisième, le cinquième, le septième, etc. Le premier joueur qui gagne six jeux gagne le set, à condition toutefois qu'il y ait un écart d'au moins deux jeux entre les joueurs. Ainsi un joueur peut-il gagner le set

Le tennis

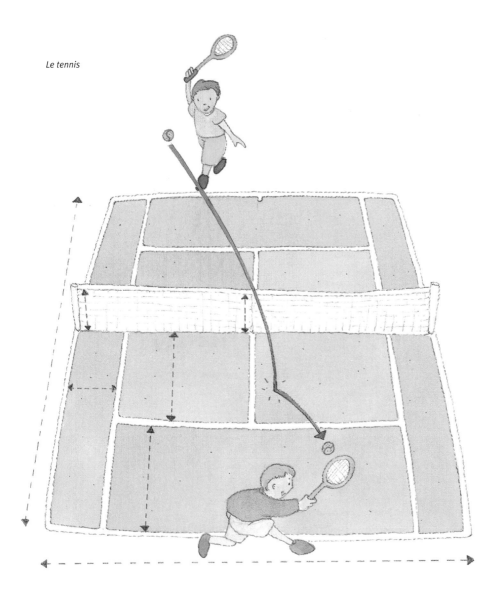

par 6 à 4, mais en cas d'égalité, par exemple 5 à 5, le jeu continue jusqu'à ce que l'un des concurrents ait gagné deux jeux de plus que l'autre, de sorte que, si les joueurs sont de force égale, le set peut aller jusqu'à 10-8, 18-16 ou même plus.

Pour éviter les sets interminables, on adopte souvent, dans les cas d'égalité, une règle qui limite la partie à 13 jeux. Quand le score est de 6 à 6, on ajoute un jeu décisif au cours duquel le premier joueur qui marque 5 points sur 9 est déclaré gagnant. Dans le système « 7 sur 12 », le gagnant doit marquer 7 points sur 12. Dans les deux cas, le gagnant emporte le set par

7 jeux à 6. Cette méthode de décompte, appelée *tie-break*, a été utilisée pour la première fois aux championnats américains de 1970 et s'est répandue depuis. Certains joueurs, cependant, préfèrent s'en tenir à la méthode traditionnelle.

LE SCORE

Pour gagner un jeu au tennis, il faut marquer au moins 4 points. Les points ont, dans l'ordre, des valeurs respectives de 15, 30, et 40, le dernier donnant le jeu. Les deux joueurs commencent à zéro. S'ils ont tous deux 40, ils sont à égalité ; on dit qu'il y a « 40-A ». Supposons par exemple que le serveur gagne

Le tennis

le premier point ; le score est alors de 15-0. (On indique toujours en premier les points du serveur.) Si le receveur gagne les deux points suivants, le score devient 15-30. Si par la suite le serveur gagne deux points et le receveur un, le score s'établit à 40-A, soit égalité. Le gagnant sera le premier des deux joueurs qui marquera 2 points de suite. Si, après une situation d'égalité, le serveur gagne 1 point, on dit qu'il y a « avantage » en sa faveur, et, s'il gagne le point suivant, il emporte le jeu. En revanche, si le serveur perd le second point, on dit que l'avantage est « détruit » et on revient à l'égalité. Le jeu se poursuit jusqu'à ce que l'un des deux adversaires marque 2 points, gagnant ainsi le jeu. Lorsque la balle servie est bonne (c'est-à-dire, si elle tombe dans les limites de l'avant-court), le receveur doit la renvoyer après qu'elle a rebondi, de façon à ce qu'elle tombe dans le court du serveur. Par

la suite, les deux joueurs ont le droit de frapper la balle à la volée (sans qu'elle ait rebondi sur le sol), dès qu'elle se trouve de leur côté du filet.

Un joueur perd le point : s'il ne réussit pas à renvoyer la balle correctement avant qu'elle n'ait rebondi deux fois ; s'il renvoie la balle de façon à ce qu'elle tombe en dehors des limites du court ; s'il lance sa raquette sur la balle ; si la balle touche sa personne ou ses vêtements ; s'il prend la balle de volée avant qu'elle n'ait passé le filet de son côté ; et s'il touche le filet avec son corps, sa raquette ou ses vêtements.

Si le serveur, dans un premier essai, n'envoie pas la balle correctement, il a droit à un second et dernier essai. S'il le manque, il perd le point. Si, au cours du service, la balle touche le filet mais tombe dans l'avant-court, le service doit être repris et cette reprise ne compte pas comme second essai. Si la balle touche le filet durant les échanges qui suivent le service mais franchit le filet, elle est valable.

LES COUPS ET LA STRATÉGIE

Le tennis est un sport dont on peut tirer plaisir sans avoir les qualités d'un champion, mais pour que le jeu soit vraiment intéressant, il demeure indispensable de maîtriser au moins certains coups élémentaires.

Le premier, bien entendu, est le service. Le serveur se place derrière la ligne de fond, le pied gauche en avant. Il lance la balle en l'air de la main gauche et en même temps, de la main droite, fait décrire une courbe à sa raquette, de bas en haut puis de haut en bas vers l'avant. Il doit frapper la balle aussi haut qu'il peut le faire sans déployer d'efforts excessifs. En frappant la balle, il fait passer son poids du pied droit au pied gauche, donnant ainsi le maximum d'impact à son coup.

Durant les échanges, les joueurs ont généralement avantage à se tenir légèrement penchés en avant, leur poids également réparti sur les deux pieds écartés. Un bon joueur doit être prêt à renvoyer la balle par un coup droit ou un revers selon les circonstances. Si la balle rebondit à sa gauche, il tourne le côté droit au filet, fait passer sa raquette à gauche et frappe la balle d'un coup de revers. En revanche, si la balle tombe à sa droite, il tourne le côté gauche au filet, ramène sa raquette à droite et frappe la balle à la hauteur de la ceinture, d'un coup droit. (Les gauchers font leur coup droit à gauche et leur revers à droite.)

On apprend d'abord à donner le coup droit en tenant la raquette à la verticale par rapport au sol, puis à incliner la raquette vers le haut ou vers le bas de façon à couper la balle. Le bras doit rester bien tendu, le poignet ferme. Il faut toujours achever le mouvement du bras quand on a frappé la balle. Les mêmes principes s'appliquent également à l'apprentissage du revers.

Le jeu au filet donne lieu à d'autres coups, bien particuliers. Il est surtout pratiqué par les experts qui, aussitôt après avoir faire leur service, se précipitent vers le filet. Il s'agit tout d'abord, par un service rapide et raide, d'obliger l'adversaire à rétorquer par un coup faible et purement défensif, puis de lui renvoyer la balle par un smash, en la prenant très haut. Si la chose est impossible, on peut aussi renvoyer la balle près d'une des lignes latérales ou tout près du filet, de façon à ce que l'adversaire ait du mal à la cueillir.

Il ne faut pas oublier qu'après le service, il est toujours permis de frapper la balle à la volée. De tels coups doivent se faire, de préférence, près du filet car on risquerait autrement d'envoyer la balle hors des limites du court. Lorsque l'adversaire joue près du filet, la riposte consiste à faire un lob, c'est-à-dire à renvoyer la balle au-dessus de sa tête, jusqu'à sa ligne de fond.

plein air avec matériel ou cadre spécifique

Le tennis

Le deck-tennis

LES DOUBLES

Dans les doubles, le score s'établit de la même façon que dans les simples. Les quatre joueurs alternent au service. (Le premier joueur de l'équipe A sert durant le premier jeu. Le premier joueur de l'équipe B sert durant le second, puis c'est au tour du second joueur de l'équipe A et finalement à celui du second joueur de l'équipe B.) Après le service, les deux joueurs de chaque équipe peuvent frapper la balle indifféremment. Généralement, un des joueurs se tient près du filet, d'un côté de la ligne médiane, tandis que son coéquipier reste au fond du court, de l'autre côté de la ligne médiane. Les deux joueurs peuvent cependant être appelés à changer de place pour relever un coup menaçant. De même, après un bon service ou une balle bien placée, ils peuvent se précipiter au filet tous les deux. Le jeu en double exige beaucoup de pratique commune de la part des coéquipiers et il arrive souvent qu'un bon joueur de simples ne donne pas sa pleine mesure lorsqu'il a un partenaire. En revanche, les doubles sont parfois moins fatigants.

VARIANTES
Le deck-tennis

Le deck-tennis, bien connu sur les paquebots, s'inspire à la fois du tennis, des anneaux et du volley-ball. Il a l'avantage de n'exiger que peu d'espace. Le court, en effet, ne mesure que 12 mètres de long sur 3,70 de large pour les simples, et 12 mètres sur 5,50 pour les doubles. Le filet, au milieu du court, doit avoir 2,55 mètres de haut.

Le jeu consiste à envoyer par-dessus le filet un anneau de corde ou de caoutchouc de 15 centimètres de diamètre et de 1,25 centimètre d'épaisseur. Les joueurs doivent le saisir d'une seule main et le renvoyer immédiatement, de l'endroit où ils se trouvent, dans la zone de l'adversaire. Un joueur perd le point : s'il n'attrape pas un anneau lancé selon les règles ; s'il lance l'anneau en dehors des limites du court ; s'il lance son anneau dans le filet ; s'il lance l'anneau d'un mouvement de haut en bas plutôt que de bas en haut. Seul le serveur peut marquer des points et il continue de servir jusqu'à ce qu'il commette une faute, le service passant alors à l'adversaire. La partie est généralement de 11 points, mais le gagnant doit avoir au moins 2 points de plus que son adversaire. Le jeu peut se pratiquer en simple, en double ou par équipes de trois à neuf joueurs. Dans ce dernier cas, les changements de service et de position se font par rotation, comme au volley-ball.

Le tennis de rue

Le tennis de rue se pratique non seulement dans les rues mais aussi dans les entrées de garage ou les terrains de jeu et sur n'importe quelle surface d'asphalte. Le court, de

3,70 mètres de long sur 91 centimètres de large, est divisé en quatre carrés. Une simple ligne médiane remplace le filet. On peut utiliser soit une balle de tennis soit une balle de caoutchouc. Le serveur se place où il veut dans son arrière-court. Il fait rebondir la balle sur le sol, puis la frappe avec la paume de sa main pour l'envoyer dans la zone de service de l'adversaire. Ce dernier doit laisser la balle rebondir une fois avant de la renvoyer. Par la suite, chacun des joueurs peut frapper la balle à la volée et l'envoyer n'importe où dans le court de l'adversaire. Un point est marqué chaque fois qu'un joueur ne réussit pas à renvoyer une balle valable. Seul le serveur marque des points et il garde le service tant qu'il n'a pas commis de faute. La partie est de 11 points mais le gagnant doit avoir au moins 2 points de différence avec son adversaire. Comme au tennis, le score final peut être élevé et dépasser 20 points lorsque les deux concurrents sont de force égale.

Le spirobole

Pour jouer au spirobole, on plante dans du béton un mât de bois ou de métal de 3 mètres de haut, sur lequel on fait une marque de 5 centimètres de large à une hauteur de 1,80 mètre du sol. On attache une balle au sommet du mât par une corde de 2,30 mètres de long. On peut se servir d'une balle de tennis que l'on entoure d'un filet ou d'une balle plus grosse et moins dure à laquelle est cousu un ruban que l'on attache à la corde. Les joueurs ont soit des raquettes de tennis, soit, ce qui est encore mieux, des raquettes de bois. On trace autour du mât un cercle de 1 mètre de rayon, puis on divise le cercle en deux parties égales par une ligne droite qui dépasse le cercle de 3 mètres de chaque côté. À 1,80 mètre du mât, des deux côtés, on trace une marque appelée marque de service.

Le jeu consiste à frapper sur la balle de façon à enrouler la corde autour du mât jusqu'à ce que la balle soit au-dessus de la marque située à 1,80 mètre du sol. Un des joueurs se place sur sa marque de service et frappe la balle pour lui faire contourner le mât. Son adversaire la renvoie de la même façon mais dans le sens contraire. Chacun des joueurs doit rester de son côté de la ligne médiane, en dehors du cercle. Le jeu se poursuit jusqu'à ce que, la corde s'étant enroulée sur le mât, la balle se trouve au-dessus de la marque. Les joueurs ne doivent pas laisser la corde s'enrouler autour de leur raquette ni autour du mât au-dessous de la marque. S'ils le font, leur adversaire a droit à un coup franc, à titre de réparation. Pour simplifier le jeu, on peut employer un ballon de plage ou un ballon de volley-ball. Les joueurs se placent de part et d'autre du mât, aussi près qu'ils le veulent, et frappent le ballon d'une main ou des deux. Ils doivent résister à la ten-

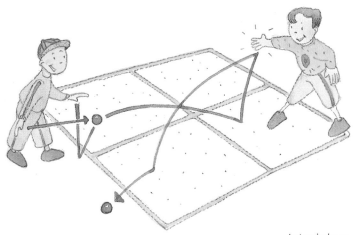

Le tennis de rue

plein air avec matériel ou cadre spécifique

tation de retenir brièvement le ballon avant de le frapper, car une telle faute donnerait à l'adversaire le droit à un coup franc.

• • • • • • • • • • • •

Le tir à l'arc

 1 à 12 joueurs

 10 à 12 ans

1 arc, 1 cible et des flèches

Le tir à l'arc est un jeu sportif auquel jeunes et moins jeunes peuvent participer. Ses origines remontent à des milliers d'années, à cette époque lointaine de l'âge du fer où l'homme utilisait arc et flèches pour se nourrir et se défendre. Aujourd'hui, le tir à l'arc est un sport dûment organisé, comportant ses associations et ses tournois.

On distingue le tir sur cible et le tir de parcours. Dans le premier cas, les cibles sont placées à distance fixe ; dans le second cas, les cibles sont de dimensions différentes et elles sont placées à diverses distances sur le parcours. La marque s'effectue en additionnant les points que rapportent les flèches logées dans le cercle intérieur et dans les autres cercles.

Le tir à l'arc peut être dangereux si l'on n'observe pas des règles élémentaires de sécurité.

Au signal de la volée, donné par le capitaine ou la cheftaine du champ de tir, tous les archers doivent se poster derrière la ligne de tir ; ils n'avancent, pour récupérer leurs flèches, qu'une fois la volée terminée. Les cibles doivent être placées sur des panneaux protecteurs, dans un endroit situé à l'écart des passants et des spectateurs. Les familles qui s'adonnent au tir à l'arc trouveront peu d'endroits autour de chez eux où pratiquer ce sport. La cible sera plutôt placée à courte distance, sur une clôture élevée ou un mur de garage, par exemple, et on installera derrière un grand paillasson ou une butte (deux genres de panneaux protecteurs). Il faut prendre toutes les précautions nécessaires, mettre de côté les équipements défectueux, garder flèches et arcs hors de portée des personnes inexpérimentées et des enfants.

L'ÉQUIPEMENT

Un arc, des flèches et une cible sur pied. À cet équipement de base, on peut ajouter un carquois pour les flèches, un protège-bras pour protéger l'avant-bras contre le fouettage de la corde au décochement, une patte de cuir (ou palette) pour protéger contre le frottement les doigts qui tiennent la corde, et une mire pour mieux viser. Les arcs sont faits de nos jours avec de la fibre de verre et du bois, parfois même avec du métal, et mesurent de 1,20 à 1,80 mètre. Plus épais au centre, ils s'amincissent vers les extrémités. On choisit

Le tir à l'arc

un arc en fonction de la taille et de la force de l'archer. La force de l'arc (c'est-à-dire le poids obtenu quand l'arc est bandé au maximum) sera généralement de 13 à 18 kg pour un homme, de 9 à 13 kg pour une femme, et de 7 à 11 kg pour un enfant ou un adolescent.

Les flèches sont en bois, en fibre de verre ou en métal ; parfaitement droites, elles peuvent mesurer de 45 à 78 centimètres de long. On les choisit en fonction de la longueur du bras de l'archer. Les cibles standard de compétition sont rondes ; leur diamètre est de 1,22 mètre. Le cercle central est doré et mesure 24,40 centimètres de diamètre. Les cercles concentriques sont successivement rouge, bleu, noir et blanc et mesurent chacun 12,20 centimètres de large. En partant du centre, les cinq cercles valent respectivement 9, 7, 5, 3 et 1 points. Dans les compétitions internationales cependant, ces cercles sont divisés en demi-cercles, ce qui donne 10 catégories de points allant de 10 à 1. Lorsque la flèche tombe sur la ligne séparant deux cercles, l'archer obtient les points du cercle qui vaut le plus.

LA POSITION

L'archer place ses pieds de part d'autre de la ligne de tir. Il se tient droit, le corps perpendiculaire à la cible et les jambes légèrement écartées. L'archer tient son arc d'une main (la main porteuse) de façon à ce que la pression s'exerce principalement sur la paume, à la base

Le tir à l'arc

du pouce, et place la flèche sur l'appuie-flèche, près de la poignée de l'arc. Il place ensuite trois doigts de l'autre main (la main tireuse) sur la corde de l'arc, l'index au-dessus du point d'encoche, le majeur et l'annulaire au-dessous. (La flèche est munie, au talon, d'une encoche en plastique qui repose sur la tranchefile.)

BANDEZ, VISEZ, LÂCHEZ

La plupart des archers se servent d'une hausse dans le tir à la cible. Cet appareil de visée peut être fort simple – une épingle fixée sur l'arc avec un morceau de ruban adhésif – ou très complexe – comme les nombreuses mires à vis micrométrique ou lentille télescopique. Une fois l'appareil de visée bien ajusté, l'archer

plein air avec matériel ou cadre spécifique

Le tir au fanion

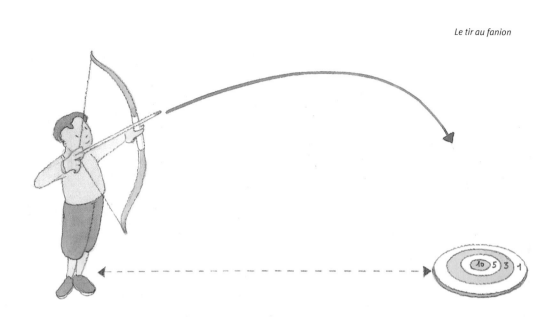

tend le bras qui tient l'arc en même temps qu'il tire vers l'arrière le bras qui tient la corde, de façon à bien bander l'arc, tout en gardant l'épaule haute et l'arc vertical. La plupart des archers tendent la corde de façon à ce qu'elle touche le bout du nez et le centre du menton pour que le pouce et l'index viennent s'appuyer au-dessous du menton. La prise doit toujours demeurer la même si l'on veut atteindre la cible au même endroit. Pour libérer la flèche, l'archer allonge rapidement les doigts de la main droite. La corde rebondit en avant, propulsant la flèche. Il est important que l'archer conserve la position et la prise de tir et qu'aucune partie de son corps ne bouge jusqu'à l'arrivée de la flèche sur la cible.

Le tir à l'arc exige beaucoup de discipline corporelle ; il faut répéter inlassablement les mouvements pour arriver à les exécuter de la même façon à chaque fois.

VARIANTES
Le tournoi
Le tournoi comporte des rondes à des distances standard. Selon les normes de la FITA (Fédération internationale de tir à l'arc), qui sont également les normes olympiques, les cibles sont placées à 90 mètres, 70 mètres,

50 mètres et 30 mètres de la ligne de tir pour les hommes ; et à 70 mètres, 60 mètres, 50 mètres et 30 mètres de la ligne de tir pour les femmes. Quatre archers sont généralement désignés pour chaque cible et l'ordre de tir est décidé par tirage au sort. Il existe de nombreuses rondes de compétition connues. La ronde canadienne, par exemple, se fait sur un total de 120 flèches, soit 24 flèches à des distances de 73, 64, 55, 46 et 36 mètres. Le tournoi peut aussi comprendre du tir en salle, à une distance de 18 mètres.

Le golf à l'arc
Le golf à l'arc se pratique sur un terrain de golf ou tout autre terrain aménagé pour le tir à l'arc. La cible est une balle de paille de 10 centimètres de diamètre. Après chaque tir, l'archer avance jusqu'à l'endroit où est tombée la flèche et décoche une nouvelle flèche sur la cible. Pour la marque, on tient compte du nombre de flèches décochées contre chaque cible ; on arrive ainsi à un total pour 9 ou 18 « trous ». Le concurrent dont le total est le plus bas gagne.

Le tir au fanion
Dans le tir au fanion, les flèches sont décochées de très loin sur de grandes cibles de 14 mètres de diamètre posées à plat sur le sol.

Les hommes décochent une volée de 36 flèches à 165 mètres de distance et les femmes à 110 mètres. La cible est faite de cercles concentriques. Une flèche dans le cercle central donne 10 points, les autres cercles valant 5, 3 ou 1 points suivant qu'ils s'éloignent du centre.

Le tir à grande distance

Dans le tir à grande distance, il faut un très grand terrain ; les concurrents essaient tout bonnement de décocher leurs flèches le plus loin possible. C'est la distance parcourue par la flèche qui compte uniquement.

Le tir errant

Le tir errant est un sport de randonnée qui s'adresse aux chasseurs à l'arc ; ceux-ci, pour s'exercer, se promènent dans la campagne ou la forêt et visent des cibles inanimées de leur choix, comme des buissons, des souches ou des arbres. On peut aussi utiliser des cibles improvisées, comme des morceaux de toile colorée ou peinte, des ballons de baudruche, des chevreuils, des faisans, des lièvres des lapins ou autres animaux découpés dans du carton épais.

Le tir à l'arc

• • • • • • • • • • • • • •

Le volley-ball

🏃🏃🏃 **12 joueurs**

👥 **10 à 12 ans**

✂ **1 ballon de volley**
1 filet de volley

Le volley-ball est d'autant plus populaire qu'il peut être pratiqué à tout âge et par toutes et tous. Dans tous les cas, les règles du jeu restent les mêmes. On peut y jouer à l'intérieur aussi bien qu'en plein air, sur les plages, dans les parcs, les jardins, les gymnases et même les aires de stationnement.

LE COURT ET L'ÉQUIPEMENT

Le court réglementaire mesure 18 mètres de long sur 9 mètres de large. À l'intérieur, la hauteur sous plafond doit être de 8 mètres au moins. Le filet, tendu au milieu du court, doit avoir 9,50 mètres de long et 1 mètre de large. Le haut du filet doit être à 2,43 mètres du sol pour les hommes et à 2,24 mètres pour les femmes.

Le ballon est fait de caoutchouc et peut être recouvert de cuir. Il doit mesurer environ 66 centimètres de circonférence et peser 280 grammes, soit à peu près la moitié d'un ballon de basket.

LE JEU

Dans le jeu réglementaire, chaque équipe se compose de six joueurs, dont trois forment la ligne avant et les trois autres la ligne arrière. Le but du jeu est d'envoyer le ballon d'un côté à l'autre du filet. Chaque équipe doit donc empêcher le ballon de toucher le sol dans son territoire et s'efforcer d'obtenir le résultat contraire dans le territoire adverse. Le plus souvent, c'est avec les mains tendues ou les poings que les joueurs frappent le ballon, mais ils peuvent le faire avec n'importe quelle partie du corps au-dessus de la ceinture. Le ballon ne doit pas être frappé par plus de trois joueurs de la même équipe avant de franchir le filet et un même joueur ne doit pas le frapper deux fois, à moins qu'un de ses coéquipiers n'ait frappé le ballon entre-temps.

plein air avec matériel ou cadre spécifique

Le volley-ball

Le service est exécuté par le joueur arrière droit. Placé derrière la ligne de fond, le serveur lance le ballon en l'air et le frappe avec le poing ou la paume de la main de façon à l'envoyer par-dessus le filet, dans la zone adverse. Si, au cours du service, le ballon touche le filet (même s'il tombe du bon côté), passe sous le filet, touche un joueur ou sort des limites du terrain, il y a faute et le service passe à l'autre équipe. En ravanche, durant les échanges, un ballon qui touche filet en le franchissant est valable. Si, au cours du jeu, le ballon touche le filet sans le franchir, il reste au jeu et peut être frappé par les membres de l'équipe qui l'a lancé, à condition que le nombre de trois passes n'ait pas été dépassé. Par ailleurs, aucun joueur ne doit toucher le filet ni mettre le pied sur la ligne médiane, sous le filet.

Seule l'équipe qui a le service peut marquer des points. Le même joueur garde le service aussi longtemps que son équipe gagne des points, après quoi le service passe à l'équipe adverse. Après avoir perdu le service, les membres de l'équipe tournent : ils changent de position en avançant d'une place dans le sens des aiguilles d'une montre, de sorte que les joueurs de première ligne se déplacent vers la droite puis vers l'arrière, tandis que ceux de seconde ligne progressent vers la gauche et vers l'avant. Ainsi, à chaque changement de service, l'équipe change de serveur.

LA STRATÉGIE

La règle fondamentale n'est pas de chercher à renvoyer à tout prix le ballon de l'autre côté du filet, mais plutôt de le passer à un autre joueur mieux placé, généralement en première ligne. Ainsi, le second joueur aura la chance de faire piquer le ballon dans le territoire adverse par un smash, par exemple.

Dans le jeu réglementaire, on trace, dans chaque camp, une ligne d'attaque que les joueurs arrière ne doivent pas franchir pour lancer le ballon de l'autre côté du filet. La partie se joue généralement en 15 points, mais il faut que le gagnant ait au moins 2 points d'écart avec son adversaire. S'il y a égalité à 14-14, il faudra continuer le jeu pour atteindre un des scores suivants : 16-14, 17-1, 18-16, 19-17, etc.

JEUX DE BILLES

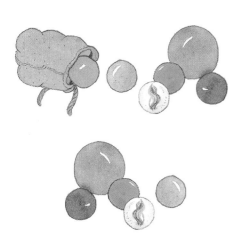

ou le coller). Des branches pourront tenir lieu d'obstacles.

Les joueurs ont chacun une bille. À partir du même endroit, ils essaient tous, à tour de rôle, de frapper chacun des jetons dans l'ordre. On peut compter les points trou par trou, le gagnant étant celui qui prend le moins de coups pour atteindre le jeton. Il marque alors 1 point. À la fin de la partie, le joueur qui a accumulé le plus de points gagne. On peut aussi déterminer le gagnant en additionnant les coups de chacun des joueurs pour les neuf trous. Celui qui a fait le parcours en un minimum de coups gagne la partie.

· · · · · · · · · · · · · ·

La poursuite

🁢 2 à 6 joueurs

👤 6 à 12 ans

Ce jeu se joue à deux. Un des joueurs lance sa bille alors que l'autre cherche à la toucher. S'il y parvient, il gagne la bille, marque 10 points et rejoue. S'il manque son coup, c'est au tour de son adversaire de jouer. Chacun joue de l'endroit où est restée sa bille. La partie se joue en 100 points.

· · · · · · ·

Le pot

🁢 2 à 6 joueurs

👤 6 à 12 ans

Le pot est un petit trou peu profond de 15 à 20 centimètres de diamètre. Les joueurs se placent à 3 ou 4 mètres et essaient à tour de rôle d'y envoyer leurs billes. Si le joueur parvient à faire rentrer la bille dans le pot, il marque 10 points. Les billes sont ensuite lancées de l'endroit où elles sont. Lorsqu'un joueur parvient à éloigner une bille adverse du pot, il marque également 10 points. Le vainqueur est le premier à atteindre 110 points.

· · · · · · · · · · · · · · · · ·

Le golf aux billes

🁢 2 à 6 joueurs

👤 6 à 12 ans

On dispose neuf jetons ou rondelles quelconques sur le sol pour simuler les neuf trous d'un parcours de golf. Les jetons seront numérotés de 1 à 9 (écrire le chiffre au crayon

Le pot

plein air avec matériel ou cadre spécifique

La rangette

La rangette

🎲 **2 à 8 joueurs**

🖍️ **6 à 10 ans**

À la craie, on dessine un cercle d'environ 3 mètres de diamètre sur un sol de bois, de carrelage ou de béton. Si le jeu se joue sur de la terre battue, on trace le cercle à l'aide d'un bâton. En les espaçant régulièrement, on dispose sur le périmètre du cercle autant de billes qu'il y a de joueurs. On trace la ligne de tir à 2 mètres du cercle. Chaque joueur dispose d'un calot, grosse bille avec laquelle il jouera durant toute la partie.

L es participants déterminent l'ordre de jeu en lançant leur calot de la ligne de tir vers le centre du cercle. Celui qui arrive le plus près joue en premier, suivi du deuxième, et ainsi de suite. Le premier joueur ainsi désigné lance son calot à partir de la ligne de tir. Les autres lancers se feront du point où le calot s'est arrêté. Le jeu consiste à projeter hors du cercle l'une des billes placées sur le périmètre. Le joueur qui réussit son coup et dont le calot sort aussi du cercle gagne la bille qu'il a frappée et continue de lancer. En cas d'échec, il dépose une de ses billes sur le périmètre du cercle et cède la place au joueur suivant. Le jeu se poursuit jusqu'à ce que toutes les billes sur le périmètre aient été gagnées ; le joueur qui a ramassé le plus grand nombre de billes sort vainqueur du tournoi.

La bloquette

🎲 **2 à 6 joueurs**

🖍️ **6 à 12 ans**

I l s'agit de creuser, au pied d'un arbre, un trou de la taille d'un poing, la bloquette. Un joueur, désigné par le sort, demande à son adversaire combien de billes il veut mettre en jeu, prend ce qu'il lui donne et en fournit lui-même un nombre égal qu'il prend toutes dans sa main. Il se met à 3, 40 mètres de la bloquette, vise et les lance toutes sur la bloquette. Si elles y entrent toutes ou qu'il y pénètre un nombre pair, le lanceur gagne toutes les billes. Sinon, c'est l'adversaire qui les remporte.

Les trous

🎲 **2 à 6 joueurs**

🖍️ **6 à 12 ans**

On pratique cinq trous rectangulaires de dimensions variées dans le côté d'une boîte à cigares dont on a enlevé le couvercle. On place la boîte à 4 ou 5 mètres de la ligne de tir.
Chaque trou a une valeur proportionnelle à sa taille : le plus grand vaut 1 point, le plus petit, 5 points.

Les trous

plein air avec matériel ou cadre spécifique

La soucoupe

Les joueurs ont cinq billes chacun. Agenouillés à la ligne de tir, ils lancent leurs billes dans les trous. Celui qui accumule le plus de points gagne.

. . . .

La soucoupe

2 à 6 joueurs

6 à 8 ans

On pose une soucoupe par terre et on trace la ligne de départ à environ 3 mètres de la soucoupe. Chaque joueur dispose de cinq billes.

À tour de rôle, les joueurs lancent leurs billes à partir de la ligne de départ en essayant d'atteindre la soucoupe. Cela fait, les billes sont de nouveau lancées de l'endroit où elles sont tombées. Lorsqu'un joueur atteint la soucoupe avec une bille, cela lui donne le droit de reprendre sa bille et d'en lancer une autre. Au premier échec, il cède son tour à un autre joueur. Le premier joueur à toucher la soucoupe avec ses cinq billes gagne la partie.

. . . .

La croix

2 à 6 joueurs

6 à 12 ans

À la craie, on dessine un cercle de 3 mètres de diamètre sur un sol de bois, de carrelage ou de béton. On trace en outre deux droites parallèles de part et d'autre du cercle. La première est la ligne de tir, la seconde, la ligne d'arrêt. Treize billes, espacées de 7 ou 8 centimètres, sont disposées en forme de croix au centre du cercle. Avant de commencer la partie, les participants déterminent l'ordre de jeu en lançant l'un après l'autre, à partir de la ligne de tir, une bille en direction de la ligne d'arrêt. Celui qui arrive le plus près joue en premier, suivi du deuxième, et ainsi de suite.

Le jeu consiste à projeter à l'extérieur du cercle les billes qui sont au centre. Le premier joueur lance sa bille sur les billes en jeu ; s'il en fait sortir une du cercle, il continue à lancer. Sinon, il cède sa place au suivant ; celui-ci essaie à son tour d'atteindre et de faire sortir une des billes en croix, ou la bille d'un autre joueur qui est restée dans le cercle. S'il réussit, il a droit à un nouveau lancer. Le premier tour terminé, les joueurs lanceront leur bille à partir de l'endroit où elle se trouve, si elle est à l'intérieur du cercle. Si elle en est sortie, le joueur peut la déplacer à la condition qu'il la mette toujours à la même distance du centre du cercle. Le jeu se termine lorsque toutes les billes en jeu disposées en croix ont été projetées hors du cercle. Le gagnant est celui qui en a fait sortir le plus.

La croix

JOUONS AVEC LA NATURE

• • • • • • • • • • • • • •

Sauve qui peut

6 à 24 joueurs

Forêt d'arbres d'essences variées

L es enfants se divisent en deux équipes et chacune choisit le nom d'un arbre qui pousse dans les environs. Il y aura, par exemple, l'équipe du bouleau et celle du sapin. Les deux équipes se placent l'une devant l'autre. Aussitôt que le meneur de jeu a crié le nom d'un des deux arbres, « Bouleau ! » par exemple, toute l'équipe de ce nom part en courant se réfugier derrière les arbres de cette catégorie, poursuivie par l'autre équipe, qui cherche à l'en empêcher. Dès qu'un membre de l'équipe du bouleau est touché par un membre de l'équipe du sapin, celle-ci marque 1 point. Au bout de 10 minutes de jeu et un nombre égal de poursuites pour chacune des équipes, c'est celle qui détient le plus grand nombre de points qui gagne.

VARIANTES

Dans L'arbre refuge, il y a un seul poursuivant. On désigne comme refuge un arbre parmi plusieurs espèces différentes : sapin, cèdre, bouleau, érable, chêne, tremble, etc. Le joueur poursuivi trouve momentanément refuge en touchant l'arbre choisi. Pour le forcer à repartir, le poursuivant doit se tenir à au moins 1,50 mètre de l'arbre et compter jusqu'à trois lentement. Le joueur qui se fait attraper ou celui qui touche le mauvais arbre devient automatiquement le poursuivant. Dans Trouvez l'arbre refuge, le jeu se déroule comme précédemment, sauf que le meneur de jeu peut à tout moment désigner un nouvel arbre comme refuge. Par exemple, si l'arbre choisi est un pommier et que trop de joueurs s'y réfugient, le meneur de jeu peut soudainement crier « Sapin ! ». Les joueurs sont alors obligés de trouver un sapin pour se mettre hors d'atteinte

Cherchez la piste

du poursuivant. Ces jeux sont cousins du chat perché décrit précédemment (voir page 30).

Cherchez la piste

6 à 24 joueurs

Forêt d'arbres d'essences variées

Le meneur de jeu délimite un territoire d'un rayon de 200 mètres autour du camp ; les joueurs n'auront pas le droit d'en sortir. L'un d'eux part seul pour marquer une piste. Il balaiera du pied les feuilles mortes sur le sol, enlèvera la mousse sur les roches, cassera de petites branches, imprimera ses empreintes sur la terre humide ou sablonneuse, bref, il laissera des traces de son passage, tout en ayant le droit de brouiller sa piste, en revenant sur ses pas, par exemple. Environ 10 minutes plus tard, les autres joueurs partent à sa recherche et essaient de retrouver sa piste. Quant à lui, il va se cacher finalement dans un buisson épais ou dans les branches d'un arbre. Le premier joueur qui le trouve gagne. Les poursuivants peuvent chercher individuellement ou en équipe.

Le relais-photos

6 à 24 joueurs

Photos de paysages

Le meneur de jeu prend des photos de paysages et de sites caractéristiques des environs. Il prend autant de photos de chaque endroit qu'il y aura d'équipes ; l'idéal est de se servir d'un appareil Polaroïd, car on peut procéder au jeu sur-le-champ. Les enfants sont répartis en équipes. Les équipes reçoivent, au début du jeu, une photo d'un même endroit, qu'elles s'efforcent de reconnaître, au besoin en questionnant les habitants de la région. Elles s'y rendent ensuite. Au lieu-dit attend un arbitre, qui remet à chaque équipe une autre photo, représentant un autre site ou un monument. Et l'on repart… C'est l'imprévu.

Dites-moi qui je suis

5 à 15 joueurs

Campagne

L'animateur prépare une série de phrases descriptives sur un mammifère ou un oiseau connu de ce continent ou d'un autre. Il les lit une à une pendant que les joueurs tentent de deviner ce dont il s'agit. Ils n'ont droit qu'à une seule réponse par animal ; aussi devront-ils être assez sûrs d'eux avant de répondre. Les phrases descriptives, assez générales au début, se précisent à mesure que le jeu avance. Voici deux exemples :

1. Je suis un animal à fourrure très connu.

2. Je suis plus gros qu'un écureuil, mais plus petit qu'un renard.

3. Je vis habituellement dans les forêts mixtes et dans les champs ; j'habite un terrier creusé dans le sol.

4. J'ai une large queue très fournie.

5. Je mange toutes sortes de choses, mais je me nourris surtout de rongeurs et d'insectes.

6. Je suis aimable de nature ; je marche lentement et me laisse facilement apprivoiser. Certaines personnes m'adoptent mais elles doivent alors me faire subir une petite intervention chirurgicale chez le vétérinaire.

7. J'ai un pelage soyeux à livrée noire rayée de blanc.

8. Bien que je ne sois pas dangereuse, je fais peur aux gens à cause de ma méthode de défense, qui est très spéciale.

Je suis le putois (ou la moufette).

1. Je suis un mammifère carnivore.

2. Je suis plus gros qu'une marmotte mais plus petit qu'un veau.

3. Je me nourris de divers petits animaux : grenouilles, tortues, écrevisses, rongeurs et petits oiseaux.

4. Je suis curieux de nature ; je me laisse apprivoiser assez facilement et certaines personnes m'adoptent.

5. Mes pattes de devant se terminent par des sortes de mains avec lesquelles je suis très habile.

6. J'ai un pelage gris fauve et une queue annelée de blanc.

7. Ma fourrure sert à faire des manteaux qu'on appelle manteaux de chat sauvage.

8. J'ai l'habitude de laver dans un cours d'eau, quand c'est possible, tout ce que je mange : d'où mon surnom.

Je suis le raton laveur d'Amérique du Nord.

On peut trouver dans une encyclopédie ou dans des livres spécialisés sur la vie en plein air ou la vie des animaux tous les renseignements qu'il faut pour étoffer ces questionnaires.

· · · · · · · · · · · · · · · · · ·

Le petit poucet

4 à 10 joueurs

Campagne

Au début d'une promenade, chaque participant ramasse dix petits cailloux, qu'il garde précieusement dans la main. Au cours de la promenade, le meneur de jeu indique certains objets : une feuille, une fougère, une fleur, mais sans les identifier. Il demande ensuite à un joueur de dire ce que c'est. Si celui-ci donne une bonne réponse, il laisse tomber un caillou. Si la réponse est fausse, la question est posée à un autre joueur. Le jeu continue ainsi jusqu'à ce qu'un joueur, le gagnant, n'ait plus de cailloux du tout.

plein air avec matériel ou cadre spécifique

Le petit poucet

La chasse aux trésors

Les observations

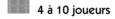 **4 à 10 joueurs**

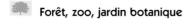 **Forêt, zoo, jardin botanique**

Ce jeu fera suite à une excursion en forêt ou à une visite au zoo, à l'aquarium ou au jardin botanique, au cours desquelles on recommande aux participants d'observer minutieusement tout ce qu'ils voient pour pouvoir en dresser la liste plus tard, de retour au camp ou à la voiture. Le joueur qui fait le plus grand nombre d'observations justes gagne. Si les participants sont nombreux, on les répartit en équipes, chaque équipe dressant une seule liste.

VARIANTE

Le jeu appelé Écoutez, regardez, sentez se joue lors d'une halte durant la promenade. On remet à chaque participant une feuille de papier et un crayon et on lui demande de noter tout ce qu'il voit, entend et sent. Peu à peu, les joueurs prennent conscience du nombre incroyable de plantes et de bêtes qui les entourent, de tout ce qui anime la forêt et à quoi ils ne prêtent généralement pas attention : le bruissement du vent dans les feuilles, les reflets du soleil dans un ruisseau, le bourdonnement des insectes. Au bout de 15 minutes, chaque joueur lit sa liste à haute voix ; toute bonne observation lui vaut 1 point si elle est aussi notée par quelqu'un d'autre, 2 points s'il a été seul à la faire.

La chasse aux trésors

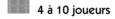 **6 à 12 joueurs**

Grands sacs résistants

Le meneur de jeu établit une liste de différentes choses qu'on peut trouver dans la nature : divers types de roches, de feuilles, de graines, de fruits ; des brindilles, des insectes, etc. (Il faut exclure tout ce qui pourrait nuire à la vie des arbres et des plantes.) On remet à chaque participant un exemplaire de la liste et un grand sac en plastique. Au signal donné, les joueurs se dispersent dans le bois en essayant de trouver tous les articles figurant sur la liste. Le premier joueur à compléter la liste – ou celui qui rapporte le plus de choses après 20 minutes de jeu – est le gagnant. Ce jeu peut aussi se faire par équipes.

VARIANTES

Dans La chasse alphabétique aux trésors, les joueurs doivent rapporter 26 objets dont le nom commence par une des lettres de l'alphabet : par exemple, une araignée pour A, une feuille de bouleau pour B, un caillou pour C, etc. C'est un concours difficile ; aussi faut-il laisser aux joueurs suffisamment de temps (une trentaine de minutes au minimum) ; le joueur qui a réuni le plus d'objets gagne. Dans Faites la paire, le meneur de jeu aura réuni d'avance un certain nombre de choses : feuilles d'arbres, fleurs, cailloux, etc. Il les présente, une à la fois, aux joueurs en leur disant : « Faites la paire ! »

Ceux-ci partent aussitôt dans le bois pour trouver un objet identique. Le premier à le rapporter marque 1 point. Après 20 minutes de jeu, celui qui a accumulé le plus de points gagne.

Dans Identifiez la paire, le jeu est presque le même, à ceci près que le joueur qui ramène l'objet requis gagne 3 points, et 1 point supplémentaire s'il peut l'identifier. Quel est mon nom ? est purement un jeu d'identification. Le meneur de jeu réunit des objets ; les joueurs, les yeux bandés, sont invités à les identifier simplement au toucher. Les bonnes réponses valent 1 point chacune.

JEUX D'HIVER

La prise du château fort

🁢 **6 à 12 joueurs**

🌳 **Jardin enneigé**

L es enfants se divisent en deux équipes égales. Chaque équipe se met à ériger un château fort dans la neige, suffisamment éloigné de celui des adversaires mais pas trop cependant pour que des boulets lancés avec force et précision puissent atteindre les remparts. Ce sera, en fait, un épais mur de neige, assez élevé pour dissimuler la garnison et surmonté de créneaux. Pendant cette première phase du jeu, les enfants préparent également des munitions : des boules de neige plus ou moins grosses pour les boulets. Quand les châteaux forts sont terminés, on donne le signal du combat : les garnisons sortent dans la plaine, où il y a bataille rangée (de boules de neige, bien sûr). Quand les munitions commencent à s'épuiser, l'équipe qui a le dessus part à l'assaut de la forteresse ennemie.

Combat de boules de neige

🁢 **6 à 12 joueurs**

🌳 **Jardin enneigé**

O n trace un grand cercle dans la neige. Les participants se divisent en deux équipes égales ; l'une prend place à l'intérieur du cercle, l'autre en dehors de la ligne périphérique. Les joueurs de cette dernière équipe font des boules de neige et, chacun à leur tour, les lancent sur les joueurs du centre, qui essaient d'esquiver les boules. Quand un joueur du centre est atteint, il vient rejoindre ceux de l'extérieur et attend son tour de lancer une boule de neige. Le gagnant, à chaque manche, est le dernier joueur du centre à se faire toucher. À la fin de la manche, on inverse les rôles et les joueurs qui étaient au centre au tour précédent se postent à l'extérieur du cercle pendant que les autres se placent au centre.

Les billes de neige

🌳 **Terrain enneigé**

✂ **Billes**

C e jeu se joue de préférence lorsque la neige se tasse facilement et que l'on peut jouer sans gants. Les joueurs choisissent un emplacement avec une légère pente. On creuse un trou de 5 à 10 centimètres de profondeur dans la neige et on tasse bien tout autour ; on égalise un chemin de neige dont la longueur

Combat de boules de neige

dépend de l'âge et de l'habileté des joueurs (environ 1,80 mètre), et on trace au bout la ligne de départ. Les joueurs s'entendent sur le nombre de billes à jouer : plus il y a de joueurs, moins on joue de billes car le parcours devient trop vite encombré. Tour à tour, chaque joueur s'accroupit derrière la ligne de départ et lance toutes ses billes dans le but de se rapprocher le plus possible du trou. Lorsque tous ont joué, celui à qui appartient la bille la moins éloignée du trou rejoue le premier (si deux joueurs ont réussi à placer chacun une bille dans le trou au premier tour, celui des deux qui a la deuxième bille le plus près du trou joue le premier). Il doit faire entrer sa bille dans le trou ; s'il réussit, il peut jouer n'importe quelle autre bille (même une de celles de ses adversaires), et ce jusqu'à ce qu'il rate son coup. C'est alors au tour du joueur dont la bille est le plus près du trou. Le gagnant est celui qui entre la dernière bille dans le trou : il remporte alors toutes les billes jouées.

VARIANTE

On peut remplacer le trou dans la neige par un calot : il s'agit de frapper le calot avec les billes ; les règles sont les mêmes qu'au jeu précédent.

Les porte-balai

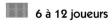 6 à 12 joueurs

 Patinoire

L es joueurs se divisent en équipes de deux et se tiennent derrière la ligne de départ, sur une patinoire. Chaque équipe est munie d'un balai ; un des deux joueurs s'assoit sur la brosse, tandis que son partenaire tient solidement le manche. Au signal, les porte-balai s'élancent sur leurs patins vers la ligne d'arrivée en traînant derrière eux leur coéquipier. À la ligne d'arrivée, les partenaires changent de rôle et reviennent vers la ligne de départ. Le premier groupe à l'atteindre est déclaré gagnant.

VARIANTE

Ce jeu peut se jouer à relais. Les joueurs, deux par deux, sont groupés en deux équipes. Deux groupes de joueurs prennent d'abord le départ ;

La course en soucoupe

à leur retour, ils touchent les groupes suivants, qui partent à leur tour ; la première équipe à terminer gagne.

La course en soucoupe

Patinoire

Couvercles de poubelles ou soucoupes en aluminium

L es patineurs se groupent deux par deux derrière la ligne de départ, située à environ 30 mètres de la ligne d'arrivée. L'un des deux joueurs est assis dans une soucoupe de métal ou un couvercle de poubelle ; l'autre se tient derrière, les mains sur les épaules du premier. Au signal, les patineurs debout démarrent aussi vite que possible en poussant leur partenaire. À la ligne d'arrivée, les deux changent de rôle et reviennent à la ligne de départ. Les premiers à la franchir gagnent.

VARIANTE

Ce jeu se fait aussi à relais. Les joueurs se groupent en équipes deux par deux.

Qui glissera le plus loin ?

4 à 12 joueurs

Patinoire

O n trace sur la glace une ligne de départ et, à quelque 30 mètres, une ligne d'élan.

Au signal, les patineurs prennent leur élan ; ils patinent vigoureusement jusqu'à la deuxième ligne, à partir de laquelle ils se laissent simplement glisser sur leurs patins, sans bouger. Celui qui se rend le plus loin gagne le concours.

VARIANTE

Le même jeu peut se jouer au moyen d'éliminatoires. On aura recours à cette variante si les participants sont très nombreux. Le concours se fait par éliminatoires, les joueurs s'affrontant deux par deux, jusqu'à ce qu'il ne reste plus qu'un seul gagnant, le champion.

La course au ballon sur patins

🌳 Patinoire

✂️ Ballons de baudruche, crosses (ou bâtons) de hockey

Tous les patineurs prennent position derrière la ligne de départ, située à 30 mètres de la ligne d'arrivée. Chaque joueur est muni d'un ballon de baudruche et d'une crosse de hockey. Lorsque le signal est donné, les patineurs s'élancent vers la ligne d'arrivée, puis reviennent en poussant leur ballon devant eux avec la crosse de hockey. Ce n'est pas facile ! La victoire ne revient pas toujours au meilleur patineur.

VARIANTE

La course au ballon à relais se joue à peu près de la même façon, mais avec deux ou trois équipes,

chaque joueur passant le ballon à un coéquipier après être revenu à la ligne de départ.

La course aux pièces

🌳 Patinoire

✂️ 20 à 50 pièces de monnaie

Les patineurs prennent position derrière la ligne de départ. À une trentaine de mètres devant eux se trouve une autre ligne. Le meneur de jeu lance une poignée de pièces sur la glace entre les deux lignes. Au signal, les patineurs s'élancent vers la deuxième ligne en essayant de ramasser au passage un maximum de pièces. (S'il fait très froid, les pièces vont coller à la glace et les patineurs devront les dégager avec leurs patins.) Quand les patineurs ont atteint la ligne limite, ils doivent revenir en vitesse vers la ligne de départ. Le patineur qui la traverse le premier gagne 5 points. Tous les joueurs reçoivent 1 point par pièce qu'ils rapportent et celui qui accumule le plus grand nombre de points gagne. Dans une variante de ce jeu, chaque patineur doit ramasser une pièce à la fois, aller jusqu'à l'autre ligne et revenir à la ligne de départ avant de recommencer. Celui qui a ramassé le plus de pièces en 5 minutes de jeu a gagné.

ATTENTION

Il faut, après le jeu, ramasser toutes les pièces laissées sur place, de crainte que quelqu'un ne bute dessus par la suite et ne se blesse.

plein air avec matériel ou cadre spécifique

Qui glissera le plus loin ?

Jeux d'Intérieur

Jeux
de Plein air
SANS MATÉRIEL

Jeux
de Plein air
AVEC PEU DE MATÉRIEL

Jeux
de Plein air
AVEC MATÉRIEL
OU CADRE SPÉCIFIQUE

Jeux
d'Intérieur
SANS MATÉRIEL

Jeux
d'Intérieur
AVEC PEU DE MATÉRIEL

Jeux
d'Intérieur
AVEC MATÉRIEL
SPÉCIFIQUE

Jeux d'Intérieur
SANS MATÉRIEL

Ce n'est pas parce que les enfants sont aujourd'hui confinés à l'intérieur sans matériel à leur disposition qu'ils ne passeront pas une bonne journée : les jeux de mots, de mimes et de géographie sont là pour les occuper, sans oublier les jeux musicaux ou mathématiques.

Le tailleur

▥▥ **4 à 12 joueurs**

⋔⋔ **6 à 10 ans**

Les joueurs s'assoient par terre en tailleur, les bras croisés sur la poitrine. Ils doivent se lever sans décroiser les jambes ni les bras. On peut demander à ceux qui réussissent de reprendre ensuite la position assise, de la même façon.

Le tailleur

Le moulin à café

▥▥ **4 à 8 joueurs**

⋔⋔ **8 à 12 ans**

Chaque joueur s'accroupit, puis met sa main droite à plat sur le plancher, en tendant le bras. Il allonge ensuite ses deux jambes vers la gauche. Tout en restant aussi droit que possible, il doit pivoter sur son bras droit, dans le sens des aiguilles d'une montre. Après un tour complet, il répète le mouvement, en pivotant cette fois sur le bras gauche et dans le sens inverse. Le gagnant est celui qui termine le premier. Si les enfants n'ont que 8 ou 9 ans, on sera moins intransigeant sur la tenue du corps.

La danse cosaque

▥▥ **4 à 8 joueurs**

⋔⋔ **8 à 12 ans**

Les joueurs s'accroupissent sur leurs talons, les bras croisés sur la poitrine. Mettant tout leur poids sur le pied gauche, ils allongent la jambe droite, puis la replient et, reposant alors sur le pied droit, allongent la jambe gauche, et ainsi de suite, le plus rapidement possible, en restant bien droits.

La danse peut aussi s'exécuter par paires : les deux joueurs se tiennent par les mains, se faisant face, et commencent par allonger la jambe droite. Si l'on veut faire un concours, on élimine les joueurs à mesure qu'ils perdent l'équilibre. Le dernier est le gagnant. Pour régler le rythme et ajouter de l'ambiance, un peu de musique folklorique russe fera merveille. Ce jeu est plus facile à réaliser sur du parquet que sur de la moquette.

L'épreuve du joug

▥▥ **4 à 12 joueurs**

⋔⋔ **6 à 9 ans**

Les joueurs se placent en file, deux par deux, en se tenant par la main. Deux joueurs tiennent un manche à balai à l'horizontale. Les autres doivent passer sous le manche, en se penchant, sans se lâcher et sans toucher au balai. Après chaque tour, on baisse le balai de quelques centimètres. Finalement, les joueurs sont obligés de ramper. Les deux derniers qui réussissent à passer sous le joug sont déclarés gagnants.

La bascule

▥▥ **2 à 8 joueurs**

⋔⋔ **7 à 10 ans**

haque joueur s'allonge à plat ventre (sur la moquette ou un tapis épais), se tient les chevilles avec les mains et relève la tête le plus haut possible. Il exécute alors un mouvement de bascule, en se balançant d'avant en arrière.

Le sac au dos

Le sac au dos

🚹🚹 **2 à 10 joueurs**

🕯🕯 **7 à 10 ans**

ar groupes de deux, les joueurs s'asseoient par terre, dos à dos, les coudes entrelacés. Il leur faut se relever progressivement, tout en continuant à se tenir par les coudes. On peut faire de cet exercice un concours : les deux premiers joueurs debout sont déclarés gagnants (ou bien les deux derniers sont éliminés).

Saute-ruisseau

🚹🚹 **4 à 8 joueurs**

🕯🕯 **6 à 9 ans**

n tend deux ficelles parallèles, espacées d'environ 50 centimètres : c'est le ruisseau. Les joueurs se mettent en file d'un côté du ruisseau et, un à un, sautent de l'autre côté. À chaque tour, on élargit le ruisseau d'une dizaine de centimètres. Ceux qui tombent dans l'eau sont éliminés, jusqu'à ce qu'il ne reste plus qu'un joueur, qui est le gagnant.

Les statues

🚹🚹 **10 à 20 joueurs**

🕯🕯 **6 à 12 ans**

LA PRÉPARATION
Les invités forment des couples et dansent.

LE JEU
Quand l'animateur arrête la musique et crie « Stop ! », tout le monde doit s'immobiliser. Il est désormais interdit de bouger jusqu'à ce que la musique reprenne (après une quinzaine de secondes). Toute personne qui bouge durant cette pause est aussitôt éliminée avec son ou sa partenaire. On accélère la musique et le jeu se poursuit jusqu'à ce qu'il ne reste qu'un couple, le gagnant.

Saute-ruisseau

Le baccalauréat

4 à 12 joueurs

8 à 12 ans

Ce n'est ici qu'un examen plaisant. Les joueurs divisent leur feuille de papier en cinq colonnes. La première recevra des noms de personnages célèbres, la deuxième des noms de villes, la troisième des noms de pays, la quatrième des noms d'animaux et la cinquième des noms de végétaux. L'un des joueurs choisit une lettre, les yeux fermés, en piquant une épingle dans une page de journal, par exemple. Chaque joueur doit inscrire dans ses colonnes le plus grand nombre possible de noms de la catégorie indiquée commençant par la lettre choisie.

Personnages célèbres	Villes	Pays	Animaux	Végétaux
Picasso	Paris	Portugal	Paon	Pervenche
Papin	Parme	Pays-Bas	Puma	Pin
Prost	Pise	Perse	Pou	Platane
Pépin le Bref	Poitiers	Paraguay	Perdrix	Poireau

Au bout de 5 minutes, chacun pose son crayon et lit, à son tour, sa liste de mots. On commence généralement par celui qui en a trouvé le plus grand nombre. Les autres rayent les mots énoncés qui figurent sur leur liste ; ils ne liront que ceux qui n'auront pas été cités. Tout mot trouvé par plusieurs joueurs est annulé pour tous, mais chaque mot original rapporte 1 point à celui qui l'a écrit. On additionne les points à la fin de plusieurs parties pour connaître le gagnant.

VARIANTES
On peut compliquer les choses en ajoutant d'autres catégories, telles que fleuves ou métiers, et différencier la catégorie des animaux en mammifères et oiseaux, et celle des végétaux en fleurs et arbres. Enfin, au niveau du choix de la lettre, on peut convenir que la lettre suggérée doit apparaître en deuxième position dans les mots.

Le mot propre

4 à 12 joueurs

8 à 12 ans

Le meneur de jeu prend un dictionnaire qu'il ouvre au hasard, et lit à haute voix la première définition d'un mot quelconque, que ses compagnons doivent deviner. Le premier joueur qui a trouvé le mot marque un point et le meneur propose une autre définition. Le jeu n'est pas si facile qu'il le paraît, même pour les mots simples. Le gagnant est le premier qui a marqué 10 points ou celui qui totalise le plus grand nombre de points en un temps donné.

Le mot propre

Le métagramme

Le métagramme

4 à 8 joueurs

10 à 12 ans

U n joueur propose un mot de trois lettres, à partir duquel son voisin de droite doit former un mot nouveau en ne changeant qu'une seule lettre, et ainsi de suite. Exemple : mur – pur – pus – pas – pis – ris – ras – mas – tas – sas – sac – sic – soc – toc – tac – tic, etc. Tout joueur qui ne trouve pas un mot dans les 30 secondes ou qui répète un mot déjà prononcé est éliminé ou reçoit un gage.

Le petit Champollion

4 à 8 joueurs

10 à 12 ans

L e principe du jeu est le même que celui du pendu, mais c'est un proverbe ou une maxime qu'il faut deviner à plusieurs, et non plus seulement un mot. Le meneur de jeu écrit visiblement un proverbe en remplaçant les lettres par des X. Ainsi, « Qui a bu boira »

devient : XXX X XX XXXXX. Si un joueur pense avoir deviné le proverbe, il le dit à haute voix. Sinon, chaque joueur, à son tour, propose une lettre de l'alphabet. Lorsque la lettre figure dans le proverbe, le meneur l'inscrit à la place du X correspondant. Si la lettre est répétée, il ne l'inscrit qu'une fois. Les joueurs pourront donc énoncer plusieurs fois la même lettre. Le premier d'entre eux qui aura déchiffré le proverbe prend la place du meneur de jeu et relance la partie.

L'alphabet

4 à 8 joueurs

10 à 12 ans

O n choisit une lettre de l'alphabet en piquant une épingle dans un journal. À tour de rôle, chaque joueur doit dire à haute voix une phrase complète dont les mots (quatre au minimum) commencent par la lettre qui a été imposée. Celui qui se trompe ou reste muet est éliminé. Par exemple :
– Anatole achète des ananas à Acapulco.
– Le barbier bouchonne bruyamment son bourrichon.
– Le cordonnier caresse le cou de son chien.
– Les joueurs marquent un point par mot utilisé

à bon escient. Le gagnant est celui qui marque le plus de points au bout du temps imparti.

Les mots en chaîne

 **4 à 12 joueurs**

8 à 12 ans

L es joueurs sont assis en cercle. L'un d'eux lance un mot. Son voisin de gauche enchaîne avec un autre mot commençant par la dernière syllabe du mot précédent. Le suivant enchaîne à son tour, et ainsi de suite. Si la dernière syllabe est muette, on reprend l'avant-dernière syllabe en supprimant le « e » muet. Exemple : voiture – turbot – beauté – ténu – nuage – âgé – gérant – rentier – tiédir – direct – recto – total – talon – longtemps – tambour – bourrique, etc. Le joueur qui ne peut donner un mot dans les 30 secondes ou qui répète un mot déjà prononcé est pénalisé ou éliminé. Dans ce deuxième cas, le vainqueur est le dernier qui reste en jeu.

Le marché de Padi-Pado

4 à 12 joueurs

7 à 10 ans

L e principe du jeu est le même que celui du Corbillon (page ci-contre), mais la question posée est la suivante : « Monsieur le Curé se rend au marché de Padi-Pado. Qu'en rapporte-t-il ? » Il faut donner ici des noms ne contenant ni la lettre « i », ni la lettre « o » (pas d'« i », pas d'« o », d'où le nom du jeu !). Sont éliminés les joueurs qui connaissent le jeu, ceux qui se trompent, répètent un mot déjà énoncé ou restent cois. Mais, si une partie des joueurs ne connaît pas le jeu, on ne leur en révèle pas la clé. À la question posée, ils répondent donc par une denrée quelconque que l'on peut acquérir sur un marché, et les joueurs initiés approuvent ou désapprouvent selon que le mot cité est dépourvu ou non des voyelles « i » et « o ». La surprise de leurs interlocuteurs et leurs recherches pour trouver la clé du jeu sont généralement très amusantes.

Les mots en chaîne

Le corbillon

Le corbillon

▨▨▨ **4 à 12 joueurs**

🕯🕯 **8 à 10 ans**

M olière a fait à ce jeu très populaire les honneurs de la littérature en la personne d'Arnolphe, qui déclare dans *l'École des femmes* :
« Et, s'il faut qu'avec elle on joue au corbillon
Et qu'on vienne à lui dire à son tour :
Qu'y met-on ?
Je veux qu'elle réponde : Une tarte à la crème »…
Les joueurs sont assis en cercle. L'un d'eux demande à son voisin de droite : « Dans mon petit corbillon, qu'y met-on ? » Celui-ci doit répondre par un nom qui se termine en « on » (bonbon, chiffon, récitation, marron, saucisson, chapon, dindon, japon, etc.). Puis il pose à son tour la même question à son voisin de droite, qui répondra de même par un nom qui se termine en « on », et ainsi de suite. Tout joueur qui hésite, se trompe ou répète un mot déjà cité est éliminé. Le jeu n'est pas difficile car la rime en « on » est une des plus abondantes de la langue française, mais on par-

vient cependant toujours à l'épuiser. Ce jeu est d'autant plus amusant que les questions se succèdent vite. Le gagnant est le dernier qui reste en jeu.

Je vois bleu

▨▨▨ **4 à 12 joueurs**

🕯🕯 **8 à 10 ans**

U n des joueurs choisit un objet facile à voir et écrit son choix sur un bout de papier qu'il remet au meneur de jeu. Pour guider ses camarades, qui doivent trouver l'objet, il dit : « Je vois bleu » (ou rouge, selon la couleur de l'objet). Chaque joueur, à son tour, essaie de découvrir l'objet. Ce peut être un meuble, un objet qui se trouve sur un tableau, quelque chose que l'on aperçoit par la fenêtre, le vêtement d'un des enfants présents, etc. Le premier qui le trouve choisira l'objet mystérieux de la partie suivante.

VARIANTE

Dans la première partie, au lieu d'indiquer la couleur de l'objet, le meneur de jeu en donne la première lettre. Chaque joueur, à son tour, doit essayer de deviner quel est l'objet mystérieux.

Air, terre, mer

4 à 12 joueurs

8 à 12 ans

Les joueurs s'assoient en cercle. Le meneur de jeu se place au milieu du cercle. Désignant un des joueurs du doigt, il dit : « Air, terre, mer-mer ! » ou « Air, terre, mer-air ! » Pendant que le meneur compte jusqu'à 10, le joueur désigné doit nommer un animal qui vit dans la mer, vole dans les airs ou vit sur terre, selon le cas. S'il réussit, il prend la place du meneur. Dans le cas contraire, le meneur recommence, en désignant un autre joueur. Comme il est interdit de nommer deux fois le même animal, le jeu devient de plus en plus difficile.

La chaîne des gestes

4 à 12 joueurs

8 à 10 ans

Les joueurs s'assoient en cercle. L'un d'eux fait un geste qui doit être assez simple, comme battre des mains, taper du pied ou tendre les bras. Son voisin de droite doit répéter le geste et en ajouter un deuxième. Chaque joueur doit ainsi, à son tour, répéter tous les gestes de ses prédécesseurs et en ajouter un nouveau. Tout joueur qui oublie un des gestes ou se trompe dans leur succession est éliminé. On continue jusqu'à ce qu'il ne reste qu'un seul joueur, le gagnant. Plus les joueurs sont nombreux, plus le jeu est difficile et amusant.

Le chef d'orchestre

6 à 12 joueurs

6 à 10 ans

Air, terre, mer

O n fait sortir un des joueurs, qui représentera le public. Tous les autres, l'orchestre, s'assoient en cercle et désignent leur chef, qui au lieu de monter sur une estrade reste parmi eux. Le maestro fait semblant de jouer d'un instrument de musique (piano, violon, guitare, grosse caisse, flûte, trombone, harmonica, etc.). L'orchestre l'imite et tous entonnent en chœur une chanson assez longue. À ce signal, le public revient et se place au milieu du cercle. Il doit deviner qui est le chef d'orchestre. Sans se laisser voir, celui-ci doit changer plusieurs fois d'instrument au cours de la partie. L'orchestre, qui le surveille à la dérobée, adopte immédiatement le nouvel instrument. Lorsque le public a découvert le chef d'orchestre, celui-ci sort à son tour et une nouvelle partie commence.

• • • • • • • • • • • • • • • • •

Défense de rire

4 à 12 joueurs

6 à 10 ans

L es joueurs forment deux équipes et se placent en ligne, face à face. Chaque équipe, tour à tour, doit faire rire les membres de l'équipe adverse. Il est permis de faire des grimaces, de plaisanter ses camarades, de dire n'importe quoi, mais aucun joueur ne doit toucher à un adversaire. Tout joueur qui rit est éliminé. Après un nombre de tours convenu, l'équipe qui a conservé le plus de joueurs est déclarée gagnante.

VARIANTES

Le rire du ventre : les joueurs s'étendent sur le dos. Chaque joueur pose la tête sur l'estomac

Défense de rire

Les proverbes

de son voisin. Au signal convenu, le premier joueur fait « Ha ! » à haute voix. Le deuxième joueur fait « Ha, ha ! », le troisième « Ha, ha, ha ! », et ainsi de suite. Généralement, au cinquième joueur, tout le monde se tord de rire.

Les télégrammes constituent une autre variante. On rédige d'avance une série de messages amusants. Les joueurs forment deux équipes et se placent face à face, sur deux lignes. Le premier joueur d'une équipe passe son télégramme au joueur adverse qui lui fait face. Celui-ci doit lire le télégramme à haute voix et sans rire. S'il réussit, son équipe marque 1 point. En revanche, s'il perd son sérieux, le point va à l'autre équipe. Le jeu continue ainsi jusqu'à ce que chaque joueur ait eu un télégramme à lire. L'équipe qui obtient le plus de points gagne la partie.

● ● ● ● ● ● ● ● ● ● ● ● ● ● ●

Le chapeau de monsieur Dupont

M̶M̶ 6 à 12 joueurs

♙♙♙ 8 à 12 ans

L es joueurs s'assoient en cercle. On attribue un numéro à chaque joueur. Un premier joueur dit : « Monsieur Dupont a perdu son chapeau. Monsieur le numéro 8 (ou tout autre numéro), l'avez-vous trouvé ? » Si le numéro 8 est une fille, « monsieur » doit être remplacé par « madame ».

Le joueur désigné doit alors répondre : « Qui, monsieur (ou madame) ? Moi, monsieur ? »

À son tour, le premier joueur reprend : « Oui, monsieur. Vous, monsieur. »

Ce à quoi le numéro 8 répond : « Non, monsieur, je ne l'ai pas trouvé, monsieur. » Le premier joueur insiste : « Alors qui l'a trouvé, monsieur ? » Le numéro 8 désigne alors un autre joueur en disant, par exemple : « Le numéro 3, monsieur. »

Le numéro 3 doit alors enchaîner selon le scénario établi, et ainsi de suite. Tout joueur qui ne répond pas ou qui donne une mauvaise réponse, par exemple en oubliant un mot ou en disant « monsieur » au lieu de « madame », reçoit 1 point de pénalité. Après 10 ou 15 minutes de jeu, le joueur qui a le moins de points est déclaré gagnant.

● ● ● ● ● ● ● ● ● ● ● ● ● ● ●

Les proverbes

M̶M̶ 4 à 12 joueurs

♙♙♙ 8 à 12 ans

L es joueurs s'assoient en ligne, formant deux équipes qui se font face. Chaque équipe choisit un proverbe bien connu, comme « Pierre qui roule n'amasse pas mousse » ou « Qui va à la chasse perd sa place ». On attribue à chaque joueur un mot qui fait partie du proverbe de son équipe. (Si les participants sont nombreux, on peut attribuer un même mot à plusieurs joueurs.) Au signal, tous les joueurs d'une équipe crient ensemble le mot qui leur a été attribué. Au milieu de cette cacophonie, les membres de l'équipe adverse doivent trouver le proverbe. On passe ainsi d'une équipe à l'autre.

Pour rendre ce jeu plus ludique, il est possible de le présenter sous une forme différente : les joueurs se divisent en deux groupes. L'un des deux groupes sort de la pièce tandis que l'autre choisit un proverbe. Le groupe revient et doit deviner le proverbe choisi par l'équipe adverse, qui le mime.

• • • •

Fizz

▦▦ **4 à 12 joueurs**

♙♙♙ **8 à 12 ans**

L e jeu consiste à remplacer, dans une énumération, le chiffre 5 et ses multiples par le mot « Fizz ». Les joueurs s'assoient en cercle. Un premier joueur dit : « Un ! » Son voisin de droite doit aussitôt enchaîner avec : « Deux ! » Le cinquième joueur doit dire : « Fizz ! », de même que le dixième, et ainsi de suite. On peut demander aux joueurs qui ont à dire : « Fizz ! » de se lever et de se rasseoir rapidement. Au chiffre 55, si l'on parvient à se rendre jusque-là, le joueur en cause doit dire : « Fizz-Fizz ! » Quand un joueur hésite trop longtemps ou fait quelque erreur, on lui attribue 1 point de pénalité et on recommence à zéro. Après une dizaine de minutes de jeu, le joueur qui a le moins de points est proclamé gagnant.

VARIANTES

Dans Le buzz, tous les chiffres contenant un 7 ou des multiples de 7 (comme 14 ou 21) doivent être remplacés par des « Buzz ! » De plus, à chaque « Buzz ! », l'énumération doit changer de sens, se faisant tantôt de gauche à droite, tantôt de droite à gauche. À partir de 70, il faut dire : « Buzz-un ! », « Buzz-deux ! », etc. Quand un joueur commet une erreur, on lui attribue 1 point de pénalité et on recommence à zéro. Enfin, on peut combiner les deux jeux, ce qui donne le Fizz-Buzz. Les 5 et les multiples de 5 sont remplacés par des « Fizz ! », les 7 et les multiples de 7 par des « Buzz ! » À chaque « Buzz ! », l'énumération doit changer de sens. Les chiffres multiples de 5 et de 7, comme 35, ou formés avec eux, comme 57, doivent être remplacés par « Fizz-Buzz ! »

• • • • • • • • • • • • • • • • •

La pêche en mer

▦▦ **4 à 12 joueurs**

♙♙♙ **8 à 10 ans**

T ous les joueurs sauf un, le pêcheur, s'assoient sur des chaises dispersées dans une pièce. Sans le dire aux autres,

La pêche en mer

chaque joueur choisit le nom d'un poisson ou de quelque autre animal marin et l'écrit sur un papier qu'il met dans sa poche. (Cela pour des vérifications ultérieures éventuelles afin d'éviter les tricheries.) Le pêcheur dit : « La mer est belle. » Tout en se promenant dans la pièce, il appelle divers animaux marins : requins, huîtres, morues, pieuvres, baleines, moules, etc. Lorsqu'un joueur entend le nom de l'animal qu'il a choisi, il doit se lever et marcher derrière le pêcheur en appelant, lui aussi, des animaux marins. Quand la plupart des joueurs ont ainsi quitté leur chaise, le pêcheur crie : « Le vent se lève ! » Aussitôt, tous les joueurs doivent se trouver une chaise, y compris ceux qui étaient encore assis, qui doivent changer de place. Le dernier debout devient alors le nouveau pêcheur.

« l'emporte sur »

Le portrait

 4 à 12 joueurs

 8 à 12 ans

Ce jeu peut se jouer à tout âge, mais les enfants de 8 à 12 ans y prendront beaucoup de plaisir. L'un des joueurs sort tandis que les autres choisissent le nom d'une personne ou d'une chose. Quand c'est fait, le joueur rentre dans la pièce et interroge un à un les membres de l'assemblée, qui devront lui répondre uniquement par oui ou par non, sauf à sa première question : « Il ou elle ? » à laquelle ils répondront par « il » ou par « elle », selon le genre du nom choisi. Le joueur aura intérêt à poser des questions très précises dès le début pour circonscrire le sujet : est-ce un personnage réel ? Imaginaire ? Est-il mort ? Vivant ? Est-ce un homme ? Une femme ? Un enfant ? Une chose ? Lorsqu'il croit avoir deviné, il avance un nom. Il a trois essais. S'il perd, il doit sortir une nouvelle fois ou faire un gage. S'il gagne, il se fait remplacer.

Le jeu du puits ou Chi-Fou-Mi

Le faux portrait

 4 à 12 joueurs

8 à 12 ans

Le principe est le même que pour le portrait, mais au lieu de choisir le nom d'un personnage ou d'une chose à deviner, on décide simplement de répondre par oui aux questions dont le dernier mot se termine par une voyelle, et par non à celles dont le dernier mot se termine par une consonne. Le questionneur ne tardera pas à constater des absurdités du genre : « Est-il vivant ? – Non. – Alors, il est mort ? - Non. » S'il ne parvient pas à découvrir le mécanisme, il peut bien sûr donner sa langue au chat.

VARIANTE

On dit au questionneur que l'on a choisi une des personnes qui se trouve dans l'assistance, mais, en fait, chaque joueur répond à ses questions en gardant à l'esprit les particularités physiques et morales de son voisin de droite. Le questionneur ne tardera pas à constater certaines incohérences, sur la couleur des yeux ou des cheveux, par exemple ; mais il peut trouver la clef du mystère.

Le jeu du puits ou Chi-Fou-Mi

2 joueurs

6 à 10 ans

Deux joueurs se mettent face à face, une main dans le dos. Ils comptent jusqu'à trois et doivent montrer leur main. Elle aura la forme du papier (main plate), d'une pierre (poing serré), de ciseaux (poing fermé, index et majeur tendus) ou d'un puits (pouce et index formant un rond).

Le papier l'emporte sur la pierre (il l'enveloppe) et le puits (il le bouche) mais les ciseaux le découpe. La pierre l'emporte sur les ciseaux (elle les brise). Le puits l'emporte sur les ciseaux (ils tombent au fond) et la pierre.

Quand un joueur l'emporte, il marque 1 point. Si les deux joueurs ont choisi le même élément, personne ne marque de point. Le vainqueur est celui qui arrive le premier à 15.

Sentez, sentez

4 à 12 joueurs

7 à 10 ans

Les joueurs sont assis en cercle. L'un d'eux demande à son voisin : « Voici mon bouquet. Sentez, sentez... Quelle fleur y mettez-

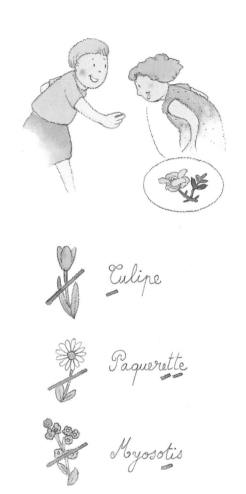

Sentez, sentez

vous ? » Celui-ci doit répondre par le nom d'une fleur dans lequel on ne trouve pas la lettre « t ».

Les rallonges

3 à 8 joueurs

8 à 12 ans

Il s'agit d'un exercice de mémoire. Les joueurs sont assis en cercle. L'un d'eux dit : « Je vends un petit bonhomme. » Le deuxième reprend : « Je vends la maison du petit bonhomme. » Le troisième dit à son tour : « Je vends la porte de la maison du petit bonhomme. »

Les lettres en chaîne

Le joueur qui oublie un élément de la phrase ou ne sait que répondre est éliminé. Le vainqueur est celui qui reste le dernier en jeu.

VARIANTES

Il existe différentes versions possibles pour ce jeu. Le premier joueur dit : « Je pars en voyage et dans ma valise j'emporte... un pyjama. » Le deuxième reprend : « Je pars en voyage et dans ma valise j'emporte un pyjama... et un jean. »

Le jeu se continue jusqu'à l'élimination de tous les joueurs sauf un.

Il est également possible de jouer en associant simplement des mots. Par exemple, le premier joueur dit : « cheval ». Le deuxième dira : « cheval... maison ». Le troisième dira : « cheval, maison ... pied ».

• • • • • • • • • • •

Où est-il ?

▥ **5 à 10 joueurs**

♟ **8 ans à 12 ans**

O n installe une chaise au milieu d'une pièce dégagée. Les joueurs restent contre le mur sauf un, qui s'assoit sur la chaise, les yeux bandés. Un des joueurs s'approche de celui qui a les yeux bandés en essayant de faire le moins de bruit possible et en retenant sa respiration. Le joueur masqué doit deviner de quel côté le joueur vient et montrer la direction qu'il suppose être juste. Il ne peut donner qu'une seule réponse. S'il se trompe, il restera sur sa chaise ; si la solution donnée est la bonne, celui qui s'est approché prend sa place.

VARIANTE

Ici, plusieurs joueurs s'approchent de celui aux yeux bandés et ce dernier doit deviner leur nombre. Les joueurs peuvent choisir de s'approcher en silence ou en faisant du bruit. Comme précédemment, s'il devine le bon nombre, il est remplacé par un des joueurs qui s'étaient approchés.

• •

Les lettres en chaîne

▥ **4 à 8 joueurs**

♟ **8 à 12 ans**

Les joueurs forment un cercle. Un premier joueur choisit une lettre.

Chacun des joueurs, à son tour, ajoute une lettre à la précédente de façon à former un mot, mais en évitant cependant de le terminer. Supposons, par exemple, que le premier joueur ait choisi la lettre « b ». Le deuxième ajoute la lettre « r » (pensant au mot bras) ; le troisième, la lettre « a ». Le quatrième joueur n'ajoutera pas un « s » (qui lui ferait terminer le mot), mais, par exemple, un « v » (en pensant à brave, bravo ou bravoure). En ajoutant une lettre, chaque joueur doit avoir un mot à l'esprit. Si le joueur suivant en doute, il peut mettre son prédécesseur au défi de révéler le mot auquel il pensait. Au besoin, on consulte un dictionnaire pour trancher tout litige. Si le joueur mis au défi avait un mot valable (figurant au dictionnaire), celui qui l'a défié reçoit 1 point de pénalité. Dans le cas contraire, c'est le joueur mis au défi qui prend le point. De même, tout joueur qui termine un mot reçoit 1 point de pénalité et on poursuit le jeu en choisissant une autre lettre. Lorsqu'un joueur a reçu 5 points de pénalité, il est éliminé. Le jeu continue jusqu'à ce qu'il ne reste plus qu'un joueur, le gagnant.

Si c'était...

6 à 12 joueurs

10 à 12 ans

Le meneur de jeu quitte la pièce pendant que les autres joueurs choisissent un personnage célèbre, réel ou fictif, vivant ou mort.

Revenu dans la pièce, le meneur de jeu pose tour à tour aux joueurs des questions portant sur des catégories, par exemple des couleurs, des animaux, des plantes, etc. Les questions sont formulées de la façon suivante : « Si c'était un... comment serait-il ? » Les joueurs doivent répondre par une phrase ou un adjectif qui s'applique également au personnage choisi et à la catégorie énoncée. Supposons, par exemple, que le personnage soit de Gaulle et que le meneur de jeu ait posé la question : « Si c'était un arbre, comment serait-il ? » on pourrait répondre en utilisant les adjectifs « grand », « haut » ou « majestueux ». En accumulant les indices, le meneur de jeu doit finir par découvrir l'identité du personnage.

Rivière, rive, rivage

6 à 30 joueurs

6 à 10 ans

Trois lignes parallèles sont tracées sur le sol. Elles délimitent la rivière, la rive et le rivage.

Le meneur donne des ordres sur un rythme rapide : « Rive, rivière, rivage ! » ou « Rivière, rivage, rive ! » etc. Les joueurs doivent obéir sans hésiter à ces ordres et rejoindre l'endroit indiqué. Ceux qui se trompent ainsi que le dernier à exécuter l'ordre sont éliminés. Le dernier resté en jeu gagne.

Si c'était...

Le téléphone arabe

L'avalanche de mots

6 à 12 joueurs

8 à 10 ans

Les joueurs s'assoient en cercle. Le meneur de jeu désigne l'un d'entre eux et annonce une lettre.

Le joueur désigné a exactement 1 minute pour dire le plus grand nombre de mots possible commençant par la lettre annoncée. Le meneur de jeu s'occupe du chronométrage, tandis que les joueurs comptent les mots. Les noms propres sont interdits et, bien entendu, le même mot ne peut servir deux fois. Le meneur de jeu propose ainsi, tour à tour, une lettre différente à chaque joueur, en écartant cependant les quatre dernières lettres de l'alphabet, qui sont trop difficiles à placer. Le joueur qui trouve le plus de mots gagne le concours. Ce jeu n'est pas aussi facile qu'il en a l'air, car la tension qui l'accompagne peut faire oublier au joueur jusqu'aux mots les plus simples.

VARIANTE
Dans Le voyageur, le meneur de jeu nomme des villes ou des pays. Désignant un joueur, il dit par exemple : « Je vais à Paris. » Le joueur désigné a 5 secondes pour trouver trois mots commençant par la lettre P. S'il réussit, le meneur de jeu passe au joueur suivant ; autrement, ils changent de rôle.

Le téléphone arabe

6 à 20 joueurs

7 à 10 ans

Les joueurs s'assoient en rond. L'animateur, qui est assis parmi eux, chuchote à l'oreille de son voisin de droite une nouvelle qu'il a par ailleurs écrite sur un bout de papier. Il peut s'agir, par exemple, d'un accident, d'un mariage, d'un décès ou d'un événement international. La nouvelle doit comporter des détails précis : noms, date, lieu, heure, etc.

Chaque joueur, après avoir appris la nouvelle, la transmet de la même façon à son voisin de droite. Le dernier joueur du cercle (le voisin de gauche de l'animateur), son tour venu, se lève et annonce la nouvelle telle qu'il l'a perçue. L'animateur se lève ensuite et la lit telle qu'il l'avait écrite. Il est amusant et instructif de constater à quel point les deux peuvent différer.

Animal, végétal ou minéral

4 à 12 joueurs

8 à 10 ans

Le meneur de jeu choisit un sujet et indique simplement aux autres joueurs si ce sujet est

animal (ce qui comprend les humains et les produits d'origine animale, comme la viande, la fourrure ou les œufs), végétal (ce qui englobe toutes les plantes et les produits qui en dérivent, comme les céréales et le bois) ou minéral (ce qui comprend notamment le verre et les métaux).

Les autres joueurs doivent trouver le sujet en posant, tour à tour, des questions auxquelles le meneur de jeu répond par oui, par non ou par quelquefois. Il n'y a pas de limite au nombre de questions permises. Le jeu se poursuit jusqu'à ce que l'un des joueurs trouve la solution et choisisse un nouveau sujet.

VARIANTE

Le même jeu peut se faire en inversant les rôles. Ce sont les joueurs qui choisissent un mot en l'absence du meneur de jeu. Lorsqu'il est revenu, ils lui indiquent si le sujet est du règne animal, végétal ou minéral. Le meneur de jeu a 10 minutes pour trouver le sujet en posant des questions. Qu'il réussisse ou non, il cède ensuite sa place à un autre joueur.

• • • • • • • • • • • • • • • • • •
L'histoire à suivre

▦▦ **4 à 10 joueurs**

♙♙ **8 à 12 ans**

L'animateur commence à raconter une histoire au groupe de joueurs.

À un moment particulièrement palpitant, l'animateur s'arrête et désigne un des joueurs, qui doit poursuivre l'histoire en imaginant de nouveaux événements et des personnages au besoin. Après quelques minutes, l'animateur désigne encore un autre joueur, qui doit enchaîner à son tour. Le jeu continue ainsi jusqu'à ce que chacun ait apporté un élément nouveau au récit, le dernier joueur étant chargé d'inventer la conclusion de l'histoire.

• • • • • • • • • • • • • • • • • •
La charade mimée

▦▦ **4 à 30 joueurs**

♙♙ **8 à 10 ans**

Il s'agit pour un des joueurs, qu'on appelle l'acteur, de mimer un message aux autres qui doivent le deviner. On choisit généralement le titre d'un livre ou d'une chanson, le nom d'un personnage célèbre, ou un proverbe… Pour aider son public, l'acteur se sert de certains signes conventionnels. Ainsi, avant de procéder au mime, il donnera aux spectateurs des indices :

TITRE D'UN LIVRE	Faire semblant de lire
TITRE D'UNE CHANSON	Faire semblant de chanter
PROVERBE OU CITATION BIEN CONNUS	Tendre deux doigts de chaque main (pour représenter des guillemets)

La charade mimée

La charade mimée

| TITRE D'UN FILM | Tourner la manivelle d'une caméra imaginaire |
| NOM D'UN PERSONNAGE CÉLÈBRE | Glisser une main sous sa chemise en pliant le bras (allusion à Napoléon) |

Après cette première indication, l'acteur montre avec ses doigts le nombre de mots que contient le message. Il indique ensuite s'il va mimer l'ensemble du message, en dessinant un cercle avec ses deux mains, ou s'il va illustrer d'abord un des mots du message, auquel cas il indique avec ses doigts la place du mot dans la phrase. Il peut aussi mimer une à une les syllabes d'un mot. Il commence par indiquer de quel mot il s'agit, il étend alors ses doigts sur son poignet pour indiquer le nombre de syllabes que le mot contient, puis la place de celle qu'il va mimer. On peut inventer diverses conventions : le pouce tendu peut vouloir dire que le mot à trouver est court, un article par exemple. En se tirant l'oreille, l'acteur indiquera que, phonétiquement, le mot ressemble à celui qu'il va mimer. Par un geste brusque de la main (comme pour couper), il indique que le mot exact est une forme raccourcie de celui qu'un spectateur vient de proposer. En écartant les mains, il signale le contraire. Tous ces signes sont généralement admis et font même partie du jeu.

La charade mimée simple

Un des joueurs mime devant les autres un mot, un proverbe, le titre d'un film ou celui d'un livre ou d'une chanson de son choix. Les autres joueurs cherchent la solution. Le premier qui la trouve prend sa place et mime un sujet de son choix.

VARIANTE

Le joueur mime une charade proposée par un des participants.

Les ambassadeurs

Les joueurs se divisent en deux équipes égales ; chacune établit autant de sujets à mimer qu'il y a de joueurs dans l'équipe adverse et les écrit sur des billets. L'ambassadeur d'une équipe vient chercher un sujet qui lui est imposé par ses adversaires. Puis il retourne mimer sa charade devant son équipe, sans perdre de temps car sa performance est soigneusement chronométrée. Dès qu'une équipe a trouvé la solution d'une charade, on note le temps écoulé et c'est alors à l'autre équipe d'envoyer un ambassadeur. Quand tous les joueurs ont passé leur tour, on additionne les temps respectifs de chaque équipe, et celle qui a été la plus rapide est bien sûr déclarée gagnante.

La course aux charades

Les joueurs forment deux équipes égales. Chaque équipe invente 10 charades et les écrit sur autant de billets, qui sont déposés dans une boîte. Les deux équipes font l'échange des boîtes, de façon à ce que chacune ait à résoudre les charades rédigées par l'autre. Simultanément, un membre de chacune des équipes tire un billet et mime la charade proposée devant son équipe. Dès qu'elle a résolu une charade, chaque équipe charge un autre de ses membres d'en tirer une nouvelle. L'équipe qui résout en premier ses 10 charades gagne la course.

Les charades messieurs-dames

Les joueurs forment deux équipes : celle des messieurs et celle des dames. La première choisit une série d'hommes célèbres. Les dames en font autant, mais en prenant comme sujets des femmes célèbres. Les deux équipes échangent leurs charades. Chaque joueur doit mimer un personnage du sexe opposé devant son équipe, qui doit l'identifier.

Le mot gigogne

Les charades en équipes

Les joueurs se divisent en trois équipes ou plus. Chaque équipe invente une série de charades, qu'elle passe aux autres équipes. Les équipes (au complet) se regroupent à l'écart pour préparer leurs mimes. Tour à tour, elles viennent ensuite mimer les charades qui leur ont été confiées devant les autres équipes. Celles-ci doivent trouver la solution, à l'exception évidemment de l'équipe qui a conçu les charades.

Les charades à la ronde

Les joueurs forment un cercle. Chaque joueur écrit un sujet de charade, qu'il passe à son voisin de droite. Ensuite les joueurs, tour à tour, miment devant le groupe les charades qui leur ont été confiées. Celui qui réussit à faire trouver le plus rapidement la solution de sa charade gagne le concours.

Les charades à relais

Les joueurs se divisent en deux équipes égales. Le meneur de jeu écrit sur des billets deux séries semblables de charades. Un joueur de chaque équipe vient chercher un billet puis retourne mimer sa charade devant les siens. Dès qu'une équipe a trouvé la solution, elle envoie un autre de ses membres chercher un nouveau billet. La première équipe qui a résolu l'ensemble des charades figurant sur la liste (une par joueur) est déclarée gagnante.

JEUX DE VOCABULAIRE

. . . .

Le mot gigogne

▦ **2 à 30 joueurs**

🖍 **8 à 10 ans**

On propose aux joueurs un mot assez long (par exemple matrone), qui contient au moins deux ou trois voyelles. Au signal du meneur de jeu, chacun écrit sur une feuille de papier tous les mots auxquels il peut penser qui sont formés avec les lettres du mot-clé. Le gagnant est celui qui en trouve le plus en 5 minutes. Ainsi, avec le mot matrone, il est possible de former un grand nombre de noms communs : mat, mot, âne, trame, morne, arôme, trône, montre… et des noms propres : Tarn, Marne, Rome… Compte tenu de l'âge des joueurs, on appliquera le règlement de façon assez souple, en acceptant par exemple les articles, les conjonctions, les pluriels et les termes d'argot.

VARIANTES

Si les joueurs sont plus grands, on rend le jeu plus difficile en les obligeant à former des mots d'au moins quatre ou cinq lettres. Il est interdit, bien sûr, d'employer une lettre plus de fois qu'elle ne figure dans le mot-clé. De même, on peut refuser les pluriels en « s », les noms propres, les pronoms, les articles et les conjonctions. Au bout du temps prévu, chaque joueur lit sa liste de mots. Les mots trouvés par plusieurs joueurs sont considérés comme nuls, les joueurs marquant autant de points qu'ils ont trouvé de mots originaux.

La pyramide de mots

2 à 8 joueurs

6 à 10 ans

Les joueurs commencent par recopier le dessin d'une pyramide, les cases étant toutes vides. Lorsque le meneur de jeu donne le signal, tous les joueurs doivent remplir la pyramide en y inscrivant, à chaque étage, un mot comptant autant de lettres qu'il y a de cases. Le gagnant est celui qui termine le premier. Pour rendre le jeu plus instructif, on peut demander au gagnant d'expliquer le sens des mots qu'il a utilisés. S'il a des difficultés, on fera appel à ses camarades.

Les mots à la paire

2 à 10 joueurs

8 à 12 ans

Deux joueurs vont au tableau noir. Le meneur de jeu leur propose un mot. Il s'agit alors de trouver un autre mot généralement associé au premier dans quelques expressions d'usage courant. Par exemple : jour et nuit, poivre et sel, tôt et tard… Le premier joueur qui trouve un mot acceptable et l'écrit correctement marque 1 point. Le jeu peut se jouer individuellement ou en équipes.

Les synonymes

2 à 30 joueurs

8 à 12 ans

Le meneur de jeu lit une liste de mots que les joueurs écrivent sur des feuilles de

Les mots à la paire

Les synonymes

papier. Au signal convenu, les joueurs doivent écrire un synonyme à côté de chaque mot. On acceptera tout terme dont le sens est à peu près semblable à celui du mot-clé. Par exemple, pour maison, on acceptera logis, logement, habitation, foyer, résidence, etc. Une fois le temps prévu écoulé, les joueurs additionnent le nombre de lettres de ceux de leurs synonymes qui ont été jugés acceptables. Le gagnant est celui qui en a le plus. Il est à noter que ce sont les lettres qui comptent et non les mots.

VARIANTES

Pour les enfants de 11 ou 12 ans, on exigera qu'ils trouvent le plus grand nombre possible de synonymes pour chaque mot-clé. Et dans ce cas, ce sont les mots que l'on comptabilisera et non pas les lettres, le gagnant étant celui qui en a trouvé le plus. Par ailleurs, le jeu peut faire l'objet d'un concours par équipes. On donne la même liste à toutes les équipes. Les joueurs de chaque équipe se consultent et, au bout de 5 minutes, remettent leur liste au meneur de jeu. L'équipe gagnante est celle qui a trouvé le plus grand nombre de synonymes.

La régate

4 à 10 joueurs

8 à 11 ans

Chaque joueur se découpe un petit bateau dans du carton. Sur le tableau noir ou sur un panneau de carton, le meneur de jeu des-sine une grille et écrit deux consonnes au sommet de chaque colonne. Il demande à deux joueurs de venir au tableau, où chacun fixe son bateau (avec du ruban adhésif ou des punaises) dans l'une des deux premières cases de la colonne de gauche ; on demande au plus grand des joueurs d'occuper la case du haut. Au signal du meneur de jeu, les joueurs doivent écrire au bas de la colonne un mot qui commence par les deux consonnes indiquées, ce qui leur permet de faire passer leur bateau dans la case suivante. Le premier joueur dont le bateau a traversé la grille gagne la course.

La course au tableau noir

8 à 20 joueurs

7 à 12 ans

Les joueurs se divisent en deux équipes et vont se placer en file indienne derrière la ligne de départ, à environ 5 mètres du tableau noir. Le meneur de jeu propose un mot. Aussitôt, le premier joueur de chaque file se rend à cloche-pied au tableau, où il écrit le mot proposé, puis il revient à la ligne de départ de la même façon.

Celui qui termine son parcours le premier marque 1 point pour son équipe, à condition, bien entendu, de n'avoir pas fait de fautes d'orthographe. Le meneur de jeu propose alors un autre mot aux deux joueurs suivants, et ainsi de suite jusqu'à ce que tous les joueurs aient eu leur tour. L'équipe gagnante est celle qui

Le concours de phrases

marque le plus de points. À chaque nouveau mot, le meneur de jeu peut exiger des joueurs qu'ils fassent le parcours différemment : à pieds joints, en zigzag, à reculons, à quatre pattes, etc.

. . . .

Les mots croisés par catégorie

🁢 **2 à 20 joueurs**

👪 **11 à 12 ans**

Les joueurs dessinent sur des feuilles de papier des grilles composées de cinq ou six rangées de cases verticales et de cinq ou six rangées de cases horizontales. Au-dessus des colonnes verticales (sauf la première), on inscrit un nom désignant une catégorie d'objets ou de personnes : végétaux, animaux, automobiles, écrivains, pays, métiers, couleurs, etc. Dans la première colonne, on inscrit un mot-clé à raison d'une lettre par case. Au signal convenu, les joueurs s'efforcent de remplir les cases en inscrivant dans chacune un mot qui commence par la lettre de la colonne de gauche, mais qui appartient à la catégorie correspondant à chaque colonne verticale. Au bout de 5 minutes, les joueurs lisent leur liste de mots.

Chaque mot valable qu'aucun autre joueur n'a utilisé rapporte 2 points. Les mots utilisés par plusieurs joueurs valent 1 point. Le gagnant est, bien sûr, celui qui obtient le plus de points.

VARIANTES

Le jeu peut faire l'objet d'un concours entre équipes. Les joueurs de chaque équipe se consultent. Quand le temps prévu est écoulé, on compare les grilles des diverses équipes : celle qui marque le plus de points gagne le concours. Enfin, on peut échanger les grilles : chaque joueur choisit un mot-clé et ses propres catégories ; il établit une grille en conséquence et la passe à son voisin. Il doit, en retour, remplir une grille établie par son autre voisin.

. . . .

Le concours de phrases

🁢 **2 à 20 joueurs**

👪 **9 à 12 ans**

Le meneur de jeu écrit au tableau une liste d'une quinzaine de mots, comprenant des articles, des adjectifs, des substantifs et des verbes. En n'utilisant que les mots proposés, les joueurs doivent composer des phrases qu'ils écrivent sur des feuilles de papier. Au bout de 10 minutes, le joueur qui a composé le plus de phrases est déclaré gagnant. Dans le cas des verbes, on peut les employer sous d'autres formes que celle indiquée au tableau.

De la tête à la queue

🏠 **4 à 30 joueurs**

🕯 **8 à 12 ans**

De la tête à la queue

Les joueurs vont au tableau ou, s'ils sont nombreux, s'assoient sur des chaises avec du papier et des crayons. Le meneur de jeu leur propose deux lettres. Il s'agit de trouver le plus de mots possible qui commencent par la première lettre et se terminent par la seconde. Par exemple, les lettres « t » et « r » pourraient donner notamment tir, tour, trésor ou terrier. Au bout de 3 minutes, le joueur qui a écrit le plus grand nombre de mots, sans faire de fautes d'orthographe, est déclaré gagnant. Le jeu peut se jouer individuellement ou par équipe. La formule reste la même, mais à chaque tour le gagnant marque 1 point pour son équipe. Quand tous les joueurs ont eu leur tour, l'équipe qui a accumulé le plus de points est déclarée gagnante.

La course aux phrases

🏠 **10 à 20 joueurs**

🕯 **8 à 12 ans**

Les joueurs forment deux équipes et se placent en file indienne derrière la ligne de départ, à environ 3 mètres du tableau noir. Au signal du meneur de jeu, le premier joueur de chaque équipe court au tableau, où il écrit un premier mot. À son retour, le joueur suivant court au tableau ajouter un mot. Le but est de former une phrase contenant autant de mots (les articles ne comptent pas) que de joueurs dans une équipe. Le dernier joueur de chaque équipe lit la phrase et au besoin corrige les fautes. L'équipe qui termine la première, sans fautes d'orthographe, gagne la course.

La course aux mots

🏠 **10 à 30 joueurs**

🕯 **7 à 10 ans**

Après avoir formé des équipes, les joueurs reçoivent chacun une carte sur laquelle est écrite une lettre. Toutes les équipes ont les mêmes lettres. Avec les lettres qu'elle a reçues, chaque équipe doit former des mots d'au moins trois lettres, qu'un des joueurs de l'équipe consigne sur une feuille de papier. On peut réutiliser les lettres d'un mot précédent. Au bout de 5 minutes, l'équipe qui a trouvé le plus de mots gagne la partie. Les mots contenant des fautes d'orthographe ne comptent pas.

La course aux lettres

🏠 **10 à 30 joueurs**

🕯 **8 à 10 ans**

Les joueurs forment des équipes égales et se mettent en file indienne derrière la ligne de départ. À 3 mètres devant eux, on place une table sur laquelle se trouvent autant de jeux de cartes qu'il y a d'équipes. Chaque jeu comporte 26 cartes – fabriquées par les enfants par exemple – : une pour chaque lettre de l'alphabet. Les cartes de chaque jeu ont été soigneusement mélangées. Le meneur de jeu propose un mot d'au moins quatre lettres : train, roux, maison, cheval… À son signal, le premier joueur de chaque équipe court jusqu'à la table, où il doit trouver dans la pile de son équipe la carte portant la première lettre du mot. Il revient alors à la ligne de départ et se place devant son équipe en tenant la carte contre sa poitrine. Le deuxième joueur va à son tour chercher la deuxième lettre du mot et vient se placer à côté de son camarade ; le jeu continue ainsi jusqu'à ce que le mot soit entièrement formé. La première équipe qui compose le mot sans erreurs gagne un point. Le meneur de jeu récupère les cartes, les replace dans leur paquet et les mêle. Le jeu recommence avec un autre mot, les joueurs qui ont pris des cartes au premier tour allant se placer en queue de file. L'équipe gagnante est la première qui marque un nombre de points convenu : 5 ou 6, par exemple. Le meneur de jeu devra éviter tout mot où il y a répétition de lettre, tel que le mot appel, puisqu'il n'y a dans les piles qu'une seule carte pour chaque lettre de l'alphabet. Ce jeu peut paraître complexe mais, s'il est bien mené, il peut être très amusant.

Les mots-clés

4 à 30 joueurs

9 à 12 ans

Le meneur de jeu écrit au tableau une série de mots de trois lettres, que les joueurs recopient sur des feuilles de papier, en n'écrivant qu'un mot par ligne. Au signal convenu, ils composent d'autres mots qui englobent les mots-clés, en y ajoutant des préfixes, des suffixes ou d'autres lettres. Ainsi, le mot « fil » peut donner file, profile, enfiler, fils, etc. ; à partir du mot « mer », on peut composer amer, méridien, merlan, outremer, etc. Le gagnant est celui qui a trouvé le plus de mots au bout de 5 minutes. On peut aussi organiser des concours entre équipes. Chacune a un mot-clé et les joueurs viennent tour à tour écrire un mot au tableau.

Le concours d'orthographe

10 à 20 joueurs

7 à 12 ans

Les joueurs se divisent en deux équipes égales et forment deux lignes, se faisant

Les mots-clés

face. Le meneur de jeu propose un mot. Le premier joueur de l'équipe n° 1 doit l'épeler. S'il ne fait aucune erreur, il marque 1 point pour son équipe et le meneur de jeu propose un autre mot au premier joueur de l'équipe n° 2. En revanche, s'il commet une faute, le mot est soumis au premier joueur de l'équipe n° 2, qui gagne 1 point s'il l'épelle correctement. On passe ensuite au deuxième joueur de chaque équipe, et ainsi de suite. Chaque fois qu'un joueur a eu son tour, il va se placer au bout de sa ligne. L'équipe gagnante est celle qui a marqué le plus de points. Bien entendu, le meneur de jeu choisira les mots en fonction de l'âge des joueurs.

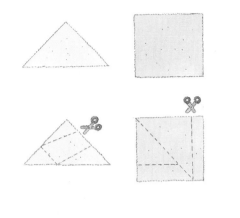

JEUX MATHÉMATIQUES

Les combinaisons de formes

🎭 **2 à 30 joueurs**

👶 **6 à 8 ans**

Les combinaisons de formes

O n découpe dans du carton des formes variées de couleurs différentes : rectangles, triangles, carrés, etc. Puis on divise chaque pièce en plusieurs éléments. Au signal donné, les joueurs doivent reconstituer les formes initiales en assemblant les éléments. On peut aussi demander à chaque joueur de découper lui-même les formes et les éléments qu'un autre devra assembler.

Le carré de quinze

🎭 **2 à 30 joueurs**

👶 **8 à 12 ans**

O n demande aux joueurs de dessiner un carré d'une dizaine de centimètres de côté, qu'ils divisent ensuite en neuf cases. Ils doivent alors remplir les cases en y inscrivant les chiffres 1, 2, 3, 4, 5, 6, 7, 8 et 9 de façon à ce que le total de chaque rangée (horizontale, verticale et diagonale) soit 15. Tous les chiffres doivent être utilisés et aucun ne peut être répété. Si les joueurs ne trouvent pas la solution, le meneur de jeu leur suggérera de placer le chiffre 5 au milieu du carré et ensuite, si les enfants ne trouvent toujours pas, il indiquera que l'addition des chiffres situés aux extrêmes de chaque diagonale, et des rangées verticale et horizontale qui passent par le 5, doit donner la somme de 10. À partir de ces données, les joueurs ne tarderont pas à trouver la solution.

Les cercles de trente

🎭 **2 à 30 joueurs**

👶 **9 à 12 ans**

O n demande aux joueurs de dessiner sur une feuille de papier trois rangées de trois cercles, puis d'inscrire dans les cercles les nombres pairs de 2 à 18 inclus (soit 2, 4, 6, 8, 10, 12, 14, 16 et 18) de façon à ce que le total de chaque rangée (horizontale, verticale et diagonale) donne 30. Tous les nombres doivent être utilisés, mais aucun ne doit être répété. La clé du problème est de placer le nombre 10 au centre. Si les joueurs ne la découvrent pas, il suffit généralement de la leur donner pour qu'ils trouvent rapidement la solution.

● ●

Le tic-tac-to arithmétique

🏅 **2 à 6 joueurs**

🕯 **8 à 12 ans**

Le tic-tac-to arithmétique

Le meneur de jeu dessine sur le tableau une grille de tic-tac-to (deux lignes horizontales et deux verticales). Les joueurs se divisent en deux équipes : celle des X et celle des O. Les joueurs des deux équipes, alternativement, doivent résoudre tour à tour les problèmes d'arithmétique que leur pose le meneur de jeu. Chaque fois qu'un joueur donne une bonne réponse, il inscrit dans la grille un X ou un O, selon le cas. En revanche, il n'inscrit rien s'il donne une mauvaise réponse ou ne peut en donner. La première équipe qui remplit une ran-

gée horizontale, verticale ou diagonale de trois X ou de trois O gagne la partie.

● ●

Le tigre et l'agneau

🏅 **4 à 12 joueurs**

🕯 **6 à 12 ans**

Le meneur de jeu dessine au bas du tableau un agneau attaché à des piquets par cinq cordes, au haut du tableau un tigre menaçant et, entre les deux, cinq clôtures que le tigre doit sauter pour pouvoir dévorer l'agneau. Les joueurs se divisent en deux équipes : celle du tigre et celle de l'agneau. Le meneur de jeu pose alternativement à chaque joueur des deux équipes un problème d'arithmétique. Quand un agneau donne la bonne réponse, on efface une des cordes qui retiennent la bête. De même, chaque fois qu'un membre de l'équipe du tigre résout un problème on enlève une des clôtures. Il s'agit de savoir si le tigre arrivera à sauter toutes les clôtures avant que l'agneau se soit libéré de ses entraves. En ce cas, il le mange. Autrement, c'est l'agneau qui gagne la partie. On peut, bien entendu, remplacer les problèmes d'arithmétique par des questions portant sur d'autres domaines, comme l'orthographe, la géographie, l'histoire, etc.

● ●

Le football au tableau

🏅 **2 à 10 joueurs**

🕯 **9 à 12 ans**

Les joueurs se divisent en deux camps ; chaque camp prend le nom d'une équipe de football. Le meneur de jeu dessine au tableau un terrain de football avec des lignes aux 10 mètres. Il dessine aussi le ballon, qu'il place sur la ligne des 50 mètres. Il rédige ensuite sur des feuilles de papier des questions qu'il divise en trois catégories selon leur degré de difficulté. Les plus simples valent 10 mètres, les plus difficiles, 30 mètres, les autres, 20 mètres. Pour mettre le ballon en jeu, le premier joueur d'une des équipes prend une question. S'il y répond, il avance le ballon du nombre de mètres correspondant. Chaque équipe a droit à trois questions de suite : si elle répond à toutes et marque un but, cela lui vaut 6 points. L'équipe adverse s'empare alors du ballon, que l'on replace sur la ligne des 50 mètres. Lorsqu'une équipe donne une mauvaise réponse ou ne marque pas de but après trois questions, le ballon est remis sur la ligne des 50 mètres. L'équipe qui a marqué le plus de points au bout de 10 minutes gagne la partie. Le jeu peut se jouer à deux.

Les dimensions

![icon] **4 à 30 joueurs**

![icon] **6 à 8 ans**

Les dimensions

L e jeu a pour but d'habituer les enfants à observer les objets qui les entourent et de leur faire acquérir le sens des proportions. On donne donc aux joueurs des crayons et du papier et on leur demande de dessiner :
– Un cercle de la grosseur d'un bouton de manteau.
– Une ligne droite de la longueur d'un crayon neuf.
– Un rectangle des dimensions d'une carte à jouer.
– Un rectangle des dimensions d'une boîte d'allumettes.
– Un rectangle de la grosseur d'un timbre-poste.
– Une ligne droite de la longueur d'une fourchette, etc.

Si l'objet proposé peut prendre des dimensions variables, comme dans le cas du timbre-poste, on en montrera un spécimen aux joueurs pendant quelques instants. Les joueurs ont ensuite 4 ou 5 minutes pour faire leurs dessins, que l'on comparera aux objets proposés, le gagnant étant celui qui a le plus grand nombre de dessins jugés valables.

La boîte aux problèmes

![icon] **8 à 20 joueurs**

![icon] **9 à 12 ans**

D ivisés en deux équipes, les joueurs se placent en file indienne derrière la ligne de départ. Sur la ligne d'arrivée, à 5 mètres de là, on place une boîte de carton devant chacune des équipes. On donne à chaque joueur une feuille de papier pliée sur laquelle est écrit un problème de mathématique (équation algébrique, addition, multiplication, division, etc.). Les premiers joueurs de chaque équipe ont le même problème à résoudre, tout comme les deuxièmes joueurs, et ainsi de suite. Les joueurs ne doivent déplier leur feuille que lorsque leur tour est venu. Au signal du meneur de jeu, les deux premiers joueurs lisent leur problème, s'efforcent de le résoudre et écrivent la solution sur leur feuille. Ils passent alors leur crayon aux joueurs suivants, courent déposer leur feuille dans la boîte et reviennent se placer en queue de leur file. Pendant ce temps, le deuxième joueur résout son problème, puis va déposer sa solution dans la boîte, et ainsi de suite. Chaque bonne réponse vaut 5 points et l'équipe qui termine en premier marque 3 points supplémentaires. L'équipe gagnante est celle qui a marqué le plus de points.

Le jeu peut faire l'objet d'un concours individuel : il suffit alors de donner plusieurs problèmes à chaque joueur.

Le dessin aveugle

Le dessin aveugle

🎴 **3 à 11 joueurs**

✏️ **6 à 10 ans**

L es joueurs ayant les yeux bandés, on place devant chacun d'eux une feuille de papier, un crayon et deux morceaux de carton ou de bois de formes différentes mais relativement simples. On leur donne alors une minute pour tâter les morceaux, puis le meneur de jeu les reprend et les joueurs ôtent leur bandeau. Ils ont 2 minutes pour dessiner, de mémoire et d'après leur perception, la forme des cartons. Le gagnant est celui dont les dessins sont les plus justes.

Les mesures

🎴 **3 à 21 joueurs**

✏️ **8 à 12 ans**

L e meneur de jeu montre aux joueurs divers objets, l'un après l'autre, pendant quelques instants. Les joueurs doivent mesurer de l'œil chaque objet et écrire leur évaluation sur une feuille de papier. Le meneur de jeu peut demander par exemple d'évaluer la circonférence d'une balle de tennis ou son diamètre, les dimensions d'un livre, la capacité d'une boîte ou d'un vase. Quand il a montré tous les objets, les joueurs font part de leurs évaluations. Dans chaque cas, le joueur dont l'évaluation est la plus juste marque 1 point. Celui qui obtient le plus de points est déclaré gagnant. Bien entendu, le jeu peut se faire aussi entre équipes, dont les joueurs se consultent.

Les problèmes à la cible

🎴 **3 à 11 joueurs**

✏️ **8 à 12 ans**

L e meneur de jeu dessine au tableau une cible constituée de quatre ou cinq cercles concentriques. Dans chaque cercle, il écrit un problème arithmétique. Les problèmes deviennent de plus en plus difficiles à mesure que l'on s'éloigne du centre. Les joueurs se placent derrière une ligne de tir, à environ 3 mètres du tableau noir. Chaque joueur, à son tour, lance sur la cible une boule d'argile ou de pâte à modeler. Il doit alors résoudre le problème écrit dans le cercle où le projectile est arrivé. S'il réussit, il gagne un point et le meneur de jeu efface le problème pour le remplacer par un autre de difficulté égale. Au bout d'un certain nombre de tours, le joueur qui a le plus de points est déclaré gagnant. Il est évident que plus un lanceur est adroit, plus ses problèmes sont faciles à résoudre.

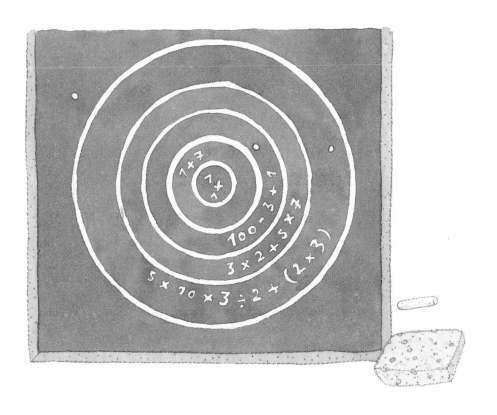

Les problèmes à la cible

La course à l'addition

10 à 20 joueurs

8 à 10 ans

L es joueurs forment deux équipes et se placent derrière la ligne de départ, à environ 5 mètres du tableau noir. Au signal du meneur de jeu, le premier joueur de chaque équipe court au tableau et y écrit un nombre de deux ou trois chiffres, selon ce qui a été décidé. Le deuxième joueur en fait ensuite autant, écrivant son nombre au-dessous du premier, et ainsi de suite jusqu'à ce que tous les joueurs aient eu leur tour. Le dernier joueur de chaque équipe, cependant, n'inscrit pas de nombre mais fait la somme de ceux de son équipe. L'équipe qui termine en premier gagne la course, à condition, bien entendu, de ne pas faire d'erreurs.

Les objets mystères

6 à 12 joueurs

6 à 12 ans

L e jeu se joue dans une pièce où il y a un grand nombre d'objets de formes et de dimensions variées. On demande à l'un des joueurs, le chercheur, de sortir. Les autres s'assoient en rond sur le plancher et choisissent un objet (vase, tapis, tableau, lampe, etc.) que le chercheur devra découvrir en posant des questions sur sa forme et ses dimensions. (Plus les joueurs sont jeunes, plus on s'en tiendra à des objets faciles à identifier.) Une fois rappelé, le chercheur a droit à 15 questions, portant toutes sur la forme et les dimensions de l'objet mystérieux. Il peut demander, par exemple : « Est-ce carré ? », « Est-ce rond ? », « Est-ce plus long que large ? », « Est-ce de forme géométrique ? » Quand le chercheur a identifié l'objet ou posé ses 15 questions sans résultat, on désigne un autre chercheur et on choisit un autre objet. Le jeu se poursuit jusqu'à ce que chaque joueur ait eu son tour pour deviner un objet mystérieux.

JEUX GÉOGRAPHIQUES

La ronde géographique

6 à 12 joueurs

8 à 12 ans

L es joueurs s'assoient en rond. Un premier donne le nom d'un lieu géographique (ville, province ou pays). Le joueur suivant doit enchaîner en donnant le nom d'un autre lieu commençant par la même lettre que celle qui termine le nom géographique annoncé par le premier joueur, et ainsi de suite. Par exemple :

Premier joueur   AUSTRALIE
Deuxième joueur   EDMONTON
Troisième joueur   NEW YORK
Quatrième joueur   KENYA
Cinquième joueur   AMSTERDAM

La ronde géographique

Tout joueur qui ne trouve pas de réponse en 30 secondes récolte 1 point de pénalité. Le jeu se poursuit pendant 5 minutes, après quoi le joueur qui a le moins de points est déclaré gagnant. Il sera sans doute utile de se munir d'un atlas ou d'un dictionnaire pour régler tout différend.

Les villes décomposées

🏛 **7 à 13 joueurs**

👥 **8 à 12 ans**

L es joueurs se divisent en deux équipes qui vont s'asseoir chacune à un bout de la pièce. Le meneur de jeu donne à chaque équipe une feuille où sont écrits les noms de 10 villes d'Amérique du Nord et d'Europe, l'ordre des lettres ayant été modifié. Par exemple :

CÉQUEB	QUÉBEC
NÉTROLAM	MONTRÉAL
GOACHIC	CHICAGO
ONTROTO	TORONTO
SIRPA	PARIS
NERLIB	BERLIN
WEN ROYK	NEW YORK
DRONLES	LONDRES
POUADE	PADOUE

Au signal du meneur de jeu, chaque équipe s'applique à reconstituer les noms des villes et charge l'un de ses membres de les écrire sur une feuille de papier. L'équipe gagnante est celle qui termine la première. On peut demander aussi aux équipes d'indiquer dans quel pays se trouve chaque ville.

Les capitales

🏛 **4 à 12 joueurs**

👥 **7 à 11 ans**

L e meneur de jeu dresse une liste de pays en indiquant pour chaque pays trois villes, dont une est la capitale. Pendant qu'il donne lecture de la liste, les joueurs (individuellement ou par équipes) écrivent le nom de chaque pays et de sa capitale. Par exemple :

ITALIE	Rome, Florence, Venise
JAPON	Tokyo, Kyoto, Yokohama
POLOGNE	Cracovie, Lodz, Varsovie
BOLIVIE	Sucre, La Paz, Potosi

Le meneur de jeu donne ensuite les bonnes réponses. L'équipe ou le joueur qui en a le plus gagne l'épreuve.

VARIANTES

Pour rendre le jeu plus difficile, le meneur de jeu peut ne donner que le nom des pays et demander aux joueurs d'en indiquer la capitale. Les joueurs doivent alors se fier uniquement à leur mémoire. On peut aussi remplacer les pays par exemple par les départements français ou les provinces canadiennes.

UN PEU D'IMAGINATION

Je pars en voyage

🏛 **6 à 14 joueurs**

👥 **8 à 12 ans**

L es joueurs s'assoient en cercle. L'un d'eux dit : « Je pars en voyage et j'emporte… » Au lieu de nommer l'objet en cause, il en mime l'emploi. Ce peut être, par exemple, un peigne, une

Je pars en voyage

raquette de tennis, une guitare, ou tout autre article d'usage courant. Son voisin reprend la même phrase, répète le geste et ajoute un deuxième objet, et ainsi de suite. Chaque joueur doit répéter, dans l'ordre où ils ont été exécutés tous les gestes de ses prédécesseurs. Le jeu devient de plus en plus difficile à mesure que la liste s'allonge. Le dernier joueur à avoir mimé tous les objets sans erreurs est déclaré gagnant.

Les métiers

6 à 20 joueurs

6 à 12 ans

Les joueurs forment deux ou trois équipes. Le meneur de jeu appelle un joueur de chaque équipe et donne à chacun tout bas le nom d'un même métier. Les joueurs retournent mimer le métier en question devant leurs équipes respectives. Ils doivent s'en tenir aux gestes. (Le meneur de jeu prendra soin de choisir des métiers faciles à illustrer, comme médecin ou menuisier, plutôt que vendeur d'assurances ou mathématicien.) La première équipe qui devine le métier en question gagne 1 point. Le meneur de jeu convoque alors d'autres représentants des équipes et leur propose un autre métier. Quand tous les joueurs sont passé, on compte les points, et l'équipe qui en a le plus est déclarée gagnante.

Les animaux mystérieux

6 à 20 joueurs

6 à 12 ans

Le meneur de jeu désigne un représentant pour chacune des équipes. Il les réunit et souffle à chacun le nom d'un animal. Les représentants retournent devant leurs équipes et miment l'animal qui leur a été assigné. Ainsi par exemple, s'il s'agit d'un oiseau, ils font semblant de battre des ailes ; ou s'il s'agit d'un animal terrestre, ils marchent à quatre pattes ; dans le cas d'un poisson, ils font semblant de nager.

Après avoir donné ce premier indice, ils s'efforcent d'imiter de façon plus précise le comportement de l'animal en question, que les joueurs de leur équipe doivent identifier. Pour aider leurs camarades, ils peuvent faire oui ou non de la tête, selon que les joueurs s'approchent ou s'éloignent de la solution, mais ils ne doivent en aucun cas dire un mot. La réponse doit être précise. Ainsi, s'il s'agit d'un gorille, la réponse singe ne suffit pas. La première équipe qui devine juste marque 1 point. Le meneur de jeu convoque alors d'autres représentants des équipes et leur propose d'autres animaux. Quand tous les joueurs ont passé leur tour, l'équipe qui a marqué le plus de points est déclarée gagnante.

Les animaux mystérieux

Le canevas

🏠 **6 à 20 joueurs**

👤 **8 à 12 ans**

L es joueurs se divisent en plusieurs équipes. On donne à chaque équipe un canevas très simple à partir duquel elle doit mettre en scène une intrigue ou une situation. Les gestes, d'ailleurs, peuvent être accompagnés de paroles. Exemples : « Vous vous trouvez subitement au milieu d'une ville inconnue et vous cherchez le chemin qui vous permettra de retourner chez vous. »
« Vous découvrez un talisman qui vous permet d'exprimer et de réaliser trois vœux. »
« Un petit homme vert aux oreilles pointues vous apparaît soudain et vous invite à faire un tour dans sa soucoupe volante… ».

L'adverbe caché

🏠 **8 à 20 joueurs**

👤 **6 à 12 ans**

U n des joueurs, le chercheur, sort de la pièce. En son absence, les autres choisissent un adverbe. Le chercheur revient et demande aux autres joueurs, l'un après l'autre, d'illustrer le sens de l'adverbe dans des contextes précis. Par exemple : « Comment mangerait-on une tarte de cette façon ? » Il pourra demander aux autres joueurs de lui montrer comment ils joueraient au football, danseraient, liraient… de cette façon. Le chercheur a droit à trois essais. S'il trouve la bonne réponse, il cède sa place au dernier joueur qui a mimé une action. Dans le cas contraire, il sort de nouveau, ou bien les joueurs s'entendent pour désigner un autre chercheur. On prendra soin de choisir des adverbes dont le sens est précis et facile à illustrer, par exemple : rapidement, lentement, gaiement, secrètement, etc. Enfin, avec de jeunes enfants, on expliquera auparavant ce qu'est un adverbe, à l'aide d'exemples.

Les histoires improvisées

🏠 **5 à 21 joueurs**

👤 **6 à 12 ans**

Les histoires improvisées

L es joueurs se divisent en plusieurs équipes. Le meneur de jeu donne à chacune d'elle un grand sac contenant des objets hétéroclites mais ordinaires, comme : une fourchette, une lampe de poche, une bague, une cravate, un vêtement, etc. Chaque équipe doit inventer une courte pièce dans laquelle les acteurs utiliseront tous les accessoires contenus dans le sac. Après l'avoir élaborée et répétée, chaque équipe présente sa pièce aux autres joueurs. Un prix peut être décerné à la troupe dont la contribution est la plus originale.

VARIANTE

On peut aussi permettre aux équipes de choisir elles-mêmes les dix accessoires dont elles se serviront dans leur pièce. Le meneur de jeu attribuera un prix à la meilleure.

Les mots qui riment

🏠 **2 à 12 joueurs**

👤 **6 à 12 ans**

U n premier joueur dit : « Je pense à un mot d'une syllabe qui rime avec… » Il donne alors un mot de son choix : par exemple « mer », le mot auquel il pense étant un

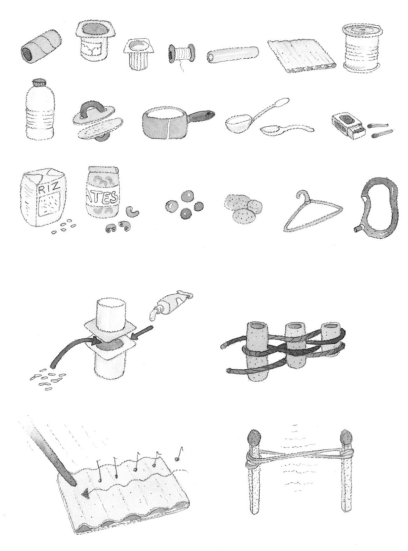

Jeux musicaux

autre : par exemple « verre ». Les autres joueurs, chacun à leur tour, essaient de trouver le mot en question en le mimant. Ils peuvent par exemple essayer terre, fer, air, vers, etc. De son côté, le premier joueur doit deviner les mots mimés par ses camarades et dire dans chaque cas s'il s'agit de la bonne réponse. Le joueur qui, le premier, devine juste a gagné. C'est lui qui, au tour suivant, choisira le mot qui rime.

On peut exiger du premier joueur qu'il écrive le mot choisi sur un bout de papier qu'il remettra au joueur gagnant ; cela pour l'empêcher de changer d'avis en cours de jeu.

JEUX MUSICAUX

•••••••••••

L'orchestre

4 à 7 joueurs

6 à 8 ans

Quelques instruments à percussion rudimentaires permettront aux enfants de s'amuser tout en explorant le monde des rythmes et des sons. Ils pourront accompagner de la musique sur disque ou des morceaux de piano, ou encore des chansons ou une danse exécutées par un groupe de camarades. À partir d'objets ordinaires de la vie quotidienne, les enfants pourront fabriquer eux-mêmes la plupart des instruments suivants : tambourins, crécelles ou maracas, clochettes, triangles, gongs. Ainsi obtiendra-t-on un tambour en fixant sur une boîte de métal ou un barillet de bois un morceau de chambre à air bien tendu (qui peut être remplacé par une feuille de plastique épais ou de la toile cirée). Pour obtenir une meilleure sonorité, on étendra une couche de vernis sur la chambre à air. Pour fabriquer des maracas, il suffit de mettre des pois secs, des cailloux ou des capsules de bouteilles dans des boîtes de conserve. Deux blocs de bois recouverts de papier de verre feront de bons racloirs. Des tiges de bois dur enduites de peinture ou de vernis font d'excellentes baguettes qui, frappées l'une contre l'autre, produiront des sons secs et saccadés. Enfin, on fabriquera facilement des gongs en trouant des couvercles ou des moules à tarte et en les suspendant à une barre de métal avec une ficelle. Quant aux cymbales, deux couvercles de casserole feront l'affaire.

La ferme

La ferme

🎲 **6 à 10 joueurs**

🕯️ **6 à 8 ans**

Les joueurs vont se servir dans une boîte qui contient divers instruments de musique. Chacun d'eux doit évoquer les mouvements ou le cri d'un animal de la ferme avec le ou les instruments qu'il a choisis. Des coups sourds sur un tambour peuvent évoquer le mugissement d'une vieille vache qui se traîne dans la cour de la ferme. Les tambourins, les crécelles ou les maracas peuvent imiter des poulets qui picorent de tous côtés le grain qu'on vient de leur jeter. La trompette peut faire penser au chant du coq. Deux baguettes ou deux racloirs frappés l'un contre l'autre à un rythme plus ou moins accéléré peuvent rappeler le poney qui trotte dans son pré. Des prix seront décernés aux meilleures imitations.

Les bruiteurs

🎲 **4 à 12 joueurs**

🕯️ **6 à 10 ans**

Les joueurs se divisent en équipes de deux et s'assoient en rond autour d'une boîte qui contient des instruments à percussion. Le meneur de jeu a préparé à l'avance une liste de bruits à reproduire. Il distribue aux différentes équipes une feuille sur laquelle est inscrit un bruit, le même pour tous. Tour à tour, les équipes viennent choisir des instruments dans la boîte. Puis, l'une après l'autre, en utilisant leurs instruments ainsi que leurs pieds et leurs mains, les équipes présentent leur numéro. On passe ensuite à un autre bruit. Des prix peuvent être accordés aux imitations les mieux réussies.

Les modes de transport

🎲 **3 à 6 joueurs**

🕯️ **6 à 8 ans**

On donne un instrument à percussion à chaque enfant, qui doit s'en servir lorsque vient son tour pour illustrer le bruit typique d'un mode de transport : avion, train,

Les modes de transport

auto, bicyclette, etc. L'enfant peut d'ailleurs compléter les sons obtenus par des gestes descriptifs du mode de transport qu'il a choisi. C'est ainsi que, grâce aux rythmes qu'il aura inventés et à la pantomime qui les accompagne, chaque enfant pourra évoquer des scènes aussi différentes que la traversée d'une rivière en radeau ou le passage d'un train sur un pont.

Les noms scandés

2 à 8 joueurs

6 à 7 ans

U ne bonne façon d'acquérir le sens du rythme consiste tout simplement à scander des mots. Tour à tour, chacun des enfants annonce son nom, puis le scande en battant des mains ou en frappant sur un tambourin, comme ceci : « Je m'appelle Nicolas Roland, Ni-co-las Ro-land ! »

L'écho

2 à 8 joueurs

6 à 8 ans

O n distribue divers instruments à percussion aux enfants. L'un d'entre eux compose un morceau qu'il scande avec son instrument et qui ne doit pas compter plus d'une quinzaine de battements. Tour à tour, les autres joueurs essaient de reprendre le morceau avec l'instrument qui leur a été alloué. Le compositeur apporte ensuite des changements à son interprétation, que les autres s'efforcent de reproduire. Au bout de trois ou quatre tours, le compositeur cède sa place à un autre. S'il a utilisé une grosse caisse, il la passe au nouveau compositeur qui lui donne son instrument. Chacun des joueurs a ainsi son tour de donner la mesure.

Les chansons scandées

3 à 12 joueurs

6 à 12 ans

U n premier joueur scande, en battant des mains ou en tambourinant sur une table, un air bien connu de tous, tel que *Frère Jacques*. Les autres joueurs doivent deviner la chanson. Le premier qui la trouve gagne et c'est

Les noms scandés

L'écho

alors à son tour de scander un air. Selon l'âge des enfants, on peut utiliser un répertoire de plus en plus vaste, qui comprendra par exemple des chansons de folklore, des chansons populaires et des indicatifs d'émissions de radio ou de télévision. Même les parents auront plaisir à y jouer.

Les machines

3 à 6 joueurs

6 à 8 ans

L es joueurs choisissent tour à tour dans une grande boîte, les instruments avec lesquels ils devront imiter le bruit de diverses machines : pelle mécanique, bulldozer, foreuse, tondeuse à gazon, machine à coudre, etc. Chaque enfant présente ensuite son numéro, puis tous jouent en même temps, ce qui peut produire une amusante cacophonie.

En avant la musique !

2 à 8 joueurs

6 à 12 ans

O n pourra ajouter à l'orchestre décrit ci-dessus toute une panoplie d'instruments : casseroles, xylophone, etc. On tirera d'un verre vide un son plaintif en humectant son index et en le passant rapidement sur le rebord du verre, sans appuyer ; il faut toujours tourner dans le même sens et, au bout de quelques secondes, on obtiendra une note musicale soutenue. Des verres de formes et de tailles différentes donneront autant de sons nouveaux. Les enfants réaliseront de véritables créations rythmiques et musicales.

Le vocabulaire musical

3 à 20 joueurs

10 à 12 ans

L e meneur de jeu propose aux joueurs une série de définitions de mots d'usage courant qui ont aussi un autre sens dans le vocabulaire musical. Le joueur, ou l'équipe, qui trouve le plus grand nombre de bonnes réponses gagne le concours. On peut procéder oralement ou par écrit. Voici quelques exemples :

Définitions	*Termes musicaux*
Il faut en avoir de bonnes pour réussir ses examens	Notes
Indispensable pour respirer	Air
Bon signe quand on est à la pêche	Touche
Sert à ouvrir une porte	Clef
Les hommes d'esprit en font	Trait
À prendre lorsqu'on est fatigué	Tonique
Les pompiers s'en servent souvent	Échelle
Travaille sous terre	Mineur
Partie des grains des céréales	Son
Distance à laquelle on peut tirer	Portée
Le plus long doigt de la main	Majeur
On le foule des pieds chaque jour	Sol
Utile pour suivre	

• • • • • • • • • • • • • • • •

La voix qui trahit

10 à 20 joueurs

8 à 12 ans

Les joueurs forment deux équipes. Les membres de la première équipe se bandent les yeux et s'assoient sur des chaises, laissant toujours une chaise vacante entre deux joueurs. Les membres de la seconde équipe occupent alors les chaises vides et, au signal convenu, chantent tous une même chanson. Après avoir écouté attentivement, chaque joueur de la première équipe essaie d'identifier un de ses deux voisins immédiats. S'il réussit, il ôte son bandeau et se joint aux chanteurs. Le jeu continue ainsi jusqu'à ce que tous les joueurs aux yeux bandés aient identifié un de leurs voisins. Les équipes changent alors de rôle et on engage une deuxième partie.

VARIANTE

Dans Combien de voix ? Les membres d'une équipe se bandent les yeux et s'assoient sur des chaises, le dos tourné aux joueurs de la seconde équipe, qui se tiennent en groupe. Un certain nombre de joueurs de la seconde équipe (au moins trois et pas plus de six) entonnent une chanson. Après environ 1 minute, ils arrêtent. L'équipe aux yeux bandés doit deviner de

combien de personnes se composait le chœur. Si elle tombe juste du premier coup, elle gagne 1 point et les deux équipes changent de place. Dans le cas contraire, la seconde équipe recommence avec d'autres chanteurs et une autre chanson. Une fois écoulé le temps prévu, l'équipe qui a remporté le plus de points gagne la partie.

• • • • • • • • • • • • • • • •

La note de plus

11 à 21 joueurs

8 à 12 ans

Les joueurs se divisent en deux équipes. Le meneur de jeu commence par exécuter sur quelque instrument – piano, guitare ou harmonica, par exemple – les trois ou quatre premières notes d'un air connu. Tout joueur qui croit l'avoir reconnu lève la main. Le meneur de jeu donne la parole au premier qui a levé la main. Si la réponse est juste, l'équipe marque 5 points. Si elle est fausse, c'est l'autre équipe qui obtient 1 point. Lorsqu'une équipe a fourni une mauvaise réponse, l'équipe adverse peut tenter sa chance elle aussi : si sa réponse est bonne, elle marque 5 points ; autrement, elle perd le point qu'elle avait gagné par suite de l'erreur des adversaires. Si aucune des deux équipes ne devine l'air, le meneur de jeu le reprend en ajoutant une note. Le jeu se poursuit ainsi jusqu'à ce qu'un joueur identifie la musique. Le meneur de jeu passe alors à une autre chanson et le jeu

Le vocabulaire musical

Le vocabulaire musical

continue jusqu'à ce qu'une des équipes ait marqué 21 points, ce qui lui donne la victoire.

●●●●●●●●●●●●●●●●●●●●●●●

La chanson à enchaîner

🎶 **13 à 21 joueurs**

🕯 **8 à 12 ans**

L es joueurs se divisent en deux équipes. Le meneur de jeu chante la première phrase d'une chanson bien connue. Le premier joueur d'une des équipes doit enchaîner avec la phrase suivante. S'il réussit, son équipe gagne 5 points. Dans le cas contraire, le premier joueur de l'équipe adverse peut tenter sa chance et obtenir le même nombre de points. Si un joueur peut chanter l'air sans les paroles, on lui accorde 1 point. Il n'y a pas de pénalité pour les mauvaises réponses. Le meneur de jeu propose ainsi un nombre égal de chansons aux deux équipes. Celle qui marque le plus de points gagne la partie.

VARIANTE

Dans La chanson-relais, les joueurs s'assoient en rond. L'un d'eux se lève et entonne les premières mesures d'une chanson. Il désigne alors un autre joueur, qui doit se lever et

enchaîner avant de désigner un troisième joueur, et ainsi de suite. Tout joueur qui fait une erreur ou ne peut enchaîner est éliminé. Le jeu se poursuit jusqu'à ce qu'il ne reste qu'un joueur : le gagnant.

●●●●●●●●●●●●●●●●●●●●●●●

Les titres à reconstituer

🎶 **3 à 15 joueurs**

🕯 **8 à 12 ans**

L e meneur de jeu dresse une liste de titres de chansons bien connues, en mêlant les lettres de chaque mot. Par exemple, *Au clair de la lune* deviendra *Ua irlac ed al nelu*. La liste est communiquée aux joueurs. Le premier qui reconstitue tous les titres est déclaré gagnant. Pour simplifier le jeu, on peut décider que toutes les chansons doivent être du même genre : airs de folklore, chants de Noël, chansons populaires, comptines, etc.

VARIANTE

Au lieu de remettre une liste aux joueurs, le meneur de jeu leur montre pendant 30 secondes, une série de cartons sur lesquels sont écrits les titres, les lettres étant toujours mêlées. L'équipe ou le joueur qui reconstitue

La chanson à enchaîner

le plus grand nombre de titres sur sa feuille de papier est déclaré gagnant.

• • • • • • • • • • • •

Quel titre ?

6 à 20 joueurs

10 à 12 ans

L e meneur de jeu fait entendre aux joueurs quelques mesures de différents morceaux de musique sur un piano ou à l'aide de CD ou de cassettes. (Dans le cas de chansons, on évitera les passages où les paroles indiquent le titre.) Les joueurs inscrivent sur une feuille de papier, en face des numéros correspondants, le titre de chaque air. Celui qui donne le plus grand nombre de bonnes réponses est déclaré gagnant. On peut aussi demander aux concurrents d'indiquer le nom du compositeur ou des interprètes dans le cas de chansons populaires.

• • • • • • • • • • • • • • • •

Le bingo musical

6 à 20 joueurs

10 à 12 ans

L e meneur de jeu choisit une vingtaine de chansons. Il prépare à l'intention de chaque joueur une carte de bingo composée de trois rangées de trois cases et inscrit dans chaque case le titre d'une des chansons. Les cartes doivent toutes être différentes. On donne une carte à chaque joueur. Le meneur de jeu passe de courts extraits des diverses chansons. Chaque fois qu'ils croient entendre un titre inscrit sur sa carte, les joueurs font un X dans la case appropriée. Le premier joueur qui remplit une rangée de cases (horizontalement, verticalement ou diagonalement) crie « Bingo ! » et gagne la partie, à condition, bien entendu, d'avoir correctement identifié les titres. Des prix peuvent aussi être accordés aux joueurs qui se situent en deuxième et troisième places, ainsi qu'au premier qui remplit sa carte au complet.

COMPTINES

L es enfants forment un cercle et l'un d'entre eux fait le geste de les compter en posant sa main sur la poitrine de chacun, le temps de prononcer une syllabe ou un groupe de syllabes de la comptine. Le meneur est désigné soit par sélection (on ne dit la comptine qu'une fois), soit par élimination (on la dit jusqu'à ce qu'il ne reste plus qu'un joueur).

• • • • • • • • • • • • • •

Greli, grelot !

G reli, grelot. Combien de p'tits cailloux dans mon sabot ?
Grelit, grelot !

• • • • • • • • • • • • • • • • • • •

Pomme de reinette

P omme de reinette et pomme d'api,
D'api, d'api rouge
Pomme de reinette et pomme d'api,
D'api, d'api gris !
Mets ta main derrière ton dos
Ou j'te donne un coup d'couteau !

Une poule sur un mur

Une poule sur un mur

Une poule sur un mur
　　Qui picotait du pain dur
Picoti, picota,
Lèv' la queue et puis s'en va !

Amstramgram

Amstramgram
　　Pic et pic et colégram
Bourre et bourre et ratatam
Amstramgram.

Un, deux, trois

Un deux trois
　　Nous irons au bois
Quatre cinq six
Cueillir des cerises
Sept huit neuf
Dans mon panier neuf
Dix onze douze
Elles seront toutes rouges.

Un petit cochon

Un petit cochon
　　Pendu au plafond
Tirez lui la queue
Il pondra des œufs
Tirez lui plus fort
Il pondra de l'or
Combien en voulez-vous ?
(Un joueur répond un nombre : trois,
par exemple.
Et le compteur continue :)
Un deux trois.

Un, deux, trois

Jeux
de Plein air

SANS MATÉRIEL

Jeux
de Plein air

AVEC PEU DE MATÉRIEL

Jeux
de Plein air

AVEC MATÉRIEL
OU CADRE SPÉCIFIQUE

Jeux
d'Intérieur

SANS MATÉRIEL

Jeux
d'Intérieur

AVEC PEU DE MATÉRIEL

Jeux
d'Intérieur

AVEC MATÉRIEL
SPÉCIFIQUE

Jeux d'Intérieur

AVEC PEU DE MATÉRIEL

Peu de matériel suffit souvent à occuper les enfants lorsqu'ils sont obligés de rester à la maison : un jeu de cartes, du papier, des ciseaux, des crayons, des allumettes ou des dés permettent d'organiser aussi bien des pliages, des dessins et des marionnettes que des tours de magie ou de cartes, voire de petites expériences scientifiques…

L'origami ou les pliages

1 joueur

6 à 12 ans

Du papier (il doit être souple mais aussi résistant)

Le chapeau de gendarme ou le bicorne

Prendre une feuille de la taille d'une page de journal dont la largeur est supérieure à la moitié de la longueur.

Plier ce rectangle en deux dans le sens de la longueur. Rabattre les deux coins supérieurs le long de la médiane, de façon à ce que leurs côtés se touchent.

Replier les deux extrémités inférieure... chaque côté du papier) qui deviendront les bords du bicorne.

Le bateau

On se sert du bicorne. Il s'agit d'écarter les bases et d'appliquer les deux pointes l'une contre l'autre de façon à obtenir un carré aplati. Rabattre à l'extérieur, le long de la diagonale du carré, les deux épaisseurs du coin qui peut se dédoubler. On a donc un triangle de quatre épaisseurs.

Écarter les bases de ce nouveau chapeau. Tirer des deux mains les pointes supérieures latérales qui vont former les deux extrémités du bateau, tout en redressant les parois. La pointe du milieu devient le centre du bateau. Il ne reste plus qu'à l'aplatir et à élargir par en dessous l'orifice de base pour maintenir son équilibre.

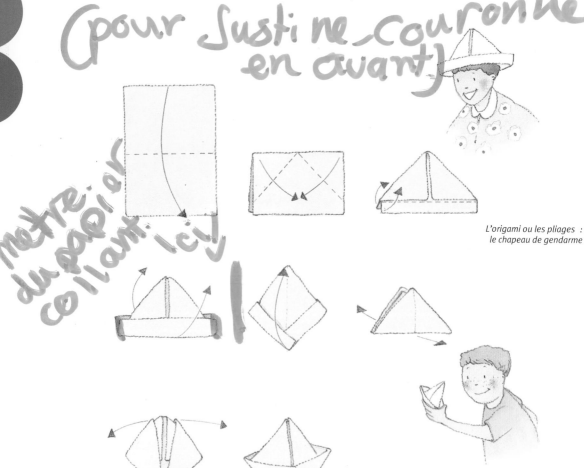

L'origami ou les pliages : le chapeau de gendarme

L'origami ou les pliages : le bateau

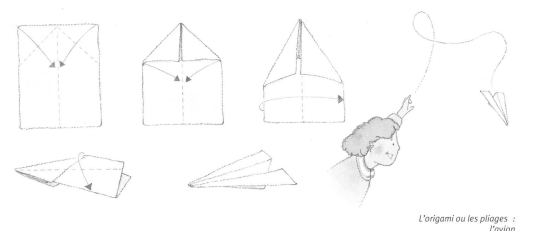

*L'origami ou les pliages :
l'avion*

L'avion

Il nécessite une feuille de papier de format 21 cm sur 29. La plier en deux dans le sens de la longueur. Rouvrir la feuille. Rabattre les deux coins supérieurs le long de la médiane, de façon à ce que leurs côtés se touchent. Renouveler une deuxième fois l'opération. Plier la feuille en deux le long de la médiane, les pliages à l'extérieur. Rabattre le haut des ailes le long de la médiane et les rouvrir. L'avion est prêt à s'envoler.

La cocotte

Prendre un carré de papier, le plier en deux, puis encore une fois en deux. L'ouvrir à nouveau. Rabattre les quatre coins vers le centre déterminé par les plis (le carré obtenu est deux fois plus petit).

Retourner la feuille de papier (face lisse dessus) et de, nouveau, replier les coins vers le centre. Retourner la feuille une nouvelle fois et replier une troisième fois les quatre coins vers le centre.

Sur la face garnie des quatre carrés (l'autre face contenant des triangles), choisir le plus régulier pour en faire la tête de la cocotte. Déplier les trois autres coins. En pinçant et en rapprochant l'un de l'autre les deux coins les plus proches de la tête, former les pattes. Redresser la tête, la queue se met en place d'elle-même.

La cocotte à pochette

Procéder de la même façon que pour la cocotte mais replier une quatrième fois les coins vers le centre. La terminer comme précédemment. La cocotte aura alors une petite poche au niveau des pattes, en dessous de la tête où l'on pourra glisser un papier de couleur.

● ● ● ● ● ● ● ● ● ● ● ● ● ● ● ●

Jeux de ficelles

 1 ou 2 joueurs

 De la ficelle (1 à 2 m)

Le point de départ est toujours le même : il faut relier par un nœud les 2 extrémités de la ficelle.

Pour plus de compréhension, les doigts seront désignés de 1 à 5 en partant du pouce, la main droite par D et la gauche par G.

Le tambour

Passer la boucle derrière G1 et G5. Après avoir croisé les brins, introduire D1 et D5 comme G1 et G5. Tendre.

D2 passe sous la ficelle qui barre la paume G et tire. G2 passe sous la ficelle qui est en travers de la paume D devant D2.

Il suffit maintenant de tourner les mains l'une au-dessus de l'autre, le tambour se présente verticalement.

Le parachute

Passer la boucle derrière G1, devant G2, derrière G3, devant G4 et derrière G5. Passer la main D à l'intérieur de la boucle tombante.

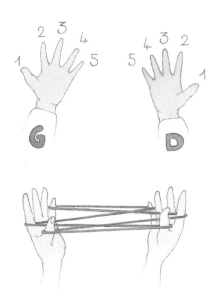

Jeux de ficelles

ou de personnages dont la lecture phonétique révèle les noms ou les phrases que l'on veut exprimer.

Le rébus

Attraper la ficelle par le dessus devant G2 et G4 à l'aide de D2 et D3. Tirer en laissant aller la ficelle par-dessus la main D (elle doit venir se plaquer contre la paume G).

Abaisser G2, G3 et G4 dans les 3 rails correspondants. Faire passer la main D par-dessus la G pour la placer derrière elle. La main D lâche alors la ficelle.

D2 et D3 attrapent la ficelle passant côté paume et par le dessus, devant G1 et G5. En tirant avec D1 et D3, le parachute apparaît.

Le pantalon

Faire le parachute et lâcher G1 et G5. D2 et D3 lâchent également et prennent les rails correspondant à G2 et G4.

G1 prend par-dessous le rail formé par G2, tandis que G2 s'abaisse et se libère.

Même opération pour G5, qui prend par-dessous le rail de G4, tandis que G4 s'abaisse et se libère. Tirer sur la ficelle pour donner de justes proportions au pantalon.

Le rébus

L e jeu, valable à tous les âges, consiste à reproduire par le dessin (quelquefois mêlé de mots, lettres ou syllabes) une série d'objets

Foot sur papier

2 joueurs

6 à 12 ans

1 feuille de papier et 2 stylos de couleurs différentes

Sur la feuille de papier, on dessine un grand rectangle qui représentera le terrain de foot et, aux deux extrémités, deux autres rectangles plus petits et centrés qui symboliseront les cages. Chaque joueur prend un stylo de couleur différente et, devant son but respectif, dessine cinq petites croix qui représenteront les joueurs de leur équipe.

L e joueur pose la pointe de son stylo sur une des cinq croix et, en appuyant d'un coup sec sur le haut de son stylo, fait un trait. Il marque l'extrémité de son trait d'une nouvelle croix. Cela constitue le déplacement de son joueur. L'autre joueur fait de même. Ils peuvent choisir de ne faire avancer qu'une seule croix ou plusieurs.

Si, lors d'un déplacement d'un des joueurs, il croise un joueur de l'équipe adverse, les deux joueurs repartent de leur point de départ.

Celui qui parvient à faire rentrer un de ces joueurs dans la cage adverse marque donc 1 but et est déclaré vainqueur. On peut également choisir de jouer pendant un temps donné ; l'équipe marquant le plus de buts est déclarée gagnante.

• • • • • • • •

Le yam

2 joueurs ou plus

10 à 12 ans

5 dés, 1 feuille de notation

JOUEURS	A	B
As		
Deux		
Trois		
Quatre		
Cinq		
Six		
Total		
Bonus		
TOTAL I		
Plus		
Moins		
TOTAL II		
Suite		
Full		
Carré		
Yam		
TOTAL III		
TOTAL I+II+III		

Chaque joueur doit réaliser douze épreuves, les unes à la suite des autres ou dans l'ordre qu'il aura choisi. Pour chacune des épreuves, il peut jeter au plus trois fois les dés.

Après chaque jet, le joueur peut relancer tous les dés, seulement une partie ou s'arrêter s'il a obtenu la combinaison souhaitée.

Épreuve n° 1 : réaliser le plus d'as
Épreuve n° 2 : réaliser le plus de 2
Épreuve n° 3 : réaliser le plus de 3
Épreuve n° 4 : réaliser le plus de 4
Épreuve n° 5 : réaliser le plus de 5
Épreuve n° 6 : réaliser le plus de 6
Épreuve n° 7 : réaliser le plus de points possible
Épreuve n° 8 : réaliser le moins de points possible
Épreuve n° 9 : réaliser une suite (as, 2, 3, 4, 5, 6)
Épreuve n° 10 : réaliser un full (2 et 3 faces égales)
Épreuve n° 11 : réaliser un carré (4 faces égales)
Épreuve n° 12 : réaliser un yam (5 faces égales)

Lorsqu'une combinaison n'est pas réalisée, le joueur barre une épreuve au choix sur sa feuille de jeu. Le vainqueur est celui qui a accumulé le plus de points au cours des douze épreuves.

DÉCOMPTE DES POINTS

L'as vaut 1 point, le deux 2 points, le trois 3 points, etc. Pour obtenir le bonus de 30 points, il faut réaliser au moins 60 points après les six premières épreuves.

Le total I est égal à la somme des points des six premières épreuves et du bonus éventuel.

Pour le « plus » et le « moins », on comptabilise le nombre de points inscrits sur les cinq dés. Pour le total II, il faut soustraire le « moins » du « plus » et multiplier ce chiffre par le nombre d'as obtenu dans l'épreuve n° 1.

La suite vaut 20 points, le full 30 points, le carré 40 points et le yam 50 points.

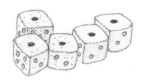

Le yam

Le jeu de l'âne

5 à 15 joueurs

6 à 8 ans

1 photographie d'un âne,
1 queue d'âne (un écheveau de
laine au sommet duquel se trouve
une pointe)

Il s'agit, pour commencer, d'installer sur un mur une photographie ou un dessin représentant un âne. Ensuite, un des joueurs est tiré au sort. On lui bande les yeux et on le fait tourner plusieurs fois sur lui-même de façon à le faire vaciller. Ce joueur, qui doit aller accrocher la queue de l'âne sur l'image, a perdu ses repères et ne sait plus trop dans quelle direction il doit se diriger. À ce stade du jeu, deux options sont possibles :
– les autres joueurs tentent d'expliquer au chercheur où se situe le dessin et il s'oriente d'après leurs conseils (il n'est pas interdit de donner de mauvaises indications) ;
– on laisse faire le joueur sans lui donner aucune indication.

Quand le chercheur pense avoir remi la queue, on ôte le bandeau...

Le jeu du bâton

De 8 à 15 joueurs

8 à 10 ans

1 bâton

Les joueurs se mettent en cercle. Un premier prend le bâton et mime ce que pourrait être ce bâton (une pipe, une canne, une épée, etc.). Un autre joueur prend ensuite le bâton et mime à son tour. Les mimes doivent tous être différents. Si un joueur ne sait pas quoi mimer, il est éliminé. Le vainqueur est le dernier joueur en lice.

Le jeu du cochon

2 à 5 joueurs

6 à 8 ans

1 feuille de papier par joueur,
2 dés

Le jeu du cochon

Chaque joueur trace au crayon le profil d'un cochon sur la feuille de papier (corps, oreille, groin, queue, pattes).

On effectue un tirage au sort avec des dés pour déterminer dans quel ordre joueront les concurrents. Celui qui aura obtenu le plus de points commencera la partie, le deuxième est celui qui aura obtenu le deuxième score, etc.

Le premier joueur lance les dés. S'il obtient un 9, il dessinera le corps du cochon puis rejouera pour faire un 8 et pouvoir dessiner le groin. S'il ne réalise pas le 9, il passera son tour au joueur suivant.

On doit toujours respecter l'ordre suivant pour dessiner le cochon :
9 = le corps
8 = le groin
7 = l'oreille
1 = une patte (deux as en même temps donnent droit à deux pattes)
6 = la queue

Le vainqueur est celui qui termine en premier son cochon.

• • • • • • • •

La puce

2 à 4 joueurs

6 à 8 ans

1 gobelet (ou cornet à dés)
et des jetons (1 grand
et 3 petits par joueur)

La puce

Chaque joueur reçoit quatre jetons de couleur identique : un grand et trois petits, qui seront les puces. Le gobelet est placé au centre de la table.

L es joueurs, qui ont aligné leurs puces à un trentaine de centimètres du gobelet, doivent, chacun leur tour, faire levier avec le grand jeton sur les puces pour qu'elles sautent dans le gobelet. Le joueur qui parvient à envoyer une puce dans le gobelet a le droit de rejouer. Le vainqueur est celui qui réussit à placer ses trois puces dans le gobelet.

• • • • • • • • • • • •

Les allumettes

2 joueurs

10 à 12 ans

17 allumettes

L es joueurs étalent devant eux les 17 allumettes. À tour de rôle, ils doivent en reti-

rer une, deux ou trois selon leur avis. Le vainqueur est celui qui enlève la dernière allumette. Pour gagner, il faut laisser sur la table quatre allumettes, que l'adversaire en prenne une, deux ou trois, la dernière restera à prendre seule ou avec une ou deux autres.

Pour arriver à avoir quatre allumettes, il faut d'abord en laisser seize, douze et enfin huit.

Si les joueurs connaissent la règle, celui qui engage la partie gagnera. Il est donc plus intéressant de jouer quand au moins l'un des deux ne connaît pas la solution.

• • • • • • • • • • • • • • •

La place libre

5 à 10 joueurs

8 à 10 ans

1 chaise de moins que de joueurs

L es chaises sont disposées en cercle (dos vers l'extérieur). Tous les joueurs sont assis sur ces chaises, sauf un, qui se trouve au centre du cercle les yeux bandés. Ce dernier doit donc aller à la recherche d'une place libre. Pour ce faire, il pose des questions aux autres joueurs ou va en tâtonnant. Pendant ce temps, les autres joueurs doivent constamment s'échanger les places. Si le joueur aux yeux bandés trouve une place libre, le dernier occupant prend alors sa place.

• • • • • • • • • •

La momie

8 à 20 joueurs

8 à 10 ans

Tables, chaises, couvertures

L es joueurs se divisent en deux camps. Un groupe construira la momie et éventuellement s'y cachera alors que l'autre devra deviner qui se dissimule sous cette momie.

Les constructeurs, pendant un temps donné de 10 à 15 minutes, élaborent un édifice, la

La momie

momie, à l'aide de draps, meubles, chaises et tout ce qui peut se révéler utile. Certains joueurs s'y cachent, ou bien la momie est laissée vide pendant que les autres constructeurs s'éloignent de façon à n'être pas vus des membres de l'autre équipe.

Les chercheurs, qui pendant toute l'étape précédente étaient sortis de la pièce, reviennent et doivent découvrir qui se cache sous la momie. Ils disposent également d'un temps donné pour réaliser ce défi. Sans toucher à la momie, ils peuvent essayer de découvrir des fissures ou des trous qui pourraient permettre de regarder à l'intérieur. Le plus souvent, cet espoir est déçu. Ils doivent alors s'efforcer de faire réagir les joueurs cachés en les faisant rire. Bien entendu, l'équipe des constructeurs n'a pas le droit de se boucher les oreilles.

Les joueurs découverts se joindront à l'équipe des chercheurs au tour suivant.

• • • • • • • • • • • • •

Murder party

▪ 10 à 20 joueurs

✂ 1 jeu de cartes

On prend dans un jeu de cartes le roi de carreau, le valet de pique et quelques autres cartes, de façon à en avoir autant que de participants. Les cartes sont mélangées et coupées, et chacun en tire une sans la montrer. Le joueur qui tire le valet de pique sera l'assassin, le roi de carreau désignant le détective. Les joueurs sont censés assister à une réception où un crime va être commis à l'occasion d'une panne de courant. Parmi les invités se trouve un détective qui sera chargé de découvrir l'assassin.

L e meneur de jeu éteint les lumières de la pièce et chacun change de place à son gré. L'assassin a tout son temps pour perpétrer le crime ; il choisit sa victime... ou s'attaque à celle qui se trouve à sa portée et la saisit par les épaules. Elle se laisse tomber à terre en poussant un cri d'épouvante. L'assassin se déplace discrètement et prend l'attitude la plus décontractée. Le meneur de jeu compte lentement jusqu'à 15 et rallume. C'est alors que le détective sort sa carte et commence son enquête. Il pose des questions à chacun des joueurs sur les circonstances du crime. (Ont-ils été bousculés ? Se sont-ils déplacés dans l'obscurité ? Ont-ils entendu des pas ? etc.) Ils doivent toujours répondre la vérité, rien que la vérité : seul l'assassin a le droit de mentir. La victime, elle, garde un silence de mort. Lorsque le détective croit avoir identifié le criminel, il le désigne. Les joueurs accusés à tort montreront leur carte pour se disculper. On convient à l'avance du nombre de noms (trois, deux ou un) que le détective est autorisé à donner avant d'avoir perdu.

• • • • • • • • • • • • • • • • • • • •

La chasse aux ballons

▪ 12 à 20 joueurs

✂ Ballons de baudruche (1 par couple)

On attache un ballon à la cheville de chaque garçon, de façon qu'il traîne à environ 30 centimètres du danseur.

T out en dansant, chaque couple s'efforce (sans se lâcher) d'approcher des autres pour pouvoir crever leurs ballons en marchant dessus. Bien entendu, les danseurs doivent en même temps chercher à rester hors de portée de leurs adversaires. Tout couple dont le ballon est crevé doit se retirer. Le dernier couple qui reste en piste, avec son ballon intact, gagne le concours.

La chasse aux ballons

Ni oui ni non

🂠 **10 à 15 joueurs**

🕯 **8 à 12 ans**

✂ **Haricots ou billes**

Les joueurs forment un cercle. On donne à deux d'entre eux 10 ou 15 haricots. Ils vont se placer au milieu de leurs camarades et doivent se poser des questions sur n'importe quel sujet à un rythme rapide. Tout joueur qui répond à une question par oui ou par non, ou fait quelque geste affirmatif ou négatif, perd un haricot. Au bout de 5 minutes de jeu, celui qui a conservé le plus de haricots est déclaré gagnant, et on passe à deux autres joueurs.

VARIANTE

Au lieu de ne jouer qu'à deux à la fois, les enfants peuvent se choisir un adversaire et jouer tous en même temps dans un grand brouhaha de conversation.

La danse de la pomme

🂠 **12 à 20 joueurs**

✂ **Pommes**

On donne une pomme à chaque couple.

Les partenaires dansent en tenant une pomme serrée entre leurs fronts. Bien entendu, ils n'ont pas le droit d'y toucher avec les mains. S'ils laissent tomber la pomme, ils sont aussitôt éliminés. On commence sur une musique lente, qui s'accélère à mesure que les couples décrochent. Le dernier couple en piste gagne.

Pair ou impair ?

🂠 **6 à 12 joueurs**

🕯 **6 à 8 ans**

✂ **Haricots**

On donne le même nombre de haricots (environ une quarantaine) à tous les joueurs, qui se divisent en paires. Dans chaque paire, un joueur prend un certain nombre de haricots dans sa main fermée et la tend à son adversaire, qui doit deviner si le nombre de haricots est pair ou impair. S'il tombe juste, il s'approprie les haricots ; dans le cas contraire, il doit donner autant de haricots à l'autre joueur que celui-ci en tenait dans son poing. Au bout de 5 minutes, le joueur qui détient le plus de haricots gagne la partie.

Que feriez-vous ?

🂠 **6 à 20 joueurs**

✂ **Papier et 1 crayon par joueur**

Les joueurs s'assoient en cercle. On donne à chacun deux morceaux de papier et un crayon. Chaque joueur écrit sur un morceau de papier un problème commençant par : « Que feriez-vous si ? » (par exemple, si vous aviez une crevaison sur une route déserte, ou si vous héritiez subitement d'une grosse somme d'argent). Sur l'autre papier, il écrit sa solution (sérieuse ou humoristique) au problème.

Chaque joueur passe son premier billet (le problème) à son voisin de droite, et son deuxième (la solution) à son voisin de gauche.

Le rire interrompu

Ainsi, chacun se retrouve avec un problème et une solution qui ne vont pas ensemble et dont il donne lecture, au grand amusement de tous.

Le rire interrompu

7 à 15 joueurs

6 à 8 ans

Chaises, 1 balle ou 1 ballon

L es joueurs s'assoient en demi-cercle. Le meneur, qui tient un ballon, se place en face d'eux. Au signal convenu, il lance le ballon en l'air, le laisse rebondir sur le sol, puis l'attrape. Pendant tout ce temps, les joueurs rient à haute voix. Mais ils doivent se taire dès que le meneur tient le ballon. Tout joueur qui rit au mauvais

moment est éliminé. Le jeu se poursuit jusqu'à ce qu'il ne reste qu'un joueur, qui est déclaré gagnant.

Chaud-froid (cache-tampon)

3 à 8 joueurs

1 mouchoir

O n fait sortir l'un des joueurs. Les autres cachent un mouchoir roulé en boule : c'est le tampon. Le chercheur, qu'on a fait rentrer dans la pièce, commence son investigation. Quand il est sur le point de trouver la cachette, on lui crie : « Tu brûles ! » S'il n'y est pas du tout, on lui dira : « Brrr ! Quel froid ! On gèle ! » S'il est sur la bonne voie, on lui dira : « C'est tiède ! » ou « Ça chauffe ! » Quand il a trouvé le tampon, le chercheur court après les joueurs pour en toucher un qui, à son tour, sortira.

VARIANTE
Dans le cache-tampon musical, au lieu de donner des informations sur le froid ou le chaud, les joueurs chantent plus ou moins fort, selon que le chercheur se rapproche ou s'éloigne de l'objet.

Le cherche-des-yeux

5 à 11 joueurs

1 petit objet

L e meneur de jeu choisit un petit objet : crayon, allumette, bille, bonbon, etc., qu'il montre aux autres joueurs. Ceux-ci quittent la pièce pendant qu'il le cache à un endroit difficile à trouver mais où l'on peut le voir sans rien déplacer ni soulever. Il rappelle alors les joueurs, qui se mettent à la recherche de l'objet. Dès qu'un joueur l'aperçoit, il va le dire tout bas au meneur de jeu et s'assoit sans rien révéler aux autres. Le jeu se termine lorsque tout le monde a trouvé l'objet, le perdant étant le dernier à le trouver.

Suivez la musique

▪ 4 à 8 joueurs

▪ 1 harmonica

Un joueur quitte la pièce pendant que les autres décident d'un acte qu'il sera appelé à faire, par exemple ramasser un objet, serrer la main d'un joueur, etc. On fait rentrer le chercheur et tous les joueurs sauf un – qui joue de l'harmonica – se mettent à fredonner une chanson. Quand le chercheur s'approche de l'endroit où il doit être, les joueurs chantent plus fort et l'harmonica se déchaîne, de même qu'à chaque geste qui se rapproche de celui qu'il doit accomplir. Finalement, quand il fait ce qu'on attendait de lui, tout le monde chante à tue-tête.

Les cinq cartes

▪ 6 à 10 joueurs

▪ Cartes blanches (5 par joueur)

Le but du jeu est de détenir cinq cartes portant le même numéro. Le meneur de jeu découpe des cartes dans du carton et inscrit sur un côté de chaque carte un numéro. Il y a autant de numéros que de joueurs et l'on fait cinq cartes pour chaque numéro. Le meneur de jeu distribue ensuite à chaque joueur cinq cartes qu'il ne doit pas montrer aux autres. Les joueurs, placés en cercle, comptent « Un, deux, trois ! » et passent une carte à leur voisin de droite. Le jeu dure jusqu'à ce que l'un des joueurs (le gagnant) ait cinq cartes portant le même numéro.

Kim

▪ 6 à 10 joueurs

▪ 15 ou 20 petits objets d'usage courant

Dans ce jeu, qui doit son nom au héros de Rudyard Kipling, le meneur place sur

Kim

une table divers objets : crayon, couteau, bouton, salière, verre, bille, cendrier, etc. On donne aux joueurs 30 ou 40 secondes pour les observer, puis on les recouvre d'une serviette ou d'une couverture. Les joueurs doivent alors faire la liste des objets dont ils se souviennent. Après 3 ou 4 minutes, le meneur de jeu ramasse les listes. Le gagnant est celui dont la liste est la plus complète, sans comporter d'erreurs.

VARIANTES

Elles sont nombreuses. Ainsi, par exemple, dans Kim enlevé, le meneur de jeu place 20 objets sur un plateau, les joueurs observent pendant 1 minute, puis il les retire un à un en demandant aux joueurs de se retourner. Il leur présente chaque fois le plateau pendant 10 secondes et chacun d'eux doit noter sur un papier l'objet disparu jusqu'à ce qu'il n'y en ait plus. Chaque réponse juste donne des points : 20 pour le premier objet, 19 pour le deuxième, et ainsi de suite.

Le jeu de Kim

▪ 4 à 18 joueurs

▪ 6 à 12 ans

On donne aux joueurs un certain temps pour observer soigneusement la pièce où ils se trouvent, puis l'animateur les fait tous sortir.

Le jeu de Kim

En leur absence, il déplace un certain nombre d'objets (une chaise, des tableaux, etc.), tire les rideaux, allume une lampe, etc., en notant tous les changements sur une feuille de papier.

Revenus dans la pièce, les joueurs ont 5 minutes pour découvrir les changements effectués et en prendre note. L'animateur examine leurs listes et accorde 2 points pour chaque changement correctement observé, mais enlève 1 point pour chaque remarque erronée. Le joueur qui accumule le plus de points gagne le concours.

VARIANTE

Dans Les détails modifiés, on fait sortir un membre de l'assemblée. Puis on modifie un, deux ou trois détails dans la tenue de l'un des autres : par exemple, on retire à une joueuse un bijou que l'on remet à sa voisine, on change de côté la raie d'une coiffure, etc. On rappelle ensuite le joueur absent, qui doit découvrir les changements.

Le sou voyageur

• • • • • • • • • • • • • • • • •

Le sou voyageur

👥 **6 à 12 joueurs**

✂ **1 pièce de monnaie, 1 table**

Les joueurs forment deux équipes qui s'assoient face à face des deux côtés d'une table longue. On donne aux joueurs d'une équipe une pièce de monnaie, qu'ils se passent de l'un à l'autre sous la table. Quand le chef de l'équipe adverse ordonne : « Levez les poings ! », tous doivent lever leurs mains fermées, y compris celui qui tient la pièce. Le chef de l'équipe adverse dit ensuite : « Baissez les mains ! » Ils doivent alors poser rapidement leurs mains à plat sur la table, celui qui a la pièce s'efforçant de ne pas la faire sonner en la posant sur la table et de bien la dissimuler. Il s'agit alors pour les joueurs de l'autre équipe de deviner qui a la pièce. Ils doivent trouver du premier coup, aussi peuvent-ils se consulter : ils auront essayé de reconnaître le bruit que fait la pièce en frappant la table et ils observeront

l'expression des autres joueurs. S'ils trouvent juste, ils marquent 1 point. Chaque équipe a ainsi son tour de détenir la pièce. Après 5 minutes de jeu, l'équipe qui a obtenu le plus de points gagne la partie.

• • • • • • • • • • • • • • • • • • • •

Le sou empoisonné

👥 **6 à 24 joueurs**

✂ **1 pièce de monnaie (ou autre petit objet) ; CD, cassette, sifflet ou clochette**

Les joueurs forment un cercle, debout ou assis. Ils se passent une pièce de monnaie de l'un à l'autre pendant que la musique fonctionne ; quand celle-ci s'arrête, le joueur qui tient la pièce est éliminé. On continue jusqu'à ce qu'il ne reste plus qu'un joueur. (Il est entendu que tout joueur doit accepter la pièce lorsque son voisin la lui présente.) Si l'on n'a pas de disque sous la main, le meneur de jeu peut souffler dans un sifflet ou agiter une clochette pour indiquer que la pièce doit cesser de circuler. Quand les joueurs sont nombreux, ils peuvent se diviser en plusieurs cercles. Le jeu devient vite très animé, car il s'agit de se débarrasser de la pièce au plus vite.

Le disparu

🎯 **12 à 20 joueurs**

✂️ **1 bandeau ou 1 foulard**

Un des joueurs, le meneur, se place au milieu de la pièce les yeux bandés. Tous les autres se dispersent dans la pièce, sauf un, qui la quitte. Le meneur ôte son bandeau : il a 1 minute pour nommer le joueur disparu. S'il réussit, il change de place avec lui. Autrement, il remet son bandeau et le jeu recommence.

VARIANTES
Dans Qui est sorti ?, tous les joueurs ont les yeux bandés sauf le meneur de jeu. Celui-ci prend un joueur par la main et le fait sortir de la pièce. Au signal, les joueurs ôtent leur bandeau. Le premier à nommer l'absent marque 1 point. On joue jusqu'à ce qu'un joueur ait atteint 5 points.

Tic, tac, toc

🎯 **7 à 15 joueurs**

✂️ **Table**

Les joueurs, assis en demi-cercle autour d'une table, doivent obéir au meneur de jeu qui leur fait face. Celui-ci donne, dans l'ordre de son choix, les commandements suivants : « Tic ! », « Tac ! », « Toc ! », « Tic toc ! » et « Toc tic ! » Les joueurs doivent frapper la table : pour « Tic ! » avec les paumes, pour « Tac ! » avec les index, pour « Toc ! » avec le dos des mains, pour « Tic toc ! » avec les coudes, pour « Toc tic ! » avec les poignets. Ils restent en position jusqu'au moment où un nouvel ordre est donné. Le joueur qui se trompe de geste, l'exécute en retard ou l'arrête prématurément est éliminé. Le meneur de jeu peut,

Tic, tac, toc

bien entendu, pour dérouter les joueurs, faire des gestes différents des ordres qu'il donne ou répéter le même commandement.

Le sifflet

🎯 **6 à 20 joueurs**

✂️ **Sifflet, piano, CD ou cassette**

Les joueurs forment un cercle et marchent en rond au son de la musique. Quand la musique s'arrête, le meneur de jeu donne deux, trois ou quatre coups de sifflet. Les joueurs doivent aussitôt former des cercles d'autant de personnes qu'il y a eu de coups de sifflet. Tout joueur qui ne trouve pas de place dans un des cercles est éliminé. Le jeu continue jusqu'à ce qu'il ne reste plus qu'un cercle : celui des gagnants.

Les chaises musicales

🎯 **6 à 12 joueurs**

✂️ **Chaises, piano, CD ou cassette**

On aligne les chaises tête-bêche (en alternant leur orientation). Le nombre de chaises doit être égal à celui des joueurs, moins une. Au signal convenu, les joueurs tournent autour des chaises, dans le sens contraire des aiguilles d'une montre, au son de la musique. Dès que la musique s'arrête, chacun se précipite sur une chaise et s'y assoit. Celui qui ne trouve pas de chaise est éliminé. On répète alors le jeu en enlevant une chaise à chaque tour. Finalement, il ne reste que deux joueurs et une chaise : celui qui s'en empare gagne la partie.

VARIANTES

Dans le jeu du Tapis magique, on étend sur le sol des journaux ou de grands morceaux de carton, en nombre égal à celui des joueurs. Au son de la musique, les joueurs font le tour de la pièce, à la file, tandis que le meneur de jeu enlève un des journaux. Dès que la musique s'arrête, chaque joueur doit se placer sur un journal. Celui qui n'en trouve pas est éliminé. La prison s'inspire du même principe. Avec de la craie, on trace un vaste rectangle sur le sol : c'est la prison. Tant que la musique joue, les joueurs, individuellement ou deux par deux, marchent en rond de façon à tous passer dans la prison. Quand la musique s'interrompt, tout joueur qui se trouve dans la prison à ce moment-là est éliminé. Celui qui reste gagne la partie.

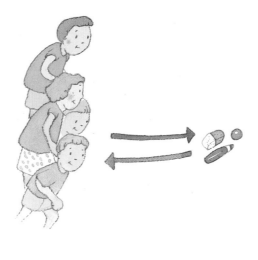

Les voleurs

Les voleurs

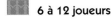 **6 à 12 joueurs**

Menus objets

Les joueurs se placent côte à côte derrière la ligne de départ. À quelques mètres devant eux, on entasse divers menus objets : crayons, gommes, chaussettes, etc. Le nombre d'objets doit être égal à celui des joueurs, moins un. Au signal, les joueurs se précipitent vers les objets, chacun s'efforçant d'en prendre un, et un seul. Celui qui n'en a pas est éliminé. On continue le jeu en enlevant un nouvel objet à chaque tour, jusqu'à ce qu'il ne reste que deux joueurs et un seul objet : celui qui s'en empare gagne la partie.

L'écureuil et la noix

6 à 12 joueurs

Noix ou cacahouètes

Tous les joueurs sauf un, l'écureuil, s'assoient par terre en un cercle d'au moins 6 mètres de diamètre. Ils doivent baisser la tête et fermer les yeux, les mains tendues et réunies, paumes vers le haut, comme s'ils voulaient recueillir quelque chose. L'écureuil marche silencieusement à l'intérieur du cercle. Il tient une noix, qu'il laisse tomber dans les mains d'un des joueurs. Celui-ci doit aussitôt se lever et poursuivre l'écureuil en longeant le bord intérieur du cercle, jusqu'à la place laissée vide. Si l'écureuil réussit à arriver à la place

Le basket au ballon léger

vacante et à s'y asseoir sans être touché par son poursuivant, ce dernier devient le nouvel écureuil. Dans le cas contraire, l'écureuil reprend sa noix et le jeu recommence.

• •

Le basket au ballon léger

6 à 8 joueurs

1 journal, 1 ballon de baudruche

On forme deux équipes composées d'au moins trois ou quatre joueurs. Pour remplacer les paniers, on fixe une feuille de papier journal à plat sur le mur, aux deux extrémités de la pièce. Chaque équipe envoie un joueur au milieu de la pièce. Le meneur de jeu lance le ballon en l'air, en le frappant de la main. Chacun des deux joueurs du centre essaie alors de frapper le ballon, avec le bras ou la main, en direction de son équipe. Le but, ensuite, est d'envoyer le ballon sur le panier gardé par les adversaires, ce qui donne un point. Après 5 minutes de jeu, l'équipe qui a marqué le plus de points gagne la partie.

VARIANTE

Pour rendre le jeu plus difficile, on peut placer sous chaque panier un gardien de but armé

d'une épingle. Quand le ballon arrive à sa portée, le gardien peut non seulement l'arrêter ou le renvoyer, mais aussi le crever.

• •

Le marchand de poisson

6 à 12 joueurs

Chaises

Les joueurs s'assoient en rond, sur des chaises. L'un d'eux, le marchand, se place au milieu du cercle. Il attribue à chaque joueur le nom d'un poisson : truite, saumon, hareng, morue, etc. Puis il appelle deux des poissons. Les deux joueurs ainsi désignés doivent aussitôt changer de place entre eux, le marchand s'efforçant d'atteindre le premier une des deux chaises libérées. Celui des trois qui reste sans chaise joue désormais le rôle du marchand. Pour augmenter ses chances, le marchand peut, lorsqu'il le veut, crier : « J'ai de beaux poissons à vendre. » Tous les joueurs doivent alors changer de place.

VARIANTE

Pour Le marchand de fruits, les joueurs se placent de la même façon, en cercle. Le marchand donne aux divers joueurs des noms de fruits (pommes, pêches, poires, etc.). Il peut donner le même nom à plusieurs joueurs. Lorsqu'il crie, par exemple : « J'échange des pêches contre des poires », les joueurs désignés doivent changer de place entre eux, le marchand essayant de s'emparer d'une des chaises laissées vides. Si le marchand crie : « J'ai de beaux fruits à vendre », tous les joueurs doivent changer de place.

Le lièvre et le chien

 3 à 13 joueurs

 Grande table, bandeaux ou foulards

Deux joueurs, dont on a bandé les yeux, se placent de chaque côté d'une grande table. L'un fait le lièvre, l'autre le chien. Il s'agit, pour le chien, d'attraper le lièvre. Pour que chacun puisse entendre les déplacements de l'autre, le chien et le lièvre doivent toujours garder les mains à plat sur la table, ce qui crée un bruit de frottement ; de plus, on demandera aux autres joueurs d'être aussi silencieux que possible. Quand le chien attrape le lièvre, les deux changent de rôle, ou le meneur de jeu désigne d'autres joueurs pour les remplacer.

Le chien et l'os

 5 à 13 joueurs

 Chaises, 1 livre, 1 bandeau ou 1 foulard

Tous les joueurs sauf un, le chien, s'assoient sur des chaises, en demi-cercle. Le chien s'assoit sur le plancher en face d'eux, à 5 mètres. On lui bande les yeux et on pose à côté de lui un livre, qui représente l'os. Le meneur de jeu désigne un des joueurs, qui doit ramper jusqu'à l'os et le rapporter à sa chaise sans que le chien l'entende. Si le chien croit entendre un joueur ramper, il pointe dans la direction d'où vient le bruit. Si son indication est suffisamment précise (le meneur de jeu en décidera), le chien garde sa place. En revanche,

si un joueur réussit à prendre l'os et à le ramener à sa chaise sans que le chien s'en aperçoive, il change de place avec celui-ci.

Qui suis-je donc ?

 20 à 50 joueurs

 Morceaux de papier, 1 crayon, épingles

Qui suis-je donc ?

On écrit sur des petits morceaux de papier les noms de personnages célèbres. Chaque fois qu'un invité entre dans la pièce, on lui épingle un papier dans le dos, sans qu'il sache, bien entendu, ce qu'il y a d'écrit dessus.

Chaque joueur doit découvrir le personnage dont il porte le nom. À cette fin, il pose des questions aux autres joueurs qui, eux, connaissent son identité. Les questions doivent être telles qu'on y réponde par un oui ou par un non. Par exemple : « Suis-je vivant à l'heure actuelle ? » « Suis-je un homme (ou une femme) ? » Lorsqu'il pense avoir recueilli assez de renseignements, le joueur propose une solution. S'il devine juste, il continue à participer au jeu en répondant aux questions que les autres lui posent. Le jeu se poursuit ainsi jusqu'à ce que tout le monde ait découvert son personnage.

VARIANTES

Dans Qui sont les autres ? on remet à chaque joueur un papier portant le nom du personnage qu'il représente, de sorte qu'il est seul à connaître son personnage. Le but du jeu est de découvrir l'identité des autres en leur posant des questions auxquelles ils répondent par oui ou par non. La chasse aux noms est une autre variante. Les joueurs portent des noms épinglés sur leur dos. Chaque joueur s'efforce de relever le plus grand nombre possible de noms, qu'il note sur un papier, en même temps qu'il cherche à cacher son identité aux autres. Bien entendu, il est interdit de se tenir le dos contre un mur ou un meuble.

● ● ● ● ● ● ● ● ● ● ● ● ● ● ● ● ● ●

Le questionnaire

4 à 8 joueurs

4 à 8 exemplaires du même journal

On remet à chaque joueur ou à chaque équipe un exemplaire du même journal.

L e meneur de jeu pose une question, dont la réponse se trouve quelque part dans le journal. Exemple : « Dans quelle ville s'est rendu Monsieur X... avant-hier ? » Les joueurs se mettent à feuilleter fébrilement les pages de leur journal ou se répartissent ces pages entre eux, s'ils jouent en équipe, jusqu'au moment où quelqu'un donne la réponse valable. Ce dernier (ou son équipe) marque un point, et le meneur de jeu pose une autre question. Le gagnant est celui qui a trouvé le plus grand nombre de réponses.

● ● ● ● ● ● ● ● ● ● ● ● ● ● ● ● ● ●

Le trésor dans la main

20 à 50 joueurs

1 pièce de monnaie

L'hôte annonce qu'un des joueurs, qui détient un trésor, le livrera à la quinzième personne qui lui serrera la main.

É tant donné que personne ne sait qui a le trésor dans sa main, sauf, bien entendu, le détenteur de la pièce, tout le monde se serre la main à qui mieux-mieux, jusqu'à ce que le joueur qui détenait le trésor le remette à l'heureux gagnant.

VARIANTE

On peut aussi donner une pièce à chaque joueur. Il devra la remettre à la dixième personne qui lui serrera la main.

Le questionnaire

Le garçon de restaurant

Les slogans

7 à 13 joueurs

Revues, 2 grandes feuilles de carton,
1 feuille de papier et 1 crayon par joueur

Avant le jeu, l'animateur parcourt les revues et découpe les slogans figurant sur les publicités de divers produits ou services bien connus. (Les slogans ne doivent pas comprendre le nom du produit.) Il colle ensuite de six à dix slogans, en les numérotant, sur chacune des feuilles de carton.

Les joueurs se divisent en deux équipes égales. L'animateur remet à chacune des équipes une des feuilles ainsi que du papier et un crayon. Chaque équipe doit écrire le nom des produits et des services correspondant aux slogans écrits sur son carton. Au bout de 3 minutes, les équipes échangent leurs cartons et cherchent à identifier les nouveaux produits. L'équipe qui trouve le plus grand nombre de bonnes réponses est déclarée gagnante.

VARIANTE

On peut aussi utiliser des slogans provenant de publicités diffusées à la télévision. On remet un crayon et une feuille de papier à chaque joueur. L'animateur lit une quinzaine ou une vingtaine de slogans. Les joueurs écrivent les produits qui correspondent aux slogans. Celui qui a le plus grand nombre de bonnes réponses est déclaré gagnant.

Le garçon de restaurant

9 à 21 joueurs

Papier, 1 crayon

On désigne au sort le joueur qui sera le garçon. Les autres, les clients, se mettent par groupes de quatre.

Les clients commandent tous leur menu au garçon. Celui-ci se précipite à la cuisine pour transmettre les ordres ou, plus exactement, pour aller noter dans une pièce voisine, en face de chaque nom, le menu demandé. Il revient et présente cette liste de table en table. Les protestations indignées des clients qui n'ont pas été servis conformément à leur désir sont souvent fort drôles, quand les clients sont doués pour le théâtre. On compte alors le nombre de plats correctement notés par le garçon, et on passe à un autre. Quand tous ont eu leur tour, on compare le nombre de points ; celui qui en a le plus est déclaré gagnant. Si les joueurs sont nombreux, il est recommandé d'abréger le menu.

• • • • • • • • • • •

Qui parle ?

5 à 25 joueurs

Magnétophone

Les joueurs se divisent en deux ou plusieurs équipes, composées de cinq membres au minimum. On convient d'une phrase ou d'un court texte à lire.

Chaque équipe entre dans le « studio » où se trouve le magnétophone. À tour de rôle, ses membres viennent devant le micro lire la phrase ou le texte, en contrefaisant leur voix. Quand toutes les équipes ont été enregistrées, on se réunit et l'on écoute la bande magnétique dans un silence religieux. Le but est de mettre des noms sur les voix sans se tromper. Chaque équipe note, au fur et à mesure, les réponses de ses membres (il faut laisser un intervalle de temps assez long entre chaque émission de voix, afin de permettre la discussion). Lorsque toutes les voix ont été entendues, et que toutes les équipes se sont mises d'accord sur les résultats qu'elles proposent, on compare et on attribue 1 point à chaque identification exacte. Ce jeu est très gai : il garantit une ambiance dynamique et joyeuse !

• • • • • • • • • • • • • • • •

Chacun ses goûts

6 à 12 joueurs

1 crayon et 1 feuille de papier par joueur

Chaque joueur doit écrire son nom et indiquer cinq choses qu'il aime et cinq qu'il n'aime pas sur sa feuille. La nature des sujets importe

peu : il peut s'agir de mode, de sport, d'aliments, de politique ou de toute autre chose.

L'animateur ramasse les feuilles et lit les listes une à une, sans en révéler l'auteur. Les joueurs doivent deviner qui a écrit chacune des listes. Il n'y a ni gagnants ni perdants. Bien entendu, les joueurs doivent être honnêtes en rédigeant leurs listes. Le jeu est d'autant plus amusant que les joueurs se connaissent bien.

• • • • • • • • • • • • • • • • • • • •

J'aime... je n'aime pas

6 à 12 joueurs

1 dictionnaire

J'aime... je n'aime pas

Le meneur de jeu dit une phrase par laquelle il indique, selon un code que les joueurs doivent découvrir, ce qu'il aime et ce qu'il n'aime pas. S'il dit, par exemple : « J'aime le lierre mais pas les prières ! » cela veut dire qu'il aime les mots contenant une lettre double, plutôt que les autres. Un joueur qui, croyant avoir trouvé la solution, voudrait s'en assurer, pourrait alors vérifier dans le dictionnaire et demander : « Vous aimez le ragoût de pattes mais pas les pâtes, n'est-ce pas ? » En posant des questions sur ce principe, les joueurs s'efforcent de découvrir ce que l'animateur aime et n'aime pas. Le premier joueur qui découvre la solution prend la place de l'animateur. Il peut alors préférer, par exemple, les mots se terminant en « a », ou ceux qui contiennent un « r ». Le jeu offre de nombreuses possibilités et peut être plus ou moins compliqué, selon les joueurs.

Le colin à l'odorat

🕯️ **6 à 12 ans**

✂️ **Bandeaux ou foulards, gobelets en carton, divers produits d'odeurs différentes : oignon écrasé, clous de girofle, café moulu, dentifrice, savon, eau de Cologne, peinture, essence de térébenthine, etc.**

Ce jeu et ses variantes se basent sur les principes de colin-maillard. Les joueurs se divisent en deux équipes et quittent la pièce. En leur absence, l'animateur verse de petites quantités des divers produits dans les gobelets qu'il aligne sur une table.

L'animateur appelle tour à tour les joueurs des deux équipes. Chaque fois, il bande les yeux du joueur et le conduit près de la table pour lui faire sentir un à un les divers produits. Il note soigneusement les produits que le joueur a réussi à identifier. Quand tous les joueurs ont eu leur tour, l'équipe dont les membres ont identifié le plus grand nombre de produits est déclarée gagnante.

VARIANTES

Le colin au goût suit les mêmes principes. L'animateur fait goûter aux joueurs de petites quantités de produits (liquides et solides), qu'ils doivent identifier. Pour compliquer les choses, il prendra soin d'inclure au menu quelques produits rares ou inattendus, comme du potiron ou des graines de citrouille. Dans Le colin au son, les joueurs doivent reconnaître des objets au bruit qu'ils font en étant manipulés : balle de ping-pong, pièce d'argenterie, pistolet à amorces, etc. On leur fera aussi reconnaître le bruit de quelqu'un qui se brosse les dents ou qui brosse des chaussures, par exemple. Le colin au toucher se joue de la même façon, mais chaque joueur a 1 minute pour reconnaître, en les palpant, divers objets enfermés dans un sac. Il enlève ensuite son bandeau et doit écrire sur une feuille de papier tous les objets qu'il a identifiés et dont il se souvient. Bien entendu, tous ces jeux, au lieu d'être pratiqués par équipes, peuvent faire l'objet de concours individuels où le joueur qui obtient les meilleurs résultats est proclamé champion.

Le portraitiste

👥 **6 à 15 joueurs**

✂️ **1 crayon et 1 feuille de papier par joueur**

Le meneur de jeu remet une feuille de papier et un crayon à chacun des joueurs et leur demande de décrire en quelques lignes l'une des personnes présentes.

Le meneur de jeu ramasse les feuilles et les lit à haute voix. Celui qui se sent visé par un des portraits se lève. Le résultat est assez drôle, parce que parfois plusieurs joueurs se lèvent en même temps. Il va sans dire que la méchanceté n'est pas ici à sa place (elle n'y est d'ailleurs nulle part) et qu'on restera toujours sur le plan de la taquinerie et de la mise en boîte.

Le colin à l'odorat

fromage éponge orange café boue lait

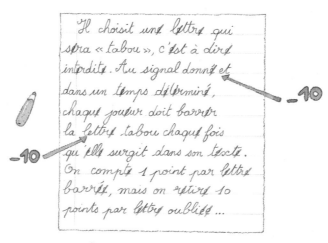

La lettre tabou

La lettre tabou

4 à 10 joueurs

1 journal et 1 crayon par joueur

L e meneur de jeu distribue aux joueurs des colonnes d'articles de journaux d'égale longueur et des crayons. Il choisit une lettre qui sera tabou, c'est-à-dire interdite. Au signal donné et dans un temps déterminé (2 minutes, par exemple), chaque joueur doit barrer la lettre tabou chaque fois qu'elle surgit dans son texte. On compte 1 point par lettre barrée, mais on retire 10 points par lettre oubliée. Mieux vaut donc aller moins vite et faire plus attention.

Le télégramme improvisé

6 à 12 joueurs

Papier et 1 crayon par joueur

L'animateur choisit 9 lettres de l'alphabet, qu'il communique aux joueurs.

L es joueurs écrivent les 9 lettres sur une ligne ou en colonne, puis, pendant le temps prévu (5 ou 10 minutes, par exemple), ils doivent rédiger des messages dont chaque mot commence par une des lettres indiquées, dans l'ordre. Chacun lit ensuite son message à voix haute… à la grande joie de tous.

	PREMIÈRE SOLUTION	DEUXIÈME SOLUTION
A	Attention,	Assez
C	chien	charrié,
M	méchant !	mauvais
F	Fermez	farceur.
L	la	Lugubres
B	barrière	baisers.
Q	quand	Quand
V	vous	venez-vous ?
P	partirez !	Paule.

Nommez-en six !

12 à 20 joueurs

1 petite balle

Les joueurs forment un cercle et se passent de l'un à l'autre un petit objet, par exemple une petite balle.

L' animateur, qui n'est pas dans le cercle, choisit une lettre et l'annonce. Le joueur qui détient la balle à cet instant la passe aussitôt à son voisin de gauche, qui la passe au joueur suivant, et ainsi de suite. Le premier joueur doit, par ailleurs, nommer six objets dont le nom commence par la lettre annoncée avant que la balle lui soit revenue, ayant fait le tour du cercle. S'il réussit, il reste dans le cercle et l'animateur choisit une nouvelle lettre, qu'il impose à un autre joueur. Si celui-ci échoue, il est éliminé. Le jeu se poursuit ainsi, le cercle se rétrécissant peu à peu jusqu'à ce qu'il ne reste qu'un joueur, qui gagne la partie.

VARIANTE

On peut adapter le nombre de mots à celui des joueurs. Ainsi, si les joueurs sont peu nombreux (de 6 à 10), on ne leur demande de trouver que quatre objets. Au contraire, s'ils sont plus d'une vingtaine, ils devront trouver 10 objets commençant par la lettre désignée.

● ● ● ● ● ● ● ● ● ● ● ● ● ● ● ●

Les petits papiers

5 à 10 joueurs

1 crayon et 1 feuille de papier par joueur

Les joueurs sont assis autour d'une table. Au signal donné, ils écrivent en haut de leur feuille l'article défini « le » et un adjectif pouvant s'appliquer à un homme ; ils plient le papier de manière à cacher seulement ce qu'ils ont écrit et le passent à leur voisin de droite. Tous notent alors le nom d'un homme sur le papier qu'ils viennent de recevoir, plient celui-ci et le passent à leur voisin de droite. Ils écrivent ainsi, en se transmettant les papiers repliés après chaque membre de phrase, un scénario sur le schéma suivant :
– Le… (adjectif qualifiant un homme) ;
– (nom d'un homme connu des joueurs, célèbre ou non) ;
– et la… (adjectif qualifiant une femme) ;
– (nom d'une femme connue des joueurs) ;
se sont rencontrés à… (lieu de la rencontre) ;
– ils ont ou ils se sont… (attitude ou action commune aux deux acteurs) ;
– il lui a dit… (phrase quelconque) ;

– elle lui a répondu… (phrase quelconque) ;
– moralité… (proverbe ou phrase de portée générale).

Les papiers sont alors mélangés ; chacun en prend un au hasard et le lit à haute voix. Le récit, toujours cocasse, provoque infailliblement les rires.

JEUX POUR VOYAGES ET EXCURSIONS

Peu importe l'occasion, voyage en bus, excursion au bord de la mer ou à la montagne, périple de quelques heures à la campagne… les jeux que vous trouverez dans cette rubrique y ajouteront une note de gaieté.

En effet, si les enfants raffolent généralement des voyages en famille, ils supportent en revanche moins bien les longues heures de voiture parfois nécessaires à l'aller et au retour. De petits jeux faciles peuvent les aider à dominer leur impatience. En voici donc quelques-uns qui, en plus d'être distrayants, amèneront les enfants à aiguiser leur sens de l'observation en les obligeant à remarquer les plaques de voitures, les panneaux de signalisation, les accidents géographiques et d'autres points de repère.

● ●

Le bingo des plaques

7 à 10 ans

Papier et crayons

Le bingo des plaques

L'alphabet de la route

Deux ou trois joueurs dessinent chacun une grille de neuf cases. Ils inscrivent dans chaque case un nombre à deux chiffres. Les nombres diminuent à la fois de gauche à droite et de haut en bas. Un autre passager repère les plaques de voiture et donne à voix haute les deux premiers chiffres qu'il voit. Les joueurs barrent les nombres à mesure qu'ils sont appelés. Le premier joueur à barrer trois nombres qui se suivent horizontalement, verticalement ou en diagonale a gagné.

L'alphabet de la route

7 à 10 ans

Il s'agit de reconstituer l'alphabet dans l'ordre en prenant les lettres, une par une, sur les divers panneaux qui bordent la route. Un joueur observe le côté droit de la route et l'autre, le côté gauche. Le premier à terminer l'alphabet a gagné.

La bonne voie

10 à 12 ans

1 carte routière du pays ou de la région

Chaque joueur se choisit une destination éloignée de là où il se trouve en voiture. En examinant les plaques d'immatriculation des voitures qu'ils croisent ou qui les dépassent sur la route, les joueurs essaient de repérer les départements (ou les États, en Amérique du Nord) qu'ils doivent traverser pour arriver à destination. Ils peuvent prendre la route de leur choix, même en faisant des détours, à la seule condition qu'elle les mène, département par département, État par État, à l'endroit qu'ils ont choisi, comme s'ils étaient vraiment au volant d'une voiture. Le premier à arriver à bon port a gagné. Ce jeu convient surtout aux voyages d'été sur les grandes routes où circulent beaucoup de voitures.

Devinez la population

10 à 12 ans

1 carte routière ou 1 guide de la route

Au moment où vous traversez une ville ou un village, chaque passager essaie de deviner combien de gens y habitent. On consulte ensuite la carte ou le guide. Le joueur dont la réponse se rapproche le plus du chiffre exact est déclaré gagnant.

Le jeu des plaques d'immatriculation

10 à 12 ans

1 feuille de papier et 1 crayon par joueur

Chaque joueur écrit un mot de trois ou quatre lettres sur un bout de papier. Il observe ensuite les plaques des voitures ; quand il voit sur celles-ci une des lettres formant son mot, il la barre. Le premier joueur à barrer toutes les lettres de son mot a gagné.

VARIANTES

Dans Le jeu de l'alphabet, les joueurs écrivent toutes les lettres de l'alphabet sur un papier et les barrent les unes après les autres dès qu'ils les voient sur les plaques des automobiles. Comme il est peu probable que les joueurs repèrent tout l'alphabet, le gagnant sera celui qui aura barré le plus de lettres au bout de 10 minutes. Dans La course aux chiffres, chaque joueur écrit les chiffres de 0 à 9 sur un bout de papier. Chacun à son tour, les joueurs observent les plaques et barrent les chiffres correspondants. Le premier à barrer les 10 chiffres gagne. Dans Les chiffres pairs et impairs, deux joueurs seulement s'affrontent. Seul le dernier chiffre des plaques des voitures est utilisé dans ce jeu. Un joueur gagne 1 point pour chaque chiffre impair qu'il repère ; l'autre en gagne 1 pour chaque chiffre pair. Le premier joueur à atteindre le total de 30 points a gagné.

Chantons en chœur

6 à 12 ans

1 harmonica

Il n'y a pas meilleure façon de tromper l'ennui d'une longue route que de chanter en chœur sur un petit air d'harmonica. Il n'y a ici ni gagnant, ni perdant ; on devrait cependant permettre à chaque passager de choisir une chanson. Il vaut mieux chanter des airs que tout le monde connaît : « À la claire fontaine », « Il était un petit navire », « Aux marches du palais », etc. On peut aussi, de temps à autre, permettre à un

Chantons en chœur

adulte ou à un enfant d'apprendre aux autres une chanson nouvelle, d'autant que les jeunes sont souvent fort au courant des refrains à la mode.

À quelle distance ?

 8 à 12 ans

 1 feuille de papier et 1 crayon par joueur

Dans ce jeu, le conducteur fait remarquer certains points de repère que l'on peut voir de loin, comme un gratte-ciel, une colline, le méandre d'une rivière, le sommet d'une montagne. Chaque joueur essaie de deviner à combien de kilomètres de la voiture se trouve ce point de repère. On note les réponses de chacun des joueurs, ainsi que le kilométrage inscrit au compteur. Le joueur dont la réponse est le plus près de la réalité gagne. C'est un jeu qui se joue de préférence par temps clair, lorsque l'on peut distinguer les points de repère à quelque 25 ou 30 kilomètres.

VARIANTES

Dans Où sommes-nous rendus ?, les joueurs doivent évaluer une distance parcourue. Le conducteur prend note du kilométrage inscrit au compteur et donne le signal du jeu. Au bout d'un moment, il vérifie la distance parcourue au compteur de la voiture et demande aux joueurs de donner leur avis. Les uns diront : 7 kilomètres, d'autres, 10, etc. Celui dont la réponse se rapproche le plus de la réalité a gagné.

Le premier qui voit

6 à 10 ans

1 feuille de papier et 1 crayon par joueur

Avant le départ, constituez une liste d'animaux ou de choses que l'on peut voir au cours d'un voyage. Par exemple :

un cheval	une meule de foin
une vache	un pommier
une grange	un tracteur
une bicyclette	un étang
un passage à niveau	un château d'eau
une rivière	un train
un champ de maïs	un cimetière

Chaque joueur reçoit un exemplaire de la liste et un crayon. Dès que l'un des joueurs aperçoit l'un des éléments inscrits sur la liste, il le nomme à haute voix et le barre. Si plusieurs joueurs voient le même élément en même temps, c'est le premier à parler qui l'emporte. Le gagnant est celui qui barre le plus d'éléments en une demi-heure.

VARIANTES

Si l'on joue avec de jeunes enfants, au lieu d'établir une liste, on leur dira tout simplement : « Le premier qui voit... une poule » et l'on attendra d'avoir vu la poule avant de proposer autre chose.

Les sept villes

8 à 12 ans

1 feuille de papier, 1 crayon et 1 exemplaire de la même carte routière par joueur

Un adulte établit une liste de sept villes ou villages qu'on peut repérer sur la carte et remet un exemplaire de celle-ci à chaque joueur. Le premier à les retrouver toutes sur sa carte et à les encercler a gagné.

Les sept villes

Le jeu des paires

Le jeu des itinéraires

🕯️ **10 à 12 ans**

✂️ **Papier, crayons, plusieurs exemplaires de la même carte routière**

Chaque joueur reçoit un exemplaire de la même carte routière. On leur donne le nom de deux villes assez éloignées l'une de l'autre. Ils essaient alors de trouver sur la carte les divers itinéraires que l'on peut suivre pour aller de l'une à l'autre, sans utiliser deux fois la même route.

Le jeu des paires

🕯️ **2 joueurs**

✂️ **2 feuilles de papier et 2 crayons**

L'un des joueurs prend les chiffres de 0 à 4 ; l'autre de 5 à 9. Chacun à leur tour, ils examinent les plaques des voitures. Chaque joueur gagne 1 point lorsqu'il repère un de ses chiffres, mis en paire ; par exemple : 33 ou 55. Le premier joueur à recueillir 5 ou 10 points a gagné.

VARIANTE

Dans Le poker-auto, les joueurs (deux ou plus) s'efforcent de former des combinaisons avec les chiffres des plaques d'immatriculation : paire, brelan (trois chiffres semblables), full (brelan plus paire), séquence (chiffres qui se suivent), etc. Chaque joueur, à tour de rôle, examine les plaques d'une voiture différente et annonce sa « main ». Quand chacun a eu son tour, celui qui a obtenu la plus forte combinaison marque 1 point. Les joueurs jouent ainsi jusqu'à ce que l'un d'entre eux, le gagnant, obtienne 10 points.

Quelle marque ?

🕯️ **6 à 12 ans**

On peut jouer de deux façons. Chacun à leur tour, les joueurs peuvent essayer d'identifier la marque de la voiture qui vient en sens contraire, et marque 1 point par bonne réponse. Ou encore, le premier à identifier correctement une voiture gagne 1 point et en perd 1 s'il se trompe. Une personne doit servir d'arbitre.

Les trois voyages

🕯️ **8 à 12 ans**

✂️ **1 feuille de papier, 1 crayon et 1 exemplaire de la même carte routière par joueur**

On assigne à chaque joueur trois voyages à faire, chacun ayant comme points de départ et d'arrivée deux villes différentes. Il doit calculer la distance à parcourir pour chaque voyage. On consulte alors le tableau kilométrique. Le joueur dont le total se rapproche le plus de la réalité gagne. C'est un bon exercice d'arithmétique pour les enfants.

intérieur avec peu de matériel

PETITES EXPÉRIENCES SCIENTIFIQUES

Le téléphone maison

6 à 12 ans

2 boîtes de conserve et 1 long fil métallique fin

L es fils transmettent le son : c'est ce que démontre cette simple expérience de téléphone improvisé. On perce le fond de deux boîtes de conserve. (Des boîtes de maïs feront particulièrement bien l'affaire.) On passe un fil métallique d'environ 3 mètres de long dans les trous et on fait un nœud aux deux extrémités du fil, pour le maintenir.

Deux enfants prennent chacun une des boîtes, en tendant le fil. L'un d'eux parle doucement dans sa boîte tandis que l'autre porte la sienne à son oreille. On observera alors que le fil transmet la voix et même les simples chuchotements. Pour mieux s'en convaincre, il suffit de relâcher la tension du fil : le son, alors, ne sera pas transmis.

L'oxygène et le feu

6 à 12 ans, en présence des parents

3 chandelles et 3 bocaux (1 grand, 1 petit, 1 moyen)

C ette expérience montre que le feu a besoin d'oxygène et le consume. On allume trois chandelles de même grosseur et

on les recouvre avec les trois bocaux. La chandelle couverte par le plus petit bocal ne tarde pas à s'éteindre. Celle du bocal moyen durera environ deux fois plus longtemps, et l'autre huit fois plus longtemps.

La conservation du sol

6 à 12 ans

Moules à gâteau, boue, eau

F acile à réaliser, cette expérience montre qu'une bonne technique de labourage enraye l'érosion du sol par la pluie. On remplit deux grands moules à gâteau de boue dont on forme des monticules. Dans un des moules, on trace des sillons autour du monticule en respectant sa dénivellation. Dans l'autre, on creuse des sillons allant de bas en haut du monticule. On arrose ensuite les monticules avec la même quantité d'eau et on peut constater rapidement que, dans le moule où les sillons font le tour du monticule, l'eau se conserve plus longtemps et le sol résiste mieux à l'érosion que dans celui où les sillons partent du sommet.

L'air chaud et l'air froid

6 à 12 ans, en présence des parents

2 grands bols, 2 ballons de baudruche, 1 bouteille

L' expérience vise à illustrer les effets du froid et de la chaleur sur l'air. On remplit

Le téléphone maison

La marguerite colorée

un des bols d'eau glacée, l'autre d'eau très chaude. On fixe un ballon de baudruche au goulot de la bouteille et on la place dans le bol d'eau chaude. Le ballon ne tarde pas à se gonfler : sous l'effet de la chaleur, l'air de la bouteille s'est dilaté et a envahi le ballon. En revanche, si on met la bouteille dans le bol d'eau froide, l'air se contracte et le ballon se dégonfle.

La marguerite colorée

6 à 12 ans

Peinture à l'eau et 1 marguerite

I l s'agit de montrer que les plantes, et notamment les arbres, puisent de l'eau dans le sol. On place une tige de marguerite dans un verre d'eau colorée. Au bout de quelques heures, la tige et les feuilles porteront des traces de couleur. Bien qu'elle ait été coupée, la marguerite est toujours vivante et sa sève recueille et transporte l'eau colorée que la plante puise dans le verre.

Le bocal humide

6 à 12 ans

1 bocal de verre

P our démontrer qu'il y a toujours de l'humidité dans l'air, on remplit un bocal de cubes de glace et on le ferme hermétiquement. Au bout de quelques minutes, l'extérieur du bocal est mouillé. On le sèche soigneusement avec un torchon et le phénomène se reproduit. La raison en est qu'au contact du verre froid

l'humidité de l'air se condense et forme des gouttelettes d'eau. C'est de cette façon que la rosée se forme sur le gazon frais, au début de la matinée, avant que le soleil la fasse disparaître en réchauffant le sol.

À quoi servent les vers de terre ?

6 à 12 ans

1 bocal de verre, sable, terreau, vers de terre

L' expérience a pour but d'illustrer comment le sol s'enrichit de façon naturelle. On met au fond d'un bocal de verre environ 5 centimètres de sable blanc, bien propre, que l'on recouvre d'une couche de 7 à 8 centimètres de terreau. Puis on met plusieurs vers de terre dans le bocal. On couvre le bocal et chaque jour on y verse un peu d'eau de façon à entretenir l'humidité. Au bout de 2 semaines environ, on constatera que les vers de terre ont complètement mélangé le sable et le terreau, enrichissant aussi le sol d'éléments organiques qui permettent la vie des plantes.

Le xylophone maison

6 à 12 ans

Bouteilles ou verres de même grandeur, 1 cuillère

O n aligne huit bouteilles (ou verres) dans lesquelles on verse des quantités croissantes d'eau (la bouteille la moins pleine à un bout, la plus pleine à l'autre). En frappant les

Le xylophone maison

bouteilles avec une cuillère, on observe que chacune donne un son d'un ton différent. En variant la quantité d'eau d'une bouteille à l'autre, on peut obtenir une gamme complète ; en ajoutant des bouteilles intermédiaires, par un ajustement précis, on obtient des dièses et des bémols. On peut de cette façon fabriquer un xylophone sur lequel on jouera des airs simples.

LES MARIONNETTES

Les marionnettes en papier

🎭 **2 à 6 joueurs**

🎂 **6 à 8 ans**

✂️ **Sacs de papier et articles de décoration**

On découpe des trous dans un sac en papier, pour faire les yeux et la bouche. Le nez, les oreilles, les sourcils et les cheveux peuvent être peints à l'aquarelle ou à la gouache, ou fabriqués avec des morceaux de papier collant. Le manipulateur glisse sa main dans le sac et attache le sac à son poignet avec un élastique ou de la ficelle. Pour le spectacle, les enfants se mettent à genoux derrière une table recouverte d'une nappe pour mieux les dissimuler. Ils tiennent les marionnettes au-dessus de leur tête.

Les marionnettes en mouchoirs

🎭 **2 à 6 joueurs**

🎂 **6 à 8 ans**

✂️ **Mouchoirs ou foulards et pastilles de couleur**

On fait un nœud dans le coin d'un grand mouchoir ou d'un foulard, puis on y glisse l'index : la tête de la marionnette est ainsi constituée. Pour faire les yeux, on colle deux pastilles de couleur ou on enfonce dans le nœud deux punaises. On enroule le mouchoir autour du pouce et du majeur et l'on a les deux bras. Il suffit de bouger les doigts pour animer le personnage. Avec ce genre de marionnette, les enfants doivent non seulement faire preuve d'imagination mais aussi de dextérité de façon à pouvoir y introduire le bout des doigts.

Les marionnettes en cacahouètes

2 à 6 joueurs

6 à 8 ans

Cacahouètes et articles de décoration

On coupe en deux les écales des cacahouètes de façon à pouvoir y introduire le bout des doigts. Puis on les décore avec des morceaux d'étoffe, des cure-dents, des boutons, pour représenter divers personnages. On invente une scène avec les personnages ainsi créés. Et l'on peut, soit confier une marionnette à chaque joueur, soit laisser le même joueur manipuler plusieurs marionnettes avec ses doigts. Bien entendu, plus les joueurs sont nombreux, plus on peut augmenter le nombre de personnages.

Les marionnettes en pommes de terre

2 à 6 joueurs

6 à 8 ans

Pommes de terre et articles de décoration

On creuse dans chaque pomme de terre un trou d'environ 5 centimètres de profondeur, de façon à pouvoir y introduire le doigt. Pour faire le visage, on se sert de raisins secs, de punaises et de papier collant. Du coton ou des brins de laine serviront pour les cheveux et la barbe. Enfin, on fera toutes sortes de chapeaux avec des morceaux de tissu. Pour compléter l'ensemble, il suffit de s'enrouler un mouchoir autour du poignet : le spectacle peut commencer.

Le théâtre de marionnettes

3 à 6 joueurs

6 à 8 ans

1 boîte en carton, 1 nappe, lampes de poche ou ampoules

Pour donner leur spectacle, les manipulateurs peuvent tout simplement se cacher derrière une table ou une chaise, mais on obtiendra le plus bel effet avec une simple boîte en carton rectangulaire. On ferme parfaitement la boîte avec du ruban adhésif et on découpe une grande fenêtre dans le côté qui fera le devant de la scène. Puis, sur le côté qui sera posé à plat sur la table, on découpe une bande d'environ 15 centimètres de large par laquelle passeront les marionnettes. On étend sur la table une nappe qui servira à dissimuler les manipulateurs et on place la boîte sur le bout de la table, en laissant dépasser la partie découpée où passent les marionnettes. Pour donner de l'ambiance, on éteint toutes les

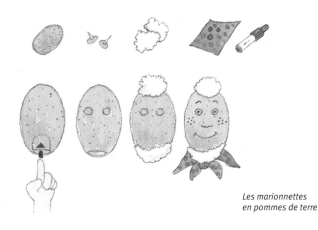

Les marionnettes en pommes de terre

lumières et on éclaire la scène avec des lampes de poche ou des ampoules qui font office de projecteurs. Pour inventer leurs pièces, les enfants peuvent s'inspirer de contes bien connus ou de personnages qu'ils ont vus à la télévision ou au cinéma. Les plus imaginatifs créeront leurs propres histoires et leurs propres personnages.

Le théâtre d'ombres

🎭 3 à 6 joueurs

🕯️ 6 à 8 ans

✂️ 1 boîte en carton, 1 nappe, lampes de poche ou ampoules

On enlève complètement le fond et le devant d'une boîte en carton, puis on couvre le devant avec un morceau de drap ou d'étoffe bien tendu que l'on fixe avec des punaises, des épingles ou du ruban adhésif. On place une lumière vive derrière le drap, un peu en arrière du théâtre, afin de bien faire ressortir les ombres. On pose la boîte sur une table recouverte d'une couverture ou d'une nappe pour cacher les manipulateurs. Ceux-ci tiennent leurs marionnettes au-dessus de leur tête et les ombres se dessinent sur le drap. Pour que le spectacle soit animé, on utilisera des marion-

nettes dotées de bras, et on demandera aux manipulateurs de les faire parler.

Fabriquer des marionnettes avec des balles

🎭 1 à 6 joueurs

🕯️ 6 à 8 ans

✂️ Balles, ciseaux, peinture
1 pinceau fin ; 1 gros pinceau

Les spectacles de marionnettes obtiennent toujours un grand succès auprès des enfants. Mais le plaisir est double lorsque ceux-ci fabriquent eux-mêmes leurs personnages et inventent leurs histoires. Une des méthodes les plus simples consiste à utiliser des balles.

On choisira des balles de caoutchouc, creuses et de couleur pâle, de la taille d'une balle de tennis. Il faut aussi des ciseaux, de la peinture à l'eau ou de la gouache, deux pinceaux (l'un fin et l'autre plus gros) et, bien sûr, une bonne dose d'imagination. En une demi-heure, avec un peu d'aide, n'importe quel enfant arrivera à se fabriquer une marionnette amusante et originale. En un seul après-midi, deux enfants pourront créer toute une série de personnages. Au besoin, la même balle peut

Le théâtre d'ombres

représenter deux personnages, selon qu'on en montre un côté ou l'autre, ou deux états d'âme d'un même personnage. Enfin, avec une seule balle, il suffira à l'enfant de changer de voix pour créer des personnages différents.

Quand les marionnettes sont achevées, on glisse l'index dans la balle pour animer la tête. Les autres doigts font le corps et les bras. Avec un peu de pratique, on découvre vite les mouvements que l'on peut faire faire aux marionnettes. C'est alors le moment d'inventer une courte pièce, d'improviser un théâtre de marionnettes et de rassembler parents et amis.

À VOS CRAYONS

Les masques

4 à 12 joueurs

6 à 10 ans

Papier à dessin, ruban adhésif transparent, craies de couleur, ou peinture et pinceaux

Les masques

On donne à chaque joueur une feuille de papier et du ruban adhésif. Chacun se couvre le visage de la feuille de papier, qu'il fixe avec le ruban. On distribue ensuite des craies de couleur tendres ou de la peinture et des pinceaux. Sans voir ce qu'il fait, chaque joueur dessine sur sa feuille ses yeux, son nez, sa bouche, ses sourcils et ses autres traits. Quand tout le monde a fini, on expose les masques. Le plus souvent, les résultats sont loufoques et désordonnés, mais il arrive que certains parviennent à des œuvres remarquables par leur

exactitude ou leur inspiration. En procédant par votes, on accordera un prix au meilleur artiste.

Le portrait collectif

5 à 20 joueurs

8 à 10 ans

1 grande feuille de papier et 1 crayon par joueur

Chaque joueur dessine une tête dans le haut de sa feuille, puis plie la feuille de façon à cacher la tête mais à laisser voir la base du cou. Au signal du meneur de jeu, chaque joueur passe sa feuille pliée à son voisin de droite, et dessine sur la feuille qu'il a reçue de son autre voisin le torse du personnage (des épaules à la taille, y compris les bras), replie la feuille de façon à ne laisser voir que la taille, et la passe de nouveau à son voisin de droite. Celui-ci continue le corps jusqu'aux genoux, et le dernier dessine les jambes et les pieds. Il est bon que les joueurs pensent à chaque étape au même personnage. On déplie finalement les feuilles pour examiner les résultats, qui sont toujours comiques, éléments masculins et féminins se mélangeant. Si les joueurs sont nombreux, on peut jouer par équipes.

Le cochon aveugle

6 à 20 joueurs

6 à 10 ans

1 feuille de papier et 1 crayon par joueur

On bande les yeux des joueurs et on leur distribue une feuille de papier et un crayon. Chaque concurrent doit dessiner un cochon d'un seul trait, sans lever son crayon. Une fois le contour terminé, il peut lever le crayon et dessiner un œil à l'endroit qu'il juge exact. Une fois les bandeaux enlevés, on com-

Le cochon aveugle

pare les œuvres. Le gagnant est celui dont le dessin est jugé le meilleur par l'ensemble des joueurs.

• • • • • • • • • • • • • • • • • •

L'artiste et le public

🀫 **6 à 20 joueurs**

🕯 **8 à 12 ans**

✂ **Papier et crayons**

L es joueurs s'assoient en groupes de trois ou quatre. Le meneur de jeu se place au centre. On donne à un joueur de chaque équipe, l'artiste, un crayon et une feuille de papier. Il se rend près du meneur de jeu. Celui-ci montre à tous les artistes un bout de papier sur lequel est écrit un mot, qui peut avoir un sens très concret, comme chien, maison, auto, ou plus abstrait, comme crime, religion ou bonheur. Chacun des artistes retourne auprès de son équipe, qui constitue alors son public. Il se met à faire des dessins pour illustrer le mot à découvrir. Il lui est interdit de dessiner des lettres ou des chiffres, de même que de parler ou d'émettre le moindre son. À mesure que les joueurs de son équipe formulent des hypothèses, il peut cependant leur indiquer par des gestes s'ils sont près ou loin de la solution. Il ajoute des éléments à son dessin jusqu'à ce qu'un joueur trouve la bonne réponse et la donne au meneur de jeu. La première équipe

qui trouve la solution gagne 5 points, la deuxième 3 points et la troisième 1 point. On choisit alors de nouveaux artistes et un nouveau mot, et le jeu se répète jusqu'à ce que tous les joueurs aient eu leur tour. L'équipe qui a obtenu le plus de points gagne la partie.

• • • • • • • • • • • • • • • • • •

Qu'est-ce que c'est ?

🀫 **5 à 20 joueurs**

🕯 **6 à 12 ans**

✂ **Papier, craies ou crayons de couleur**

O n donne à chaque joueur une grande feuille de papier, des craies ou des crayons de couleur et un morceau de papier sur lequel est écrit le nom d'un animal. Au signal du meneur de jeu, les concurrents s'appliquent à dessiner sur leur feuille les animaux qui leur ont été assignés. On affiche ensuite les chefs-d'œuvre sur un mur et on les numérote. Les joueurs doivent recopier les numéros et écrire en face les noms des animaux qui, d'après eux, sont illustrés sur les divers dessins. Le meneur de jeu donne ensuite les réponses exactes. Le gagnant du concours est celui qui a réussi à identifier le plus grand nombre d'animaux, mais on peut aussi décerner un prix à l'auteur du dessin qui a été identifié correctement par le plus grand nombre de joueurs.

● ●

Les rangées de douze

2 à 6 joueurs

8 à 12 ans

LE BUT

On dessine une série de sept cercles comme ci-dessous. Il s'agit d'inscrire dans les cercles les chiffres de 1 à 7 inclusivement, de façon que le total de chacune des rangées (horizontales, verticale et diagonales) soit toujours de 12. Tous les cercles doivent être remplis et aucun chiffre ne peut être utilisé plus d'une fois.

LA SOLUTION

Les chiffres des deux rangées horizontales sont respectivement 6, 1, 5 et 3, 7, 2. Ceux des rangées diagonales sont respectivement 6, 4, 2 et 5, 4, 3. Ceux de la colonne centrale sont 1, 4 et 7.

● ● ● ● ● ● ● ● ● ● ● ●

Les initiales

6 à 20 joueurs

6 à 12 ans

1 grande feuille de papier et 1 crayon par joueur

Au signal convenu, les joueurs écrivent sur leur feuille, en grosses lettres (de sorte qu'elles occupent beaucoup de place), les initiales de leur prénom et de leur nom ; à partir de cela, ils composent un dessin en utili-sant les lignes de leurs initiales. Le gagnant du concours est celui qui, de l'avis général, a fait preuve de la plus grande ingéniosité.

● ● ● ● ● ● ● ● ● ● ● ● ● ● ● ● ●

La petite roulette

4 à 12 joueurs

6 à 9 ans

Carton, crayons, ciseaux, 1 planche

On dessine un grand cercle sur une feuille de carton et on le divise en parts égales. (Un moyen facile de tracer un cercle, si l'on n'a pas de compas, consiste à attacher un crayon à une ficelle dont on maintient l'extrémité au centre présumé du cercle.) On inscrit des chiffres différents dans chacune des parts. On découpe le cercle et on le fixe sur une planche en bois ou en contreplaqué avec un clou planté en son milieu. On prendra soin de faire un trou un peu plus large que le clou pour que la roulet-te tourne facilement. Les yeux fermés, un pre-mier joueur fait tourner la roulette, puis l'arrête brusquement en y plantant son crayon. Il marque ses initiales dans la tranche indiquée par son crayon. Les autres joueurs en font autant. Les points se comptent de deux façons. Une première méthode consiste à accorder à chaque joueur le nombre de points correspon-dant aux chiffres inscrits dans les parts où il plante son crayon : le premier joueur qui obtient le nombre de points convenu gagne. L'autre méthode consiste à déclarer gagnant le joueur qui a occupé le plus grand nombre de parts vierges (celles déjà occupées ne comptant pas).

intérieur avec peu de matériel

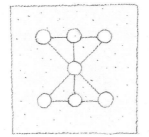
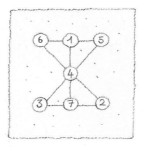

Les rangées de douze

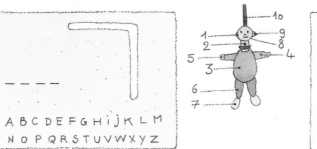

Le pendu

Les pays

4 à 10 joueurs

7 à 10 ans

Papier et crayons

À partir d'une carte du monde, on trace sur des feuilles de papier le contour de divers pays au hasard et on choisit autant que possible des pays faciles à identifier. On donne un numéro à chaque contour. Il s'agit d'identifier, dans les limites de temps prévues, le plus grand nombre de pays.

VARIANTE

On peut aussi remettre aux joueurs une carte muette d'un pays qu'ils connaissent. Ils doivent alors inscrire le nom des villes à côté du point correspondant à leur emplacement sur la carte muette.

Le pendu

2 à 6 joueurs

7 à 11 ans

Papier, 1 crayon

Le jeu se passe entre le bourreau et le pendu. Le bourreau dessine sur une feuille de papier une potence en forme de L renversé. Il écrit en dessous toutes les lettres

Il choisit un mot de cinq lettres ou plus et trace au-dessous de la potence autant de tirets que le mot contient de lettres. Le pendu essaie de composer le mot en donnant des lettres une par une. Chaque fois qu'il tombe sur une bonne lettre, le bourreau doit l'inscrire au-dessus du tiret approprié. Si la lettre n'est pas bonne, le bourreau la raye et dessine sous la potence une partie du corps du pendu. Il complète son dessin en ajoutant, dans l'ordre, les éléments suivants : 1. la tête ; 2. le cou ; 3. le torse ; 4. les bras ; 5. les mains ; 6. les jambes ; 7. les pieds ; 8. le nez, les yeux et la bouche ; 9. les oreilles ; 10. la corde. S'il devine le mot avant que le bourreau ait achevé son dessin, le pendu gagne et prend la place du bourreau pour la partie suivante. Dans le cas contraire, on recommence, et le bourreau garde sa place.

La bataille navale

2 joueurs

8 à 12 ans

2 feuilles de papier et 2 crayons

Chaque joueur trace sur sa feuille deux grilles de 10 cases de côté, qui sont désignées horizontalement par les lettres de A à J, verticalement par les chiffres de 1 à 10. Dans la première grille, il place, à l'insu de son adversaire, sa propre flotte, qui se compose de 10 bâtiments :
– 1 cuirassé amiral (quatre cases) ;
– 2 croiseurs (trois cases chacun) ;
– 3 torpilleurs (deux cases chacun) ;
– 4 sous-marins (une case chacun).

Ces bâtiments ne doivent pas se toucher entre eux, ne fût-ce que par un coin. La seconde grille représente les eaux de la flotte adverse, et chaque joueur y inscrira les coups qu'il aura portés. Le premier joueur annonce, par exemple : « A6 ! » Son camarade lui répond, selon le cas : « Dans l'eau ! » si le coup est passé à côté d'un bâtiment, et « Touché ! » ou « Coulé ! » autrement. Un bâtiment est coulé lorsque toutes ses cases ont été touchées. (N'occupant qu'une case, les sous-marins sont toujours coulés du premier coup.) Lorsqu'un joueur a coulé un navire, il raye les cases qui l'entourent puisqu'elles ne peuvent être occupées. Les joueurs tirent à tour de rôle. Le vainqueur est celui qui a réussi le premier à couler la flotte de son adversaire.

● ● ● ● ● ● ● ● ● ● ● ● ● ● ●

Les silhouettes

▥ 6 à 20 joueurs

♙♙♙ 6 à 10 ans

✄ Papier, crayons gras ou feutres, lampe puissante

O n demande aux joueurs de se tenir tour à tour de profil devant une lampe puissante qui projette leur ombre sur une feuille de papier fixée au mur. En l'absence des autres joueurs, le meneur de jeu dessine alors sur la feuille la silhouette du joueur avec un crayon gras ou un feutre. Il écrit ensuite un numéro sur chaque feuille et, au verso, le nom du joueur. Plus tard, après que les enfants sont passés à d'autres activités, on affiche les silhouettes sur le mur. Les joueurs copient les numéros sur des feuilles de papier et, s'efforçant d'identifier les silhouettes, écrivent devant chaque numéro le nom du joueur représenté. Le gagnant du concours est celui qui réussit à identifier le plus grand nombre de ses camarades.

● ●

Le parcours ininterrompu

▥ 1 à 6 joueurs

♙♙♙ 7 à 12 ans

✄ Papier, crayons

LE BUT
Le joueur doit suivre avec un crayon toutes les lignes qui constituent la figure (voir page 252) sans passer deux fois sur la même ligne ni lever le crayon.

LA SOLUTION
Il suffit de suivre le parcours indiqué sur la figure de droite : tout d'abord, on relie les points A, B, C

Les silhouettes

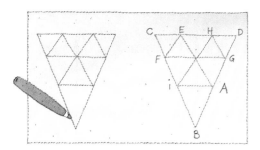

Le parcours ininterrompu

et D. De là, on redescend au point A. Toujours sans lever le crayon, on se rend ensuite en E, F, G, H et I. Pour terminer, on passe de I en A.

VARIANTE
La figure peut aussi représenter une maison. Les règles du jeu et la solution restent les mêmes : suivre, sans lever le crayon, l'ordre alphabétique de A à I.

Les petits carrés

🙎 2 joueurs

✂ 1 feuille de papier, 2 crayons

On trace sur une feuille de papier des rangées de points formant un vaste rectangle. Chaque rangée et chaque colonne devraient comprendre au moins 12 ou 15 points. Les joueurs, au nombre de deux, tracent tour à tour des lignes reliant deux points, à la verticale ou à l'horizontale. Le but du jeu est de tracer le plus grand nombre possible de carrés, tout en empêchant l'adversaire d'en faire autant. Quand un joueur voit des lignes qui délimitent trois côtés d'un carré, il s'empresse de tracer la quatrième ligne et d'y mettre son initiale. Il a alors le droit de tracer une autre ligne. À mesure que les lignes se multiplient, les joueurs peuvent compléter plusieurs carrés à la suite. Il s'agit alors de ne pas tracer de lignes qui permettraient à l'adversaire de compléter toute une série de carrés. Quand tous les points ont été reliés par des lignes, on compte le nombre de carrés appartenant à chaque joueur. Le joueur qui en a le plus gagne la partie.

Les nombres jumeaux

🙎 2 joueurs

✂ Papier, 2 crayons

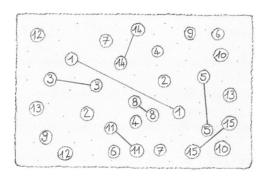

Les nombres jumeaux

On distribue une série de nombres, par exemple de 1 à 15, en deux exemplaires, un peu partout sur une feuille de papier, en prenant soin qu'aucun des nombres ne soit près de son « jumeau ». Les deux joueurs s'efforcent, tour à tour, de relier les nombres jumeaux sans croiser une ligne déjà tracée par l'autre joueur. Le premier qui échoue perd la partie.

La lettre-puzzle

🙎 2 joueurs

✂ Papier, 1 crayon, ciseaux

On dessine une grande lettre sur une feuille de papier, puis on la divise en plusieurs pièces que l'on découpe ensuite. On donne à deux joueurs des séries de pièces exactement semblables. Le premier qui reconstitue la lettre est le gagnant.

On peut, bien entendu, rendre le jeu plus difficile en utilisant plusieurs lettres. Dans ce cas, si les enfants n'ont que 6 ans, on les aidera en indiquant sur chaque pièce à quelle lettre elle appartient.

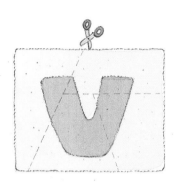

La lettre-puzzle

La prise du fort

2 joueurs

Papier, 2 crayons

On dessine un carré au milieu d'une feuille de papier en laissant une ouverture sur un des côtés. On écrit un peu partout sur la feuille une série de nombres, de 1 à 15, que l'on encercle. Le carré représente un fort, les chiffres encerclés, des avant-postes. Pour prendre le fort, il faut partir des avant-postes. Le jeu consiste à tracer des lignes reliant chacun des avant-postes au fort en évitant que les lignes se croisent. Chaque fois que deux lignes se coupent, le joueur qui les a tracées écope de 1 point de pénalité. Ce problème peut faire l'objet d'un jeu entre deux adversaires. Dans ce cas, chacun des joueurs remet à l'autre une feuille sur laquelle il a dessiné le fort et les avant-postes. Le joueur qui recueille le moins de points, après avoir tracé toutes ses lignes, gagne la partie.

TRAVAUX MANUELS

Bateau à « moteur »

8 à 10 ans

**1 scie à découper, 1 boîte à cigares
1 élastique, 1 palette de bois**

Avec le couvercle d'une boîte à cigares, un élastique et une palette de bois, on peut fabriquer en quelques instants un bateau à « moteur » qui fera la joie d'un enfant. On commence par découper à la scie, une planche très mince en taillant en pointe une des extrémités, pour faire la proue, et en creusant l'autre, la poupe, en forme de U. On passe un élastique autour des deux branches de la poupe et on glisse dans l'élastique une petite palette de bois qui servira d'hélice. On fait faire quelques tours à l'hélice et on met le bateau dans une baignoire ou un bac : il démarrera aussitôt en trombe.

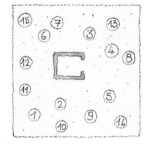

La prise du fort

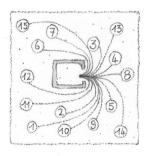

intérieur avec peu de matériel

Sculptures de savon

　6 à 10 ans

　Pains de savon, papier, 1 crayon, couteau

On choisira, si possible, de gros pains de savon rectangulaires. Si le savon est trop petit ou de forme ovale, il sera difficile à travailler. S'il est trop vieux, il risquera de se briser ou de s'effriter. On commence par gratter légèrement la surface du savon, avec un petit couteau, pour la rendre lisse et uniforme. On dessine ensuite le modèle que l'on veut sculpter sur une feuille de papier, et on le recopie sur la surface grattée du savon. On se sert du couteau pour ôter les gros morceaux et donner au savon, de façon approximative, la forme souhaitée. Pour terminer le travail, on peut utiliser divers instruments plus délicats, comme une lime à ongles ou des cure-dents. Quand la sculpture est achevée, on laisse le savon sécher 1 jour ou 2, puis on le polit avec une serviette en papier jusqu'à ce qu'il ait le brillant de l'ivoire.

Mobiles et statues de cintres

　6 à 10 ans

　Cintres en fil de fer

Des cintres en fil de fer que l'on plie avec des pinces font des statues originales et variées. On les fixe à des socles d'argile et, pour obtenir plus d'effet, on peut y suspendre des rubans, des morceaux de carton, des boutons, etc. En accrochant plusieurs cintres les uns aux autres et en les suspendant au plafond, on crée des mobiles que l'on peut décorer avec des rubans et des bouts de papier d'aluminium attachés par du fil blanc, qui reste presque invisible.

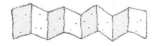

Gravure sur pomme de terre

　6 à 8 ans

　1 grosse pomme de terre, papier, 1 crayon, 1 couteau

On coupe une grosse pomme de terre en deux, de façon à ce que la tranche soit bien lisse. On dessine sur une feuille de papier un motif que l'on recopie ensuite sur la pomme de terre avec un crayon à mine tendre (Les lettres et les chiffres doivent être dessinés à l'envers pour être imprimés à l'endroit.) On creuse ensuite la pomme de terre tout autour du motif avec un couteau, de façon à ce que le motif soit bien en relief (0,5 centimètre). On couvre alors le motif de gouache avec un petit rouleau à peinture. Pour obtenir les impressions, il suffit d'appliquer un morceau de papier sur la pomme de terre et d'y faire passer un rouleau propre.

Ronde de figurines

　6 à 9 ans

　Papier, ciseaux, crayons

Cette ronde est facile à réaliser. Il suffit de prendre une bande de papier de 30 à

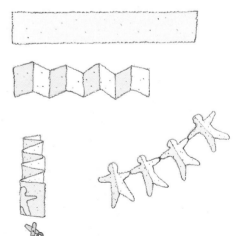

Ronde de figurines

35 centimètres de long que l'on plie en deux. On la replie encore deux fois en deux, puis on assemble les panneaux ainsi obtenus en accordéon. Plus la bande de papier sera longue, plus on pourra faire de pliages, et plus on obtiendra de figurines. On dessine ensuite sur le premier panneau la moitié du dessin que l'on veut réaliser, en laissant cependant au moins un point de contact de chaque côté. On découpe alors le papier de façon à ne laisser que la partie dessinée. Quand on déplie le papier, toutes les figurines se tiennent, formant une chaîne. Bien entendu, les motifs peuvent varier à l'infini : personnages, animaux, fleurs, etc.

• •

Fabriquer des puzzles

🕯 **6 à 8 ans**

✂ **Carton épais, crayons, 1 revue**

On découpe dans une revue une grande image en couleurs, que l'on colle ensuite sur une feuille de carton épais. Au dos de la feuille, on dessine les pièces du puzzle, en leur donnant des formes irrégulières, et en évitant que deux pièces aient la même forme. Il ne reste plus qu'à découper le carton en suivant les dessins.

• •

Construction avec des boîtes

🕯 **6 à 8 ans**

✂ **Boîtes de formes variées**

Les boîtes en carton les plus simples peuvent servir à faire toutes sortes de constructions. En ôtant le fond et le couvercle d'une boîte ronde, on obtient une tour. On découpe les créneaux et les fenêtres. Un peu de peinture et quelques bannières faites de papier et de cure-dents, et voilà de quoi loger des soldats de plomb. La même boîte peut d'ailleurs faire un cochon-tirelire. On découpe, dans le côté de la boîte, une fente assez large pour

recevoir les pièces de monnaie. Quatre curedents enfoncés dans le côté opposé font les pattes, et un cure-pipe tordu en spirale et inséré dans le fond de la boîte constitue la queue. En quelques coups de pinceaux, on dessine le museau à l'avant de la boîte. Pour faire plus joli, on peut aussi recouvrir la boîte avec du papier de couleur vive.

TOURS DE PASSE-PASSE ET DE MAGIE

▦ **5 à 20 joueurs**

🕯 **6 à 12 ans**

Les numéros de passe-passe et de prestidigitation, dans lesquels le magicien exécute des tours en apparence inexplicables, remportent toujours un grand succès auprès des enfants et des adultes. En réalité, ces tours sont généralement très simples : il suffit d'en connaître le secret. Ceux que nous proposons ici n'exigent ni matériel sophistiqué ni expérience particulière. Ils comprennent notamment des tours de télépathie, des tours de cartes et de pièces de monnaie, des illusions d'optique, des problèmes mathématiques et divers autres numéros de mystification.

Bien qu'ils soient à la portée de tous les enfants de 6 à 12 ans, les tours en question

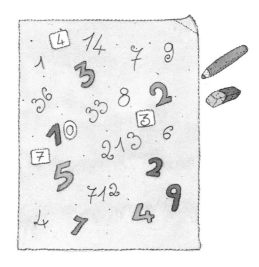

La magie des nombres

demandent une certaine habileté, qui vient généralement avec la pratique. On fera donc bien de se livrer à quelques répétitions avant de présenter les numéros au public. Cette précaution s'impose particulièrement lorsqu'il faut utiliser des cartes, des pièces de monnaie ou des mouchoirs, certains gestes devant alors être dissimulés. Par ailleurs, la présentation orale d'un tour est extrêmement importante. Le magicien doit donner l'impression que son numéro exige des connaissances occultes. Par ses propos, il contribuera à créer une ambiance de mystère. En règle générale, il ne livrera pas ses secrets mais soutiendra que ses succès sont dus à quelques pouvoirs magiques et à une grande puissance de concentration. Si les joueurs insistent pour qu'il répète un numéro, au risque d'en livrer la clé, il refusera et présentera à la place un autre numéro ressemblant au premier mais fondé sur un principe différent.

Les premiers tours reposent sur l'aptitude du magicien à « lire dans les pensées » des spectateurs. Le plus souvent, il aura besoin de la collaboration d'un assistant ou d'un compère qui se mêlera aux spectateurs.

La magie des nombres

LE TOUR

Le magicien se retire pendant que les spectateurs choisissent un nombre, de 1 à 20. À son retour, l'assistant énumère une série de nombres. Quand il annonce celui que le public a choisi, le magicien le reconnaît aussitôt.

LE SECRET

Le premier nombre annoncé par l'assistant donne la clé. Par exemple, si l'assistant commence en disant : « Cinq ? » le magicien sait que le bon chiffre sera le cinquième. Pour rendre le code plus difficile à détecter, l'assistant peut aussi commencer par un nombre de deux chiffres que le magicien additionne. Si, par exemple, l'assistant commence par 14, en additionnant 1 et 4, le magicien sait que le nombre à découvrir sera le cinquième.

Magie noire

LE TOUR

Le magicien et son assistant se placent devant le public. Le magicien annonce qu'il va quitter la pièce et qu'à son retour il pourra deviner tout objet que les spectateurs auront choisi. Il sort le temps voulu et, à son retour, l'assistant lui désigne tour à tour plusieurs objets. Quand il nomme celui que le public a choisi, le magicien l'arrête.

LE SECRET

Avant de désigner l'objet choisi par le public, l'assistant indique un objet de couleur noire ou très foncée. Le magicien sait alors que l'objet suivant sera le bon.

VARIANTE

Le magicien quitte trois fois la pièce et, à chaque fois, les spectateurs choisissent un objet différent, qu'il doit reconnaître. Dans ce

La magie des nombres

cas, l'assistant désigne la première fois un objet bleu avant l'objet choisi. La deuxième fois il montre un objet blanc. La troisième fois, un objet rouge.

• • • • • • • • • • • •

Le bon livre

✂ **Livres ou revues**

LE TOUR

On aligne deux rangées de livres sur le plancher. Le magicien sort pendant que les spectateurs choisissent un livre, qu'il devra reconnaître. Quand le magicien revient, son assistant lui désigne les livres un à un et lui demande chaque fois s'il s'agit du bon. Quand l'assistant désigne le livre choisi par le public, le magicien le reconnaît aussitôt.

LE SECRET

L'assistant, qui s'est entendu au préalable avec le magicien, commence par désigner un livre de la rangée où ne se trouve pas le livre choisi. Il est entendu par ailleurs que l'assistant doit demander : « Est-ce celui-ci ? » chaque fois qu'il montre un livre de la rangée supérieure, et « Est-ce celui-là ? » dans le cas des livres de la rangée inférieure. Il indique au magicien le livre choisi en faisant une erreur volontaire, c'est-à-dire en disant : « Est-ce

Le bon livre

celui-là ? » tout en montrant un livre de la rangée du haut, ou inversement.

VARIANTES

Pour Les quatre livres, on dispose quatre livres sur le plancher, de façon à former un carré. Les questions de l'assistant seront formulées différemment selon les livres. Pour le livre du coin supérieur gauche, il devra demander : « Ce livre-ci ? » alors que pour celui du coin inférieur gauche, il demandera : « Ce livre-là ? » Pour le coin supérieur droit, il dira : « Celui-ci ? » et pour le coin inférieur droit : « Celui-là ? » Tant que l'assistant n'utilise pas exactement une de ces quatre formules, le livre qu'il désigne n'est pas le bon. Ainsi, il peut demander : « Serait-ce celui-ci ? » ou « Est-ce celui-là ? » Mais dès qu'il emploie une des formules consacrées, de façon exacte, le magicien sait qu'il s'agit du livre à découvrir.

Dans le tour des Neuf livres, les livres sont disposés en trois rangées de trois. Quand le magicien revient dans la pièce, l'assistant lui désigne les livres un à un, sans dire un mot. Tout est dans la façon dont il désigne le premier livre. S'il le touche du doigt dans le coin supérieur gauche, le livre à découvrir est celui du rang du haut, à gauche. S'il touche le milieu du premier livre, le livre choisi est celui du centre de la formation, et ainsi de suite.

Les cendres enchantées

 Crayon, morceaux de papier, chapeau, allumettes, cendrier

LE TOUR

Le magicien demande à des spectateurs de choisir les noms de personnages célèbres qu'il écrit les uns après les autres sur des bouts de papier. Après avoir mis les morceaux de papier pliés dans un chapeau, il invite un des spectateurs à en tirer un au hasard et à le garder sans le déplier. Le magicien met ensuite tous les autres morceaux de papier dans un cendrier, sans les déplier, et les fait brûler. Après avoir « étudié » les cendres, il annonce le nom du personnage écrit sur le bout de papier restant. Le spectateur qui l'avait tiré déplie le papier et le montre à tout le monde pour faire constater que le magicien a deviné juste.

LE SECRET

Le magicien n'écrit sur les morceaux de papier que le premier nom qui lui a été proposé, de sorte que tous les papiers portent le même nom.

La main en l'air

 Bandeau ou foulard

LE TOUR

Le magicien demande à un volontaire de venir près de lui. Il se fait bander les yeux, puis lui demande de lever une main bien haut. Il lui donne alors une série d'instructions, comme de croiser les jambes, de compter jusqu'à 20 ou de chanter quelques mots d'une chanson, après quoi il demande au volontaire de bais-

La main en l'air

ser la main. Le magicien ôte alors son bandeau, examine les deux mains du sujet et lui indique celle qu'il a levée.

LE SECRET

La main qui a été levée est plus pâle que l'autre à cause du retrait du sang. La différence est minime mais détectable. Les instructions du magicien ont pour but d'obliger le volontaire à garder la main levée assez longtemps, c'est-à-dire une trentaine de secondes environ, ce qui suffit à la faire pâlir légèrement.

. . . .

Les tempes qui parlent

LE TOUR

En l'absence du magicien, les spectateurs choisissent un chiffre, de 1 à 10. Le magicien revient, se place derrière son assistant, pose ses mains sur les tempes de celui-ci, se concentre et annonce le chiffre choisi.

LE SECRET

Tandis que le magicien lui touche les tempes, l'assistant serre et desserre les mâchoires le nombre de fois équivalent au chiffre choisi. Les spectateurs ne peuvent pas s'en rendre compte, mais le magicien perçoit facilement les mouvements avec le bout de ses doigts.

. . . .

L'objet mystérieux

LE TOUR

Le magicien ayant quitté la pièce, son assistant invite les spectateurs à choisir un objet qui s'y trouve. Le magicien revient et l'assistant lui désigne tour à tour divers objets. Quand il tombe sur le bon, le magicien l'arrête.

LE SECRET

Le magicien se fonde sur le premier objet indiqué par son assistant. Si cet objet a des pieds (chaise), il sait que l'objet à trouver a aussi des pieds. Avant de le désigner, l'assistant montre divers objets qui n'ont pas de pieds (tableaux). Inversement, si l'objet choisi n'a pas de pieds, l'assistant montre en premier un objet sans pieds.

Cor

. . . .

Cor

LE TOUR

En présence du magicien et de son assistant, les spectateurs choisissent trois objets et les alignent sur le plancher. Le magicien sort de la pièce pendant que les spectateurs désignent un des trois objets. À son retour, le magicien montre immédiatement l'objet en question.

LE SECRET

L'assistant renseigne le magicien par la façon dont il le rappelle dans la pièce. Le code se fonde sur l'emploi du mot « cor ». Si le premier mot prononcé par l'assistant commence par la lettre C (par exemple : « Ça va » ou « Ça y est, vous pouvez revenir »), l'objet choisi est celui de gauche. Si la phrase de l'assistant commence par un O (comme dans : « On est prêt »), l'objet est celui du centre. Si la phrase commence par la lettre R (comme dans : « Revenez maintenant, on est prêt »), il s'agit de l'objet de droite.

La cuillère magique

VARIANTE

Le message de l'assistant peut aussi résider dans le nombre de mots qu'il emploie, et à ce moment-là, il peut y avoir plus de trois objets. S'il ne dit qu'un seul mot (par exemple : « Entrez »), l'objet choisi est le premier, celui de gauche. S'il dit deux mots (comme : « Ça va »), il s'agit du second objet. S'il dit trois mots (par exemple : « Ça y est » ou « Ça va, revenez »), l'objet choisi est le troisième, et ainsi de suite.

La cuillère magique

 1 cuillère

LE TOUR

Le magicien annonce qu'avec sa cuillère il peut prendre la photo de n'importe quelle personne présente. Il ajoute que seuls son assistant et lui peuvent voir la photo apparaître dans la cuillère. Il demande alors à son assistant de sortir, puis aux spectateurs de désigner l'un d'entre eux. Il tient alors la cuillère quelques secondes devant la personne désignée, pour « prendre sa photo », puis il la pose par terre et appelle l'assistant. Celui-ci ramasse la cuillère, l'examine intensément et désigne la personne choisie par les spectateurs.

LE SECRET

En la posant sur le plancher, le magicien oriente la cuillère de façon que le manche indique, de façon approximative, l'endroit où se trouve le spectateur choisi. Comme indication complémentaire, le magicien s'assoit sur une chaise

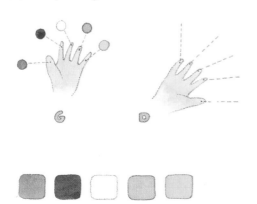

Art divinatoire

dans la même position que la personne à découvrir. Ces deux indications permettent à l'assistant de deviner sans difficulté qui a été choisi. Dans le cas où il aurait lui-même été désigné, le magicien a recours à un signal convenu. Par exemple, il croise ses jambes et oriente le manche de la cuillère en direction de la porte.

Art divinatoire

5 cartons de couleurs différentes

LE TOUR

Le magicien annonce qu'il va désigner, parmi cinq spectateurs, celui qui, en son absence, a mis en poche l'un des cinq cartons de couleur offerts à son choix, et révéler en outre la couleur du carton choisi.

LE SECRET

Les dix doigts de l'assistant en diront aussi long au magicien que s'il avait assisté au choix. Le code est simple. Par exemple :

	MAIN GAUCHE = COULEUR	MAIN DROITE = SPECTATEUR
POUCE	Rouge	Premier
INDEX	Noir	Deuxième
MAJEUR	Blanc	Troisième
ANNULAIRE	Vert	Quatrième
AURICULAIRE	Jaune	Cinquième

Pour informer le magicien, l'assistant n'aura qu'à fermer successivement son poing en laissant tendu le doigt indicateur ; selon le jeu, il pourra peut-être poser ce doigt sur le bord d'une table ou sur le dossier d'une chaise, ou encore croiser les bras en dissimulant tous les doigts sauf celui qui sert d'indicateur. Le magicien est donc très vite informé. Mais il importe d'illusionner les spectateurs. Le magicien doit prendre son temps, se concentrer, fixer droit dans les yeux les cinq protagonistes du tour. Puis, brusquement, un éclair dans ses yeux, un raidissement de son corps indiqueront que son art divinatoire est en train de se manifester. Un temps encore avant de désigner du doigt le spectateur puis de révéler la couleur du carton. Le magicien peut recommencer l'expérience et augmente la difficulté en s'engageant à désigner la poche où se trouve le carton. L'assistant n'aura qu'à poser furtivement la main sur la poche correspondante de son costume.

La canne enchantée

 Canne, bâton ou manche à balai

LE TOUR

En l'absence du magicien, le public choisit un mot que ce dernier devra deviner. Dès qu'il est revenu, son assistant se place devant lui et frappe de petits coups sur le sol avec sa canne enchantée (qui peut être remplacée par un bâton ou un manche à balai), tout en encourageant le magicien par ses commentaires. Pendant ce temps, le magicien se plonge dans la méditation. Soudain, il relève la tête et annonce : « La canne m'a dit que le mot magique est... » reprenant le mot choisi par les spectateurs.

LE SECRET

Les coups de canne indiquent les voyelles. Un coup veut dire A, deux coups E, trois coups I, quatre coups O, cinq coups U, six coups Y. Quant aux consonnes, elles sont indiquées par la première lettre du premier mot de chaque phrase prononcée par l'assistant. Supposons par exemple que le mot à découvrir soit « livre ». L'assistant pourrait dire tout d'abord : « Le ciel se couvre ce soir », indiquant ainsi au magicien la lettre L. Il frappera ensuite trois coups avec sa canne : la lettre I. Puis il dira : « Vous commencez à avoir l'air inspiré », annonçant ainsi la lettre V. Il enchaînera : « Reprenez votre méditation », pour indiquer la lettre R. Enfin, les deux derniers coups de canne désigneront la lettre E.

Les villes mystérieuses

LE TOUR

Le magicien sort de la pièce pendant que les spectateurs choisissent un nom de ville qu'il devra deviner. Le nom est communiqué à l'as-

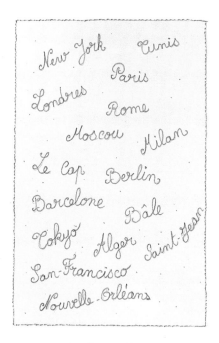

Les villes mystérieuses

sistant. Lorsque le magicien revient, l'assistant énumère une série de noms de ville. Le magicien fait non de la tête jusqu'à ce que l'assistant prononce le nom de la ville choisie. Alors le magicien hoche la tête affirmativement.

LE SECRET

Si le nom de ville choisi se compose d'un seul mot, comme Montréal ou Paris, l'assistant donne d'abord des noms de deux ou trois mots, comme New York, Saint-Jean ou La Nouvelle-Orléans. Le magicien sait alors que le premier nom d'un seul mot sera celui de la ville choisie. Inversement, si le nom choisi se compose de deux mots, l'assistant commence par des noms d'un seul mot.

La communication télépathique

LE TOUR

Le magicien invite les spectateurs à choisir l'un d'entre eux en son absence et prédit qu'il devinera de qui il s'agit en lisant dans les pensées de son assistant. Il sort de la pièce pendant que les spectateurs font leur choix. À son retour, pendant 1 à 2 minutes, il regarde fixement son assistant, qui reste immobile et silencieux, puis il indique la personne que les spectateurs ont désignée.

LE SECRET

Avant le retour du magicien, l'assistant se croise les jambes de façon à désigner du bout de son pied la personne que les spectateurs ont choisie. En entrant dans la pièce, le magicien prend immédiatement note de l'indication, mais il fait semblant de se concentrer et de réfléchir quelques instants. Le tour est d'autant plus facile que le groupe est restreint, car l'indication est alors plus précise. Dans le cas où la personne choisie est assise à côté de l'assistant, celui-ci, qui aurait du mal à la désigner de la pointe du pied, se croise les bras sur la poitrine et indique le sujet avec celle de ses mains qui apparaît.

LES CHIFFRES MYSTIFICATEURS

5 à 20 joueurs

10 à 12 ans

Papier, crayons

Les tours qui suivent se fondent sur de simples formules mathématiques et n'exigent généralement que du papier et des crayons. Quels que soient le nombre ou l'âge des spectateurs, leur effet est assuré.

Les nombres magiques

LE TOUR

Le magicien écrit un nombre sur un morceau de papier qu'il insère dans une enveloppe. Il demande un volontaire et promet à celui-ci de lui faire découvrir le nombre caché grâce à une formule magique fondée sur son âge et quelques autres renseignements du même genre.

LA FORMULE

Il s'agit simplement d'additionner les données suivantes :

Année de naissance du sujet	1988
Année d'entrée à l'école	1994
Âge	10
Années de scolarité (à la fin de l'année en cours)	4
Total	3 996

Lorsque le volontaire a terminé ses opérations, le magicien ouvre l'enveloppe et montre le papier sur lequel est précisément écrit le nombre 3 996. La clé réside dans le fait que la somme des nombres indiqués donne toujours le double de l'année en cours. Dans notre exemple, le tour est exécuté en 1998 : en multipliant l'année par deux on obtient 3 996. Il est prudent cependant de choisir comme public de jeunes enfants qui ne risquent pas d'avoir sauté une classe ou redoublé une année, auquel cas la formule ne s'appliquerait plus.

Comment deviner l'âge

LE TOUR

Le magicien s'engage à découvrir l'âge d'un volontaire grâce à une formule.

LA FORMULE

Après lui avoir donné un papier et un crayon, le magicien demande au sujet de faire les opérations suivantes :

Comment deviner l'âge

Écrire son âge	11 (ans)
Multiplier par 3	33
Ajouter 6	39
Diviser par 3	13

Le magicien demande au sujet de lui communiquer simplement le dernier nombre. En soustrayant 2, il obtient l'âge recherché. La formule est toujours valable quel que soit l'âge du sujet que l'on interroge.

VARIANTE

On peut obtenir le même résultat en utilisant la formule suivante :

Âge du sujet	12 (ans)
Multiplier par 2	24
Ajouter 1	25
Multiplier par 5	125
Ajouter 5	130
Multiplier par 10	1 300

Le magicien ne demande que le dernier nombre. Il en retranche 100, ce qui lui donne 1200, puis il ne garde que les deux premiers chiffres qui lui indiquent l'âge recherché : 12.

• • • • • • • • • • • • • • • • • •
L'âge et le numéro de téléphone

LE TOUR

Le magicien demande à un spectateur de se porter volontaire. Il lui annonce ensuite que, grâce à une formule magique dont il détient le secret, il pourra lui dire son âge et les cinq derniers chiffres de son numéro de téléphone.

LA FORMULE

Le magicien donne au volontaire une feuille de papier et un crayon et lui demande d'effectuer les opérations suivantes (les nombres indiqués ici servent à titre d'exemple) :

Écrire les cinq derniers chiffres de son numéro de téléphone	89858
Multiplier par 2	179 716
Ajouter 5	179 721
Multiplier par 50	8 986 050

Ajouter l'âge (11 ans)	8 986 061
Ajouter 365	8 986 426
Soustraire 615	8 985 811

Les cinq premiers chiffres du résultat obtenu indiquent le numéro de téléphone, les deux derniers l'âge du sujet (en l'occurrence 11 ans). Pour impressionner encore davantage, le magicien demande à d'autres volontaires de faire les mêmes opérations et de lui livrer leur résultat après qu'ils ont ajouté 365. Il effectue toujours la dernière opération lui-même. Le magicien aura le même succès s'il veut savoir simplement les quatre derniers chiffres ou le numéro de téléphone au complet : il suffit qu'il suive toujours la formule ci-dessus.

• • • • • • • • • • • • • • • • • •
L'âge et la monnaie

L'âge et la monnaie

LE TOUR

Le magicien annonce qu'il peut non seulement deviner l'âge de n'importe lequel des spectateurs mais aussi la somme d'argent que celui-ci a dans ses poches (à condition qu'elle soit inférieure à la centaine).

LA FORMULE

Le magicien demande au spectateur désigné de faire les opérations suivantes :

Écrire son âge	10 (ans)
Multiplier par 2	20
Ajouter 5	25
Multiplier par 50	1 250
Soustraire 365	885
Ajouter la somme qu'il a en poche (65 francs)	950

C'est uniquement ce dernier nombre que le magicien demande au spectateur de lui communiquer. Il y ajoute alors 115. Dans l'exemple donné ici, il obtient 1 065. Les deux premiers chiffres indiquent l'âge du spectateur (10 ans), les deux derniers sa monnaie (65 francs ou autre monnaie). La formule donne toujours des résultats exacts, quels que soient l'âge et la somme (si moins de la centaine) en cause.

Les nombres inversés

LE TOUR

Le magicien écrit un nombre sur un morceau de papier qu'il glisse dans une enveloppe. Il demande à un volontaire de choisir n'importe quel nombre formé de trois chiffres de valeurs décroissantes (par exemple 831 mais non pas 138) et il annonce qu'à partir de ce nombre il aboutira, par une formule magique, au nombre inscrit sur le papier qu'il a inséré dans l'enveloppe.

LA FORMULE

Il suffit pour le magicien ou son assistant de procéder de la façon suivante :

Nombre choisi par le sujet	742
Soustraire le nombre inversé	247
Résultat	495
Ajouter le nombre inversé	594
Résultat final	1 089

Le magicien ouvre l'enveloppe et en sort le papier qui porte le nombre 1 089. Quel que soit le nombre choisi (à condition de respecter la valeur décroissante), on arrive toujours au même résultat : 1 089.

AVEC DES PIÈCES DE MONNAIE

5 à 20 joueurs

6 à 12 ans

Pièces de monnaie, gobelets boîtes d'allumettes

L es pièces de monnaie offrent de nombreuses possibilités au magicien débutant. Certains tours, cependant, exigent une grande dextérité ; il est donc bon de s'entraîner à les exécuter avant de les présenter en public. D'autres, plus faciles, font surtout appel à l'habileté du magicien à créer une ambiance mystérieuse et à bien présenter son numéro.

Nombre pair ou impair ?

LE TOUR

Le magicien dépose sur une table des pièces de monnaie. Il demande à un spectateur d'en

Les nombres inversés

prendre plusieurs, sans lui dire combien, et de les garder dans son poing. Puis il prend un nombre impair de pièces et annonce au spectateur : « Je vais ajouter mes pièces aux vôtres. Si vous en avez un nombre impair, nous obtiendrons un nombre pair. En revanche, si vous en avez un nombre pair, nous obtiendrons un nombre impair. » Le spectateur dépose ses pièces de monnaie sur la table et le magicien en fait autant. En additionnant toutes les pièces, on obtient le résultat annoncé par le magicien.

LE SECRET

Le magicien prend toujours un nombre impair de pièces. Si elles viennent compléter un nombre pair, le résultat sera inévitablement un nombre impair, et inversement. Bien qu'elle relève de l'évidence, les jeunes enfants ne trouveront généralement la solution que si on répète le tour un certain nombre de fois.

● ● ● ● ● ● ● ● ● ● ● ● ● ● ● ● ● ●

Question de total

LE TOUR

Le magicien prend une poignée de pièces de monnaie. Le nombre des pièces est impair mais la somme de leurs valeurs est un nombre pair. Il demande alors à un spectateur si le « total » des pièces est un nombre pair ou impair et lui prédit que sa réponse sera de toute façon erronée.

LE SECRET

Tout dépend du sens que l'on donne ici au mot « total », et c'est le magicien qui en décide. Si le spectateur dit : « Impair ! » le magicien additionne les valeurs (par exemple, une pièce de 10, une de 5 et cinq de 1 franc ou de tout autre monnaie) et déclare : « Vous faites erreur : le total est de 20 francs. » En revanche, avec les mêmes pièces, si le spectateur a dit : « Pair ! » le magicien affirme, en comptant les pièces : « Vous vous trompez. Voyez : il y a sept pièces. » Bien entendu, ce tour n'aura d'effet que sur de très jeunes enfants, et encore, si on le répète, ils ne tarderont pas à découvrir l'astuce.

● ● ● ● ● ● ● ● ● ● ● ● ● ● ● ● ● ●

La pièce cachée

LE TOUR

Le magicien pose sur la table une pièce de monnaie ainsi que trois petits objets propres à la dissimuler (capsules de bouteille, bouchons de flacon ou moitiés de balle de ping-pong). Pendant que le magicien a le dos tourné, un spectateur doit coiffer d'un des couvercles la pièce de monnaie, pour la dissimuler, et aligner les deux autres. Le magicien se retourne. Tout en récitant une formule incantatoire, il passe la main au-dessus des couvercles sans les toucher puis soulève celui qui cachait la pièce.

La pièce cachée

LE SECRET

Le magicien a fixé à la pièce, avec un peu de colle ou de cire, un cheveu qui dépasse sous le couvercle. Les spectateurs ne le voient pas, mais le magicien n'a pas de mal à le déceler tandis qu'il fait croire au public que c'est son seul fluide qui va lui permettre de découvrir où se trouve la pièce.

• • • • • • • • • • • • • • •

La date cachée

LE TOUR

Le magicien demande à un spectateur de poser une pièce de monnaie sur la table de sorte que le côté sur lequel est inscrite l'année d'émission se trouve sur le dessus. Après avoir laissé tout le monde examiner la pièce, le spectateur la couvre d'une feuille de papier mince (genre pelure d'oignon). Le magicien s'engage alors à découvrir la date inscrite sur la pièce sans ôter la feuille de papier.

LE SECRET

Il suffit de passer un crayon bien aiguisé sur le papier, ce qui fait ressortir le relief de la pièce. Il est alors facile de lire la date.

• • • • • • • • • • • • • • •

Les trois pièces

Les trois pièces

LE TOUR

Le magicien aligne trois pièces de monnaie de telle sorte qu'elles se touchent. Puis il s'engage à déplacer les pièces de façon à amener au centre une de celles qui sont aux extrémités, tout en respectant les règles suivantes :

1. Il peut déplacer la pièce de gauche, mais pas la toucher.
2. Il peut toucher la pièce du milieu, mais pas la déplacer.
3. Il peut toucher et déplacer la pièce de droite.

LE SECRET

Compte tenu de ces trois règles, le tour peut sembler impossible à première vue. Le magicien va cependant l'exécuter sans la moindre difficulté. Il pose le bout de l'index gauche sur la pièce du milieu, en appuyant fermement. Puis il met l'index de sa main droite sur la pièce de droite, éloigne un peu celle-ci et la ramène d'un coup sec sur la pièce du centre. Sous l'effet du choc, la pièce de gauche se détache de celle du centre et il ne reste plus qu'à faire glisser la pièce de droite entre les deux autres.

• • • • • • • • • • • • • • •

La pièce fantôme

LE TOUR

Le magicien met une pièce de monnaie dans une boîte d'allumettes (la boîte étant en bois ou en carton). Il referme la boîte et l'agite pour faire constater que la pièce est bien à l'intérieur. Puis il ouvre la boîte : la pièce a disparu.

LE SECRET

Il s'agit évidemment d'une boîte truquée. Le magicien a pratiqué une fente au fond du tiroir, à un bout de la boîte. En agitant la boîte horizontalement, il garde la pièce à l'intérieur, puis en inclinant légèrement la boîte à la verticale, avant de la poser sur la table, il fait sortir la pièce qui glisse dans sa main. Il ouvre alors la boîte, qui est vide.

• • • • • • • • • • • • • • • • •

La pièce qui disparaît

LE TOUR

Le magicien demande à un spectateur de lui présenter sa main ouverte. Il y dépose une petite pièce de monnaie (de 10 ou de 5 centimes). Il maintient la pièce en appuyant avec son pouce gauche sur la paume de la main du spectateur. De la main droite, il referme alors les doigts du spectateur sur la pièce. Celui-ci est sûr qu'il tient la pièce. Le magicien lui demande d'ouvrir la main : la pièce a mystérieusement disparu.

LE SECRET

Tout d'abord le magicien s'est collé sous le pouce un petit morceau de ruban adhésif plié en deux. Il lui suffit d'appuyer sur la pièce pour qu'elle adhère à son pouce. De plus, en pressant la pièce sur la paume du spectateur, il crée une impression physique qui durera après que la pièce aura été retirée, de sorte que le spectateur sera convaincu d'avoir toujours la pièce dans sa main.

● ● ● ● ● ● ● ● ● ● ● ● ● ●

Ni pile ni face

LE TOUR

Le magicien lance une pièce de monnaie en l'air, la rattrape avec sa main droite qu'il plaque sur le dos de sa main gauche. Il demande à un spectateur : « Pile ou face ? » Quelle que soit la réponse du spectateur, quand le magicien relève sa main droite, la pièce n'est plus là.

LE SECRET

Il s'agit ici d'un tour élémentaire de prestidigitation. Le magicien fait semblant de recevoir la pièce dans sa main droite, dont le dos est tourné vers les spectateurs. En réalité, au lieu d'attraper la pièce il la laisse glisser dans sa manche. Ce tour exige de nombreuses répétitions si l'on ne veut pas que la pièce tombe.

Question de distance

● ● ● ● ● ● ● ● ● ● ● ● ● ● ● ● ● ● ● ●

Question de distance

LE TOUR

Le magicien pose deux pièces de monnaie sur la table, assez espacées. Puis, avec ostentation, il en ajoute une troisième, entre les deux autres mais pas tout à fait au milieu. Il demande alors aux spectateurs quelles sont les deux pièces les plus éloignées. Les spectateurs choisiront généralement la pièce du centre et une des deux autres. Le magicien (en utilisant une règle pour faire plus d'effet) aura beau jeu de leur démontrer qu'ils se trompent : les deux pièces les plus éloignées sont évidemment celles des deux bouts.

LE SECRET

En plaçant la troisième pièce, le magicien a donné l'impression qu'il s'agissait de la distance entre celle-ci et les deux autres, mais en fait ce n'est pas ce qu'il a dit, comme le comprennent, mais trop tard, les spectateurs.

Les pièces incroyables

Les pièces incroyables

LE TOUR

Le magicien place deux pièces de monnaie en équilibre sur le bord d'un verre, en face l'une de l'autre. Il invite les spectateurs à retirer les pièces en n'utilisant que le pouce et l'index de la même main et en les prenant toutes les deux à la fois, sans les faire tomber. Quand tous les volontaires ont échoué, il leur montre comment procéder.

LE SECRET

Le magicien pose son pouce sur la pièce de gauche et son index sur celle de droite. Il fait lentement basculer les deux pièces vers l'extérieur du verre tout en les pressant contre la paroi externe. Puis il les ramène l'une contre l'autre en les faisant glisser le long du bord et tomber dans sa main. Ce tour exige une certaine dextérité. Il est donc prudent de le répéter au préalable.

Les douze pièces

LE TOUR

Le magicien aligne douze pièces de monnaie de façon à former quatre rangées horizontales et trois colonnes verticales et en faisant alterner pièces dorées et pièces argentées. Il invite les spectateurs à modifier la disposition des pièces de façon à ce que les dorées forment la première et la troisième rangées et les autres la deuxième et la quatrième rangées, en ne touchant qu'à une seule pièce.

LE SECRET

Quand les spectateurs sont arrivés à la conclusion que la chose est impossible, le magicien donne la clé du problème. Il pose l'index sur la pièce du milieu de la rangée du haut (une pièce argentée), fait glisser la pièce à droite et le long de la formation pour la placer au bas de la colonne du centre. Il lui suffit alors de pousser vers le haut, toujours avec la même pièce, sur la colonne du centre pour obtenir la disposition voulue.

La pièce insaisissable

LE TOUR

Le magicien prend une pièce de monnaie et la fait rapidement passer d'une main à l'autre. Puis il referme le poing droit, tend le bras et plaque sa main sur la table. On entend nettement le bruit que fait la pièce en heurtant la table. Il invite alors un spectateur à venir prendre la pièce. Il soulève sa main : la pièce a disparu.

LE SECRET

En fait le magicien a gardé la pièce dans sa main gauche, qu'il pose sur la table, un peu en retrait. Quand il met sa main droite à plat, contrairement à l'impression qu'il donne, c'est avec la main gauche qu'il frappe la pièce sur la table, mais les spectateurs ne s'en rendent pas compte car toute leur attention est portée sur le poing droit du magicien.

TOURS DE CARTES

[icon] 5 à 20 joueurs

[icon] 6 à 12 ans

[icon] 1 jeu de cartes complet, dont le dos est orné d'un dessin asymétrique

Les tours de cartes ont toujours quelque chose de fascinant, surtout si le magicien sait les présenter et les exécuter avec des airs de professionnel. Ceux que nous proposons ici n'exigent pas de talents particuliers, mais il est bon d'apprendre au préalable à mélanger et à manipuler les cartes avec aisance et dextérité. Dans chaque cas, on aura besoin d'un jeu complet.

• • • • • • • • • • • • • • • •

La carte au vol

LE TOUR

Le magicien tire une carte du paquet, la montre aux spectateurs et la place sur le dessus du paquet. Il coupe le paquet en deux, en dépose la moitié supérieure sur la table avec sa main droite et tient l'autre moitié dans sa main gauche. Il lance la moitié inférieure du paquet (qu'il tenait dans sa main gauche) en l'air, tend le bras droit et attrape au vol, sur le dos de sa main droite, la carte choisie qui pourtant devait se trouver sur la table.

LE SECRET

Le magicien a collé un morceau de ruban adhésif plié en deux (ou de ruban adhésif double face) sur le dos de sa main droite. En posant sur la table la moitié supérieure du paquet, il appuie le dos de sa main sur la carte du dessus, de façon à la faire adhérer. Toute l'attention des spectateurs est alors attirée par les cartes qu'il lance en l'air. Il tend immédiatement la main droite en avant, paume vers le haut de façon à dissimuler la carte, en faisant semblant de vouloir en attraper une au vol. Il tourne soudain la main comme s'il avait trouvé celle qu'il cherchait. Les spectateurs voient alors sur le dos de sa main la carte qu'ils avaient examinée.

• • • • • • • • • • • • • • • • • • • •

La carte mystérieuse

LE TOUR

Le magicien demande à un spectateur de prendre une carte dans le paquet, qu'il lui présente disposé en éventail. Le spectateur examine la carte, puis la glisse dans le paquet que le magi-

La carte au vol

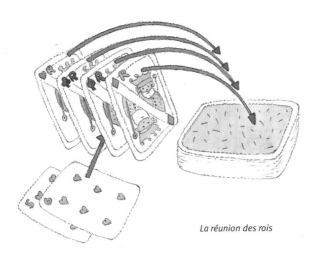

La réunion des rois

cien vient de refermer, à l'endroit de son choix. Le magicien examine rapidement les cartes, et sort celle que le spectateur avait choisie.

LE SECRET

Le magicien arrange les cartes au préalable de façon à mettre celle du dessous à l'envers des autres. En ouvrant le paquet pour le disposer en éventail, il cache la carte du dessous dans la paume de sa main. Pendant que le spectateur examine la carte qu'il a choisie, le magicien retourne discrètement le paquet de sorte que la carte du dessous se retrouve sur le dessus du paquet, face cachée. Lorsqu'il glisse sa carte dans le paquet que lui présente le magicien, le spectateur ne voit que la carte du dessus. Il place sa carte dans le même sens, croyant que toutes les autres cartes sont placées ainsi. Tout en distrayant les spectateurs par ses gestes et ses commentaires, le magicien examine rapidement les cartes, sachant que celle qu'il cherche sera la seule à être dans le même sens que celle du dessus.

· · · · · · · · · · · · · · · · ·

Le rouge et le noir

LE TOUR

Le magicien montre aux spectateurs un jeu complet de cartes, le joker étant placé sur le dessus du paquet. Courbant le bout du paquet avec son pouce, il fait défiler rapidement les cartes : on ne voit que des rouges. Après avoir soufflé sur le paquet, il répète l'opération : cette fois, on ne voit que des noires. Il souffle de nouveau sur les

cartes, les fait défiler une troisième fois : on voit alors les noires et les rouges !

LE SECRET

Le magicien prépare au préalable le paquet en faisant alterner systématiquement les noires et les rouges. De plus, il les arrange de façon à ce que les cartes rouges dépassent légèrement du haut du paquet, et les noires du bas du paquet. Ainsi il ne montrera tout d'abord que le haut des cartes rouges. Au moment où il souffle sur le paquet, il lui fait faire discrètement un demi-tour : on ne verra donc alors que le haut des cartes noires. En soufflant une seconde fois, il égalise le paquet de façon à ce que toutes les cartes se recouvrent parfaitement : on verra cette fois les rouges et les noires. Le tour exige une dextérité qu'on ne peut acquérir qu'avec un certain entraînement. Notons que le magicien doit tenir fermement le paquet en exécutant son numéro.

· · · · · · · · · · · · · · · · ·

La réunion des rois

LE TOUR

Le magicien montre aux spectateurs les quatre rois qu'il a tirés du paquet. Il annonce qu'il va les placer à divers endroits du paquet, puis les réunir par magie.

LE SECRET

Avant de montrer les quatre rois, le magicien glisse discrètement deux cartes quelconques sous le deuxième roi de gauche à droite. Il place les quatre rois sur le dessus du paquet, les cartes étant toutes tournées, face cachée. Il prend alors le premier roi et le place au-dessous du paquet. Puis il glisse la deuxième carte, que les spectateurs croient être un roi, et la place au milieu du paquet. Il en fait autant avec la troisième carte. S'adressant aux spectateurs, il leur explique : « Mesdames et messieurs, vous m'avez vu placer les rois à divers endroits, dans le paquet. L'un se trouve sur le dessus du paquet, un autre au-dessous et les deux autres quelque part dans le paquet. C'est bien cela ? » Pendant que les spectateurs expriment leur accord, il coupe le paquet, ramenant ainsi près des trois autres le roi qui était au-dessous. Il retourne alors les cartes, les étale en éventail et montre les quatre rois mystérieusement réunis. Bien entendu, il est indispensable que le magicien réussisse à cacher les deux cartes supplémentaires au début du tour. Il fera donc bien de s'entraîner à exécuter son numéro.

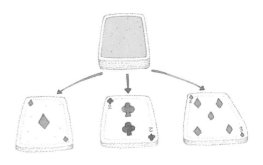

Les trois paquets

Les paquets magiques

LE TOUR

Le magicien demande à un volontaire de choisir un chiffre de 1 à 10. Il retire d'un jeu de 52 cartes les quatre cartes dont la valeur correspond au chiffre choisi. Il reste donc 48 cartes, qu'il répartit sur l'envers (la face cachée) en six paquets de huit cartes. Puis il tourne le dos tandis que le spectateur volontaire prend une carte à l'intérieur d'un des paquets, la montre à tout le monde, la place sur le dessus du paquet où il l'a prise et empile les six paquets dans l'ordre qu'il veut. Le magicien se retourne. Il examine les 48 cartes en les étalant sur l'endroit et sort celle choisie par le spectateur.

LE SECRET

Le magicien a arrangé le jeu au préalable en plaçant six figures sur le dessus du paquet et les six autres au-dessous. En conséquence, lorsqu'il constitue les six paquets de huit cartes, la carte du dessus et celle du dessous, dans chaque paquet, seront des figures. La carte choisie par le spectateur, puisqu'elle est prise à l'intérieur d'un paquet, ne peut pas être une figure. En replaçant la carte sur le dessus d'un des paquets

et en empilant tous les paquets, le spectateur se trouve à insérer sa carte entre deux figures. Le magicien n'a donc aucun mal à la trouver : c'est la seule placée ainsi.

La carte retrouvée

LE TOUR

Le magicien demande à un volontaire de prendre une carte, de l'examiner et de la remettre dans le paquet. Il s'engage alors à la retrouver.

LE SECRET

Ce tour, très simple, exige des cartes dont le dos est orné d'un dessin asymétrique (fleurs, paysage, etc.) qui peut se présenter à l'envers ou à l'endroit. Le magicien place au préalable les cartes de façon à ce que le dessin soit toujours dans le même sens. Il les mélange soigneusement, les dispose en éventail et les présente au volontaire. Pendant que celui-ci examine sa carte et la montre aux spectateurs, le magicien retourne discrètement le paquet. Le volontaire replace sa carte dans le paquet et le magicien mélange de nouveau les cartes, très consciencieusement. Il lui sera facile de reconnaître la carte choisie du fait que le dessin sera orienté en sens contraire de celui des autres cartes.

Les trois paquets

LE TOUR

Le magicien tire 21 cartes d'un jeu et les divise en trois paquets de sept, le côté face tourné vers l'extérieur. Tandis que le magicien a le dos tourné, un spectateur choisit une des cartes, la montre aux autres et la replace n'importe où dans le paquet d'où il l'a tirée. Le magicien se retourne et demande au spectateur de lui indiquer simplement dans quel paquet il a mis la carte. Il réunit les trois paquets et redistribue les cartes de façon à former trois nouveaux paquets de sept cartes. (Il doit distribuer les cartes une par une, en les déposant tour à tour sur chaque paquet.) Il demande une deuxième fois au spectateur dans quel paquet se trouve maintenant la carte. Il réunit encore les cartes, refait trois paquets de sept de la même façon et demande une dernière fois au spectateur dans quel paquet se trouve sa carte. Il sort alors du paquet la carte que le spectateur avait choisie.

LE SECRET

Avant de distribuer les cartes, le magicien place chaque fois le paquet contenant la carte choisie entre les deux autres paquets. De cette façon, après avoir divisé les cartes trois fois en paquets égaux, il sait que la carte à trouver sera au milieu du paquet indiqué par le spectateur. Il lui suffit donc de prendre le bon paquet et d'en retirer la quatrième carte.

VARIANTE

Au lieu d'indiquer la quatrième carte du bon paquet, le magicien remet les cartes ensemble, en plaçant le bon paquet au milieu, et les redistribue en une seule pile. La bonne carte est nécessairement la onzième.

LA MAGIE DU CORPS

5 à 20 joueurs

6 à 12 ans

1 chaise

Il existe de nombreux tours de magie qui reposent sur des lois élémentaires de l'anatomie et de la physiologie. Nous en donnons ici quelques exemples.

L'ascension magique

LE TOUR

Un spectateur s'assoit sur une chaise à dossier bien droit. Quatre autres spectateurs, à peu

L'ascension magique

près de la même taille, se placent des deux côtés de la chaise – deux de chaque côté. Le magicien annonce qu'il va leur conférer le pouvoir de soulever la personne assise au-dessus de sa chaise, en n'utilisant chacun que deux doigts. Chacun d'eux se joint les mains, laissant cependant ses deux index tendus l'un contre l'autre. Deux d'entre eux placent leurs index sous les genoux du spectateur assis, les deux autres sous ses aisselles. Au commandement du magicien, ils soulèvent aisément la personne assise sur la chaise.

LE SECRET

Les cinq volontaires comptent jusqu'à trois. Après « un », ils prennent une profonde inspiration, suivie d'une expiration. Ils en font autant après « deux ». Après « trois », tous retiennent leur respiration. C'est alors que les quatre porteurs glissent leurs doigts sous les genoux et les aisselles de la personne assise et la soulèvent, en retenant toujours leur souffle. La méthode réussit toujours, à condition que personne n'expire de l'air avant que le sujet assis soit replacé sur sa chaise.

• • • • • • • • • • • • • • • • • • •

Les doigts paralysés

Les doigts paralysés

LE TOUR

Le magicien annonce qu'il peut paralyser deux doigts de n'importe quel spectateur, de sorte que celui-ci sera incapable de les bouger.

LE SECRET

Le magicien demande au spectateur d'appuyer fermement les unes contre les autres les deuxièmes jointures des deux mains, puis d'écarter les mains, ce que le sujet fait sans aucune difficulté. Il lui demande ensuite d'appuyer de nouveau ses jointures les unes contre les autres, mais en levant les deux annulaires de façon à ce qu'ils se touchent. Après avoir prononcé quelques mots magiques et incompréhensibles, il invite le sujet à écarter ses deux annulaires sans bouger les mains. Le sujet constate alors qu'il en est absolument incapable. En fait, la simple position de ses mains rend la chose impossible.

• • • • • • • • • • • • • • • •

Le pouce coupé

LE TOUR

Le magicien annonce qu'il va se couper le pouce en deux parties et le recoller ensuite.

LE SECRET

Le magicien présente sa main droite tendue devant la poitrine, les ongles face au public. L'index de sa main gauche vient la recouvrir en coupant le milieu du pouce. Il replie rapidement le pouce de la main droite derrière la paume de sa main en même temps qu'il plie horizontalement le pouce gauche derrière l'index de la même main, ne laissant voir que le bout du pouce. On a nettement l'impression que le pouce a été coupé en deux. Le magicien fait les mouvements inverses pour « recoller » les deux parties. Il répète le tour à plusieurs reprises, donnant chaque fois l'impression qu'il se coupe et se recolle le doigt. Ce tour exige une grande dextérité. Il est donc bon de le répéter avant de l'exécuter en public.

• •

L'immobilisation totale

LE TOUR

Le magicien affirme qu'il peut, par hypnotisme, immobiliser totalement tout volontaire. Il fait asseoir le sujet sur une chaise, les bras croisés sur la poitrine, les jambes étendues, la tête penchée en arrière. Touchant de son doigt le front du sujet, il lui interdit de bouger tant qu'il ne lui en aura pas donné la permission en retirant son doigt. De fait, malgré tous ses efforts, le sujet est incapable de se relever.

LE SECRET

À cause de sa position, le sujet ne peut absolument pas se redresser sans relever la tête, ce que le magicien lui interdit par la simple pression de son doigt. Tant qu'il gardera les jambes étendues et les bras croisés, le sujet sera réduit à l'impuissance.

L'immobilisation totale

• • • • • • • • • • • • • • • • • • •

Le coup sans douleur

LE TOUR

Le magicien rappelle à son public combien il peut être douloureux de se frapper les jointures sur un objet dur comme le bord d'une table. Il prétend cependant être en mesure de le faire sans éprouver la moindre douleur. Il ferme le poing et frappe quelques légers coups sur la table, avec ses jointures. Puis il lève le bras et abat fortement son poing sur le bord de la table, de façon à ce que tout le monde entende le coup. Manifestement, il ne ressent rien.

LE SECRET

En abaissant son poing vers la table, le magicien ouvre la main de façon à frapper le bord de la table avec le bout des doigts et non pas avec les jointures. Son geste est si rapide que le public n'a pas le temps de le voir et reste convaincu qu'il a frappé la table avec ses jointures sans ressentir le moindre mal.

• • • • • • • • • • • • • • • • • • •

Le genou hypnotisé

LE TOUR

Le magicien promet à un spectateur, qui s'est porté volontaire, de lui paralyser le genou par hypnotisme de sorte qu'il lui sera impossible de bouger la jambe.

LE SECRET

Tout dépend de la position du volontaire. Le magicien lui ordonne de se tenir debout, le côté droit (y compris la jambe) fermement appuyé contre un mur. Il lui demande alors de lever la jambe gauche sans s'écarter du mur, ce qui est physiquement impossible.

Le genou hypnotisé

TOURS AU QUOTIDIEN

5 à 12 joueurs

6 à 12 ans

Les tours de passe-passe et les problèmes que nous proposons dans cette rubrique, en plus d'offrir d'amusantes distractions, ont l'avantage de n'exiger comme accessoires que des articles d'usage courant : fruits, œufs durs, lunettes, verres, aiguilles, mouchoirs, ficelles, bouteilles, etc.

intérieur avec peu de matériel

L'œuf obéissant

● ● ● ● ● ● ● ● ● ● ● ● ● ● ●

L'œuf obéissant

Œuf dur, bocal, carafe, sel

LE TOUR

Le magicien dépose un œuf dur dans un bocal contenant une dizaine de centimètres d'eau fraîche. L'œuf coule jusqu'au fond du bocal. Le magicien demande ensuite à un spectateur de verser encore un peu d'eau dans le bocal : l'œuf reste au fond. Puis il vide une partie de l'eau et annonce qu'il va lui aussi verser de l'eau dans le bocal et qu'à son commandement l'œuf va remonter. En versant l'eau, il récite une formule magique et ordonne à l'œuf de se soulever. De fait, l'œuf remonte lentement à la surface.

LE SECRET

L'eau de la carafe contient une bonne quantité de sel. C'est la densité du mélange qui fait remonter l'œuf. Il est bon d'effectuer quelques expériences préalables pour savoir la quantité exacte de sel qu'il faut ajouter à l'eau. Par ailleurs, pour que les spectateurs ne s'aperçoivent pas que l'eau est légèrement trouble, on utilisera un bocal et une carafe de verre teinté.

VARIANTE

Le tour de L'œuf savant est encore plus spectaculaire. Le magicien montre aux spectateurs un œuf dur qui semble tout à fait ordinaire mais qui, dit-il, comprend le français et lui obéit. Il place l'œuf dans un bocal de verre rempli d'eau. L'œuf se met à couler lentement. Soudain, le magicien prononce quelques mots magiques et lui ordonne de s'arrêter : l'œuf ralentit sa descente puis s'immobilise au milieu du bocal. Avec une baguette magique, le magicien agite l'eau tout en ordonnant à l'œuf de reprendre sa descente : l'œuf se remet à couler, jusqu'au fond du bocal. Le secret est simple : on remplit d'abord la moitié du bocal d'eau à laquelle on a ajouté une forte dose de sel, puis, avec un entonnoir, on remplit le bocal en y versant cette fois de l'eau fraîche en troublant le moins possible l'eau salée. L'eau fraîche reste sur le dessus. L'œuf la traverse puis s'arrête au niveau de l'eau salée. En agitant l'eau, le magicien dilue la solution, ce qui fait couler l'œuf au fond du bocal.

L'aiguille flottante

 Chandelle, aiguilles, bol, linge

LE TOUR

Le magicien laisse tomber une aiguille de métal dans un bol rempli d'eau. Comme tout le monde s'y attend, l'aiguille sombre au fond. Le magicien essuie l'aiguille avec un linge et la passe à un spectateur, qui répète l'expérience. Bien entendu, l'aiguille coule de nouveau. Le magicien reprend l'aiguille, l'essuie en récitant une formule magique, et la laisse encore tomber dans le bol. Cette fois, l'aiguille flotte.

LE SECRET

La deuxième fois qu'il l'essuie, le magicien remplace l'aiguille par une autre exactement pareille mais qu'il a au préalable frottée sur une chandelle. Enduite de cire, l'aiguille flottera. Le tour exige une certaine habileté, puisqu'il nécessite une substitution, et il est bon de s'exercer avant de le présenter en public.

Problèmes d'allumettes

Les problèmes que nous proposons ici ne sont pas à proprement parler des tours de magie. Ils font appel à l'imagination des joueurs. Dans chaque cas, le meneur de jeu commence par montrer la disposition des allumettes au départ, puis il explique l'objectif à atteindre. Il ne donne la solution que lorsque tous les joueurs ont tenté en vain de résoudre le problème. Une grande boîte d'allumettes permettra à plusieurs joueurs de chercher la solution en même temps.

Problème n° 1

On dispose 17 allumettes de la façon illustrée dans la figure ci-dessous. Il s'agit de former trois carrés en retirant cinq allumettes. (Solution à droite.)

Problème n° 2

On dispose 12 allumettes de la façon illustrée dans la figure page 278. L'objectif est de ne laisser que trois carrés en déplaçant trois allumettes mais sans en retirer aucune. (Solution à droite.)

Problème n° 3

On dispose 24 allumettes de la façon illustrée dans la figure page 278. Il faut retirer huit allumettes de manière à former deux carrés. (Solution à droite.)

Problème n° 4

Former quatre triangles équilatéraux avec six allumettes. Deux allumettes servent aux bases des triangles voir page 278.

intérieur avec peu de matériel

Problèmes d'allumette :
problème n° 1

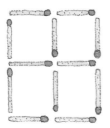

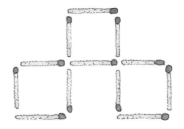

Problèmes d'allumettes :
problème n° 2

Problèmes d'allumettes :
problème n° 3

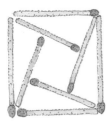

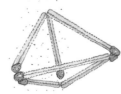

Problèmes d'allumettes :
problème n° 4

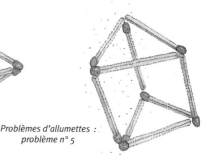

Problèmes d'allumettes :
problème n° 5

Problèmes d'allumettes :
problème n° 6

Problème n° 5

Former avec neuf allumettes trois carrés égaux et deux triangles égaux, tous reliés entre eux (voir illustration).

Problème n° 6

Former avec huit allumettes deux carrés et quatre triangles (voir illustration).

• • • • • • • • • • • • • • • • • • • •

Les onze allumettes

 11 allumettes de bois

LE TOUR

Le magicien demande à un spectateur de placer 10 allumettes sur la table de façon à pouvoir les soulever toutes ensemble en s'aidant d'une seule autre allumette. Il laisse plusieurs spectateurs tenter en vain de résoudre le problème, puis il leur montre la solution.

LE SECRET

Le magicien pose d'abord une allumette à plat sur la table. Puis il en place neuf autres sur la première, en les faisant alterner tête-bêche, de façon à ce qu'elles reposent en leur milieu sur celle du dessous. Enfin, il pose une dernière allumette sur les neuf, dans le creux formé par leurs intersections, en sens contraire de celle du dessous. En saisissant les deux bouts de l'allumette du dessous et de celle du dessus entre le pouce et l'index de chaque main, le magicien soulève facilement toutes les allumettes.

L'orange escamotée

 Pelure d'orange, pomme, mouchoir

LE TOUR

Le magicien dépose sur la table une orange et un mouchoir, expliquant qu'il se propose de manger l'orange. Il agite le mouchoir pour bien montrer qu'il ne dissimule aucun objet, puis le place sur l'orange. Il confie alors aux spectateurs : « À vrai dire, j'aurais préféré une pomme. Mais ça n'a pas d'importance… » En disant cela, il soulève le mouchoir, le froisse et le met dans sa poche. Sur la table trône… une pomme !

LE SECRET

Il avait posé sur la table une pomme entourée d'une pelure d'orange entière. Pour parvenir à ce résultat, on prend une grosse orange à pelure épaisse. On fend la pelure en quatre sections que l'on laisse cependant rattachées par le haut, et on retire la chair. On introduit alors une petite pomme dans la pelure. À la distance où ils se trouvent, les spectateurs ne peuvent pas voir les fentes dans la pelure. En soulevant le mouchoir, le magicien saisit la pelure (peut-être par une boucle qu'il y aura posée), qu'il écrase en froissant le mouchoir et met ensuite dans sa poche. L'attention des spectateurs est alors fixée sur la pomme qui apparaît mystérieusement sur la table.

La corde au cou

 1 ficelle d'environ 1 mètre

LE TOUR

Le magicien prend une ficelle d'environ 1 mètre de long et, en nouant les deux bouts, forme une boucle de quelque 50 centimètres de long. Il annonce qu'il va faire passer la ficelle à travers son cou. Il place d'abord la boucle derrière son cou, tout en tenant les deux bouts devant lui. Glissant ses pouces dans les deux extrémités de la boucle, il tend la ficelle et en rapproche les deux bouts. Puis il prononce quelques mots magiques et d'un coup sec il tire sur la corde, qui semble en effet lui traverser le cou ; il la tient ensuite devant lui.

LE SECRET

Au moment où le magicien ramène les deux boucles de la ficelle devant, il glisse, sans que personne s'en aperçoive, son index gauche dans la boucle où se trouve le pouce gauche. Il glisse alors rapidement son pouce gauche dans l'autre boucle, enlève son index et écarte rapidement ses deux mains devant lui ; la ficelle se trouve maintenant tendue devant lui autour de ses deux pouces. Tout a été si rapide que l'auditoire se demande encore ce qui s'est passé et a vraiment l'illusion que la ficelle a traversé le cou du magicien.

Les liens magiques

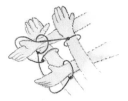 2 cordes d'environ 1 mètre

Les liens magiques

LE TOUR

Le magicien prend une corde d'environ 1 mètre de long dont il attache les deux bouts en les enroulant autour des poignets d'un spectateur. Il prend ensuite une seconde corde, de la même longueur, et en attache un bout autour d'un des poignets d'un deuxième spectateur. Il passe la seconde corde au-dessous puis au-dessus de celle qui relie les poignets du premier specta-teur et en attache finalement le bout libre autour de l'autre poignet du second spectateur. Les deux spectateurs se trouvent ainsi liés l'un à l'autre. Le magicien les invite à se libérer sans défaire de nœud et sans couper les cordes ni les faire glisser de leurs poignets. Après de vains efforts et de multiples contorsions, les specta-teurs ne tardent pas à abandonner la partie. Le magicien leur montre alors comment procéder.

LE SECRET

Un des spectateurs captifs prend la corde de l'autre et la fait passer dans la boucle qui entoure un de ses propres poignets, en prenant soin de ne pas l'emmêler avec sa corde à lui. Puis il tire la même corde, toujours dans la boucle, et la fait passer par-dessus sa main. Les deux cordes sont alors séparées et les deux captifs libérés.

Le nœud en huit

 1 grand mouchoir ou 1 foulard

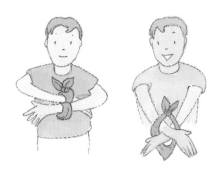

Le nœud en huit

LE TOUR

Le magicien s'entoure le poignet gauche d'un grand mouchoir ou d'un foulard dont il croise les deux bouts. Il plie le bras droit au-dessus du gauche, de façon à ce que les doigts de sa main droite touchent son bras gauche au-dessus du coude. Il demande alors à un spectateur de lui enrouler le mouchoir autour du poignet droit, de bien serrer et de nouer solidement les deux bouts du mouchoir. Il a ainsi les poignets liés. Il tourne le dos et en un éclair il a les mains libres.

LE SECRET

Le magicien descend simplement la main droite vers la droite et la main gauche vers la gauche de sorte qu'elles se rejoignent, et le nœud se défait tout seul.

Le mouchoir noué

 1 grand mouchoir

LE TOUR

Le magicien déploie un grand mouchoir et met les spectateurs au défi de faire un nœud avec celui-ci en tenant un coin du mouchoir d'une main, le coin opposé de l'autre, et sans lâcher aucun des deux coins. Après les tentatives infructueuses de quelques volontaires, le magi-cien montre comment la chose peut se faire.

LE SECRET

Il se croise les bras, plaçant une main sur un bras et l'autre sous l'autre bras. Il prend alors deux coins opposés du mouchoir. Il lui suffit ensuite, pour faire le nœud, de décroiser les bras et de tirer sur les deux bouts du mouchoir, sans les lâcher.

Le troisième nœud

 1 corde d'au moins 1 mètre

LE TOUR

Le magicien se fait lier les mains derrière le dos par un des spectateurs, qui lui attache chaque extrémité de la corde à un des poi-gnets. Il fait alors face à l'assistance pendant quelques secondes. Quand il se retourne, il y a un nœud au milieu de la corde.

LE SECRET

L'opération est délicate. Les poignets liés der-rière le dos, le magicien les rapproche. Il prend la corde de la main droite et forme une boucle en la glissant sous le nœud du poignet gauche, côté paume. Il fait passer cette boucle par-dessus ses doigts, mais après l'avoir croisée.

Il glisse alors la boucle sous le bracelet de corde, cette fois-ci côté dos. Il refait passer la boucle par-dessus ses doigts, pour qu'elle se retrouve côté paume.

Il suffit que le magicien exerce une simple traction vers la droite, et le nœud se forme. Le tour vaut la peine d'être répété car il est important de bien faire le croisement.

La balle baladeuse

 1 balle de ping-pong et du fil noir

La balle baladeuse

LE TOUR
Le magicien lève les bras. Il tient une balle de ping-pong qu'il fait aller et venir mystérieusement entre ses deux mains.

LE SECRET
Le magicien se sert d'un fil noir, d'environ 1 mètre de long, dont les bouts sont noués de façon à former une boucle. Ses index passés dans les deux extrémités de la boucle offrent ainsi à la balle une piste sur laquelle il la fait glisser. Les balles de ping-pong sont particulièrement indiquées à cause de leur légèreté et de leur couleur qui les rend bien visibles. De loin, personne ne notera la présence du fil noir. Ce tour exige de nombreuses répétitions.

La balle filante

 1 petite balle
1 mouchoir

LE TOUR
Le magicien montre au public une petite balle qu'il tient dans le creux de la main. Il couvre sa main avec un mouchoir et invite plusieurs spectateurs à glisser leurs doigts sous le mouchoir pour constater que la balle est toujours bien à sa place. Puis il retire brusquement le mouchoir : la balle a disparu ! Il replace le mouchoir sur sa main, fait constater aux spectateurs qui veulent bien vérifier que la balle est toujours absente. Puis il retire le mouchoir : la balle a repris sa place dans le creux de sa main !

LE SECRET
Le magicien est de connivence avec un des spectateurs, son compère, qui s'arrange pour être dans chaque cas le dernier à glisser ses doigts sous le mouchoir. La première fois, il retire la balle et la dissimule dans sa main. La seconde fois, il la remet dans la main du magicien.

La boule mystérieuse

 1 petite boule de bois, punaise, fil

LE TOUR
Le magicien montre aux spectateurs la paume de sa main, leur faisant constater qu'il n'y a rien dedans. Il lève la main en l'air et soudain une boule de bois apparaît au bout de ses doigts.

LE SECRET
Une punaise est enfoncée dans la boule. Un fil très court est attaché à un bout à la punaise et à l'autre bout à un anneau que le magicien porte à son majeur. Quand le magicien montre la paume de sa main au public, la boule est cachée derrière le dos de sa main. En levant brusquement la main, il fait remonter la boule qu'il recueille sur le bout des doigts. Avec un peu d'entraînement, on peut obtenir des résultats assez impressionnants.

intérieur avec peu de matériel

La boule fantôme

 1 petite boule de bois, 1 punaise,
1 fil élastique

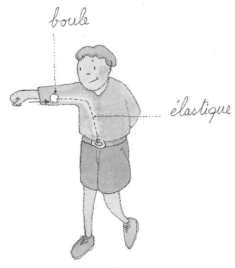

La boule fantôme

LE TOUR
Le magicien sort une boule de la poche de son gilet. Il la serre dans sa main et, quand il rouvre celles-ci, la boule a mystérieusement disparu.

LE SECRET
La boule est reliée à la ceinture du magicien par un fil élastique. Un bout du fil est fixé à la boule par une punaise. L'autre est attaché par une boucle à la ceinture. Le fil passe sous le gilet. Pour montrer la boule, le magicien se tourne de côté. Quand il lâche la boule, l'élastique, qu'il dissimule derrière son bras, la ramène sous son gilet. Autant que possible, l'élastique devrait être de la même couleur que le gilet. Si le magicien est adroit, le public n'y verra que du feu.

Le pont de papier

 1 feuille de papier épais et 3 verres

LE TOUR
Le magicien pose une feuille de papier épais sur deux verres placés à quelques centimètres de distance. Il invite les spectateurs à poser un

Le pont de papier

troisième verre au milieu de ce pont improvisé. Bien entendu, le papier cède sous le poids du verre et le pont s'écroule. Le magicien s'engage à poser le verre sans que le papier cède.

LE SECRET
Le magicien plie le papier plusieurs fois, dans le sens de la longueur. Ainsi renforcé, le papier supportera facilement le poids du verre. Par précaution, on recommande au magicien d'utiliser des verres en plastique.

La paille et la bouteille

 1 bouteille et 1 paille

LE TOUR
Le magicien invite les spectateurs à soulever une bouteille en verre ordinaire avec une simple paille. Quand ils ont tous échoué, il leur révèle la solution.

LE SECRET
Le magicien plie un bout de la paille de façon à former un V qu'il enfonce dans la bouteille. La branche la plus courte du V appuie contre la paroi de la bouteille et sert de levier. Il suffit de tirer sur la branche la plus longue pour soulever la bouteille.

La serviette déchirée

 Serviette en papier, verre d'eau

LE TOUR
Le magicien tord une serviette en papier, comme pour en faire une corde. Il invite les

spectateurs à déchirer la serviette en tirant simplement sur les deux bouts. Quand tous ont essayé en vain, il tire à son tour sur la serviette, qui se déchire aussitôt.

LE SECRET

Pendant que les spectateurs font leurs essais, le magicien trempe ses doigts dans un verre d'eau. En prenant la serviette, il en mouille le milieu et la tord encore un peu. Le papier, une fois mouillé, ne résiste pas à la pression et se déchire.

Les noirs et les blancs

 1 jeu de dames

LE TOUR

Le magicien place huit pions sur une rangée, en faisant alterner les noirs et les blancs. Il demande alors à un spectateur de redisposer les pions de façon que tous les blancs soient d'un côté et tous les noirs de l'autre, en les déplaçant deux par deux et en un maximum de quatre coups. Quand plusieurs spectateurs ont essayé en vain de résoudre le problème, le magicien en donne la clé.

LE SECRET

Le magicien attribue un numéro de 1 à 8 à chaque pion et les numéros 9 et 10 aux deux cases libres, au bout de la rangée. Il déplace ensuite les pions de la façon suivante : les numéros 2 et 3 dans les cases 9 et 10 ; 5 et 6 dans les cases évacuées par 2 et 3 ; 8 et 9 dans les cases évacuées par 5 et 6 ; et 1 et 2 dans les cases évacuées par 8 et 9. Ainsi tous les noirs se retrouvent d'un côté et les blancs de l'autre.

Le crayon fugitif

 1 crayon et 1 mouchoir

LE TOUR

Le magicien montre un crayon aux spectateurs, puis il le recouvre d'un mouchoir. Il tient le crayon droit, de façon qu'on puisse en voir la forme.

D'un coup sec de son autre main, il retire le mouchoir et l'agite pour montrer qu'il ne dissimule rien. Le crayon a disparu !

LE SECRET

Le magicien pointe l'index sous le mouchoir, faisant croire qu'il s'agit du crayon, pendant qu'il glisse celui-ci dans sa manche.

Le mouchoir qui ne brûle pas

 1 chandelle et 1 mouchoir

LE TOUR

Le magicien (qui, par prudence, devrait être un adulte) allume une chandelle et montre au public un mouchoir. Il annonce alors qu'il va faire passer lentement le mouchoir à travers la flamme de la chandelle et que le mouchoir ne brûlera pas. En le tenant par les deux coins du haut, il passe en effet le mouchoir déployé au milieu de la flamme et, contrairement à toute attente, le mouchoir ne brûle pas.

LE SECRET

Il s'agit simplement de tremper au préalable le mouchoir dans une solution concentrée de borax et d'eau, ce qui le rend presque ignifuge. On le laisse ensuite sécher pour qu'il ait l'air normal.

Le souffle puissant

 1 chandelle et 1 bouteille

Le souffle puissant

LE TOUR

Le magicien allume une chandelle, qu'il place sur une table, derrière une bouteille ronde. Il souffle sur la bouteille et la chandelle s'éteint, comme si le souffle du magicien était passé à travers la bouteille.

LE SECRET

Si elle est bien ronde, la bouteille divise le souffle du magicien en deux courants d'air qui se rejoignent derrière elle, éteignant la chandelle. Avec un peu d'entraînement (car il faut trouver des bouteilles de la taille idéale), on peut même exécuter le tour en alignant deux ou trois bouteilles devant la chandelle.

FARCES ET BLAGUES

Dans les jeux qui suivent, un des joueurs sert, à son insu, à amuser les autres. Ces farces, cependant, ne font de tort à personne et généralement la victime est la première à apprécier le tour qu'on lui a joué. Bien entendu, il appartient à l'animateur de s'assurer que personne ne sera tourné en ridicule ni même simplement placé dans une situation embarrassante ou désagréable. Autant que possible, il choisira comme sujet une personne qui aime rire et qui a bon caractère. En cas de doute, il peut toujours se mettre à la place de la victime et se demander quelle serait sa propre réaction. De toute façon, les farces que nous proposons ici sont absolument inoffensives et devraient amuser tout le monde.

● ● ● ● ● ● ● ● ● ● ● ● ● ● ● ● ● ●

La vache qui tache

5 à 10 joueurs

Papier et 1 crayon par joueur

Les joueurs forment un cercle et s'assoient. Chaque joueur se voit attribué un numéro. Le premier joueur commence : « Je suis la vache n° 1 sans tache qui tache et j'appelle la vache n° 2 sans tache qui tache. » À ce moment, le joueur qui possède le n° 2 reprend à son tour la

La vache qui tache

formule : « Je suis la vache n° 2 sans tache qui tache et j'appelle la vache n° 6 sans tache qui tache. » Le joueur appelle le nunéro de son choix. S'il bafouille pendant qu'il répète la phrase il aura alors une « tache ». Il devra dire : « Je suis la vache n° 2 avec une tache qui tache et j'appelle la vache n° 6 sans tache qui tache. » De même si un joueur se trompe dans le nombre de tache attribué à un joueur, il est également pénalisé d'une tache. Toute nouvelle erreur augmente le nombre de taches (je suis la vache n° 5 avec quatre taches qui tachent et j'appelle la vache...) Pour corser le jeu, on peut décider qu'il faut répéter la formule de plus en plus vite et bien sûr sans faire d'erreurs.

● ● ● ● ● ● ● ● ● ● ● ● ● ● ● ● ● ●

La fausse identité

6 à 12 joueurs

6 à 10 ans

On joue généralement ce tour durant un jeu (le portrait, par exemple) où il s'agit de recueillir des renseignements en posant des questions. On demande à l'un des joueurs de quitter la pièce. À son retour, il devra deviner l'identité d'un des autres joueurs que le groupe aura désigné.

L e joueur peut poser les questions qu'il veut à tous les joueurs, dans le but de recueillir des indices qui lui permettront de trouver la personne désignée. Ce qu'il ne sait pas, c'est que les joueurs se sont entendus pour répondre à toutes les questions de façon à donner des indices se rapportant à leur voisin de droite. Plus ils s'accumulent, plus les indices deviennent contradictoires et plus le joueur y perd son latin.

• • • • • • • • • • • • • •

Le sou tenace

 4 à 6 joueurs

✂ Petite pièce de monnaie, 1 verre d'eau

L'animateur montre aux joueurs une petite pièce de monnaie et annonce qu'il peut, avec de l'eau (qu'il va faire chercher par un des joueurs), la coller au front de n'importe qui. Il demande quelques volontaires pour l'expérience.

Le sou tenace

L a tenant entre le pouce et l'index, l'animateur trempe la pièce dans l'eau et l'appuie fortement sur le front d'un des joueurs. À cause de l'eau, la pièce adhère quelques instants, mais tombe dès que le joueur secoue un peu la tête. Feignant la surprise, l'animateur recommence l'expérience avec un autre joueur, puis un troisième, obtenant toujours le même résultat. Puis il s'adresse au joueur qui doit faire l'objet de la farce et déclare : « Maintenant je sais l'erreur que j'ai faite. Cette fois, la pièce va tenir. » Il trempe la pièce dans l'eau, puis il l'applique sur le front du joueur en glissant le bout de son ongle sous la pièce. En retirant sa main, il enlève la pièce sans que le joueur s'en aperçoive. Croyant que la pièce est toujours là, le joueur secoue la tête, comme les autres l'ont fait avant lui, mais à sa grande surprise la pièce ne tombe pas. Il continue de plus belle, jusqu'à ce qu'il comprenne, en portant la main à son front, la raison de l'hilarité générale.

• •

Le parcours à obstacles

 6 à 12 joueurs

✂ Divers objets de la vie quotidienne

L'animateur pose en file sur le plancher divers objets que l'on trouve dans toutes les maisons : bouteilles, plantes en pots, annuaires, casseroles, etc. Les objets sont placés à environ 1 mètre les uns des autres. L'animateur demande à des volontaires de traverser la pièce en enjambant les obstacles. Il demande ensuite à l'un d'entre eux de refaire le parcours, mais les yeux bandés cette fois.

O n laisse le volontaire faire le parcours une fois ou deux, les yeux ouverts, puis on le place au point de départ et on lui bande les yeux. L'animateur enlève discrètement les obstacles. À mesure que le joueur aux yeux bandés avance avec précaution, s'efforçant d'enjamber les objets qu'il croit toujours là, les autres joueurs applaudissent et le félicitent de son adresse. Le parcours terminé, le joueur peut ôter son bandeau et il se rend compte alors de tous les efforts qu'il a déployés inutilement.

intérieur avec peu de matériel

TRUCS AMUSANTS

L'intérêt des jeux qui suivent réside dans les trucs sur lesquels ils sont fondés, plutôt que dans la compétition entre les joueurs. Ces tours, qui visent uniquement à amuser, semblent dans bien des cas exiger des performances impossibles. Parfois aussi, ils font utiliser des mots ou des images d'une façon originale et inattendue. La plupart des tours constituent de véritables numéros qui doivent être soigneusement répétés avant la première représentation. On trouvera là d'excellentes recettes pour relancer l'enthousiasme entre les danses ou les jeux de société.

● ● ● ● ● ● ● ● ● ● ● ● ● ● ● ● ● ●

La force d'Hercule

🏃 6 à 12 joueurs

✂ 1 journal

L'animateur donne à chaque joueur une page de journal, puis il met les joueurs au défi de plier leur page en deux huit fois de suite. Une telle performance, comme il l'explique à son auditoire sceptique, exige la « force d'Hercule », que, bien entendu, il est le seul à posséder.

Évidemment, les joueurs échouent à cause de l'épaisseur croissante du papier. L'animateur prend alors une feuille, la plie en deux et la déplie, puis il recommence sept fois de suite, comme il l'avait promis.

VARIANTE

Dans Le sou défendu, on demande aux joueurs une performance qui semble impossible. L'animateur annonce qu'il va jeter un sort à une pièce de monnaie, de sorte que personne ne pourra la ramasser sans perdre l'équilibre et tomber. Il demande un volontaire et le fait placer debout, dos au mur, les talons contre le bas du mur. Il dépose alors la pièce par terre, à quelque 40 à 50 centimètres du bout des pieds du volontaire et demande à ce dernier de se baisser pour la ramasser. Bien entendu, la chose est impossible.

● ● ● ● ● ● ● ● ● ● ● ● ● ● ● ●

Voici ma main

🏃 10 à 20 joueurs

🕯 6 à 8 ans

Les joueurs forment un cercle autour de l'animateur.

Pour commencer, l'animateur touche une de ses mains en disant : « Voici ma main. » Les joueurs doivent aussitôt toucher une autre partie de leur corps en répétant : « Voici ma main. » Tout joueur qui dit autre chose ou qui touche une de ses mains reçoit un point de punition. L'animateur recom-

Voici ma main

mence, en se touchant le nez et en disant :
« Voici mon nez. » Les joueurs doivent répéter
ses mots en se touchant une autre partie du
corps. Le jeu continue jusqu'à ce qu'un joueur
ait 2 points de pénalité ; il prend alors la place
de l'animateur.

VARIANTE

Pour rendre le jeu plus difficile encore, l'animateur peut s'adresser tour à tour à chacun des
joueurs en particulier. Se plaçant devant un
premier joueur, il se touche par exemple le
coude en disant : « Voici mon oreille ! » Le
joueur doit faire exactement le contraire, c'est-
à-dire se toucher l'oreille en disant : « Voici
mon coude ! » Le premier joueur qui fait une
erreur prend la place de l'animateur.

Le passe-partout

6 à 12 joueurs

1 feuille de papier

L'animateur se vante de pouvoir faire passer sa
personne sous une porte fermée.

Les joueurs refusant de le croire, il en fait
passer quelques-uns dans la pièce voisine
et ferme la porte. Puis il écrit en grosses lettres
sur une feuille de papier ou de carton les mots
« ma personne » et il glisse tout simplement la
feuille sous la porte. Il ouvre alors la porte pour
laisser rentrer les joueurs déconfits.

Défense de sourire

6 à 8 ans

10 à 20 joueurs

Les joueurs se divisent en deux équipes qui se
font face.

Les membres d'une des équipes sourient à
ceux de l'autre, s'efforçant de rendre leur
sourire communicatif. Les autres doivent rester
imperturbables au moins 1 minute, après quoi
les deux équipes changent de rôle.

Sur le fil

6 à 10 joueurs

Jumelles

On trace sur le plancher une ligne droite qui
va d'un bout à l'autre de la pièce. Au besoin,
on peut remplacer la ligne par une ficelle bien
tendue. On remet au premier joueur la paire
de jumelles.

Chaque joueur, à son tour, doit traverser la
pièce en marchant sur la ligne tout en
regardant par le mauvais bout des jumelles.
À chaque pas, il doit toucher la ligne du talon et
du bout des pieds. Ce n'est pas si facile, car la
ligne semble bien plus éloignée qu'elle ne l'est
en réalité.

Les professions

6 à 10 joueurs

6 à 12 ans

Les joueurs s'assoient en formant un cercle
au milieu duquel se place l'animateur. Chaque
joueur se choisit une profession.

Un des joueurs se met à mimer la profession qu'il a choisie, tandis que l'animateur fait des gestes qui n'ont pas de sens précis,
comme se pincer les oreilles ou se tourner les
pouces. Subitement, l'animateur imite les gestes
du joueur, ce dernier doit aussitôt mettre fin à sa
pantomime pour faire les gestes que faisait
auparavant l'animateur (il lui faut donc bien les
observer). Quand l'animateur reprend ses premiers gestes, le joueur reprend sa pantomime.
Le jeu se poursuit ainsi, le joueur devant éviter
de faire les mêmes gestes que l'animateur en
même temps que celui-ci. Dès qu'il fait une
erreur, le joueur prend la place de l'animateur.

Jeux
de Plein air
SANS MATÉRIEL

Jeux
de Plein air
AVEC PEU DE MATÉRIEL

Jeux
de Plein air
AVEC MATÉRIEL
OU CADRE SPÉCIFIQUE

Jeux
d'Intérieur
SANS MATÉRIEL

Jeux
d'Intérieur
AVEC PEU DE MATÉRIEL

Jeux
d'Intérieur
AVEC MATÉRIEL
SPÉCIFIQUE

Jeux
d'Intérieur

AVEC MATÉRIEL

SPÉCIFIQUE

Quel pourrait bien être le point commun de jeux aussi différents que les dames chinoises, les échecs, le billard, le ping-pong ou le bowling ? Ils se pratiquent tous plutôt à l'intérieur et requièrent un matériel spécifique. Ce sont ces jeux que propose cette dernière partie à tous les jeunes de 6 à 12 ans.

Les osselets à la balle

2 à 8 joueurs

6 osselets et 1 balle en caoutchouc

À l'origine, les osselets étaient de petits os de mouton, mais on en fabrique maintenant en métal ou en plastique. Le jeu se pratique sur une surface bien plane et exige six osselets ainsi qu'une petite balle de caoutchouc. Chaque joueur doit passer tour à tour les diverses épreuves, dans l'ordre de leurs difficultés. Tout joueur qui commet une erreur cesse de jouer pour, au tour suivant, reprendre l'épreuve là où il avait échoué. Celui qui termine toutes les épreuves en premier gagne la partie. Les règles du jeu de base sont simples. Le premier joueur éparpille les osselets sur le sol d'un seul geste de la main. Se servant toujours de la même main (droite ou gauche, à son choix), il doit lancer la balle en l'air, ramasser les osselets de la même main et rattraper la balle après lui avoir laissé faire un rebond. Au premier tour, le joueur annonce : « Un ! », ce qui indique qu'il ramassera les osselets un par un. Il ramasse donc d'une main un premier osselet, qu'il fait passer dans l'autre main, puis les autres, un à la fois, en lançant la balle chaque fois. Au deuxième tour, le joueur annonce : « Deux ! » et doit ramasser deux osselets à chaque fois. Au troisième tour, il en ramasse trois à la fois. Au quatrième tour, il en ramasse quatre puis deux, ou l'inverse. Au cinquième tour, il en ramasse cinq puis un, ou l'inverse. Enfin, au sixième tour, il doit tous les ramasser en même temps.

VARIANTES

Les variantes sont nombreuses. Ainsi, dans Haut et bas, le joueur tient la balle et les six osselets dans la même main. Il lance la balle en l'air, jette les osselets et doit rattraper la balle au vol. Dans

un second temps, il pose les osselets sur le sol, lance la balle, ramasse aussitôt les osselets et rattrape la balle avant qu'elle ne rebondisse.

Le balayage

Dans Le balayage, le joueur jette les osselets. Il lance ensuite la balle, ramène les osselets un à un près de lui avant de les ramasser, et rattrape la balle après lui avoir laissé faire un seul rebond. Il répète ensuite l'épreuve en ramenant deux osselets, puis trois, et ainsi de suite.

Le panier d'œufs

Dans Le panier d'œufs, le joueur jette les osselets. Puis, d'une seule main, il lance la balle et ramasse un osselet, qu'il transfère dans son autre main (le panier) pour rattraper ensuite la balle avant qu'elle ne touche le sol. De la même façon, il ramasse tour à tour deux osselets, puis trois, et ainsi de suite, comme dans le jeu de base.

L'omelette

Dans L'omelette, le joueur jette les osselets puis, de la même main, lance la balle, ramasse un osselet et le frappe sur le sol (pour casser « l'œuf »), puis rattrape la balle avant qu'elle ne rebondisse. Il répète ensuite le tour avec deux osselets, puis trois, et ainsi de suite.

La boîte

Dans La boîte, le joueur pose une main à plat sur le sol, en écartant le pouce et l'index, formant ainsi une boîte ouverte. Il lance la balle en l'air, pousse les osselets dans la boîte un à un, avant de rattraper la balle, qui ne doit faire qu'un seul rebond. Il répète ce tour avec deux osselets, puis trois, et ainsi de suite.

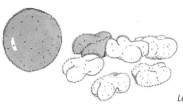

*Les osselets à la balle :
le balayage*

Les osselets traditionnels :
le puits

La barrière

Le principe de La barrière est le même que celui de La boîte, sauf que le joueur, au lieu de poser sa main à plat, la pose sur le tranchant, constituant ainsi une barrière par-dessus laquelle il doit faire passer les osselets.

• •

Les osselets traditionnels

2 à 8 joueurs

5 osselets

D ans le jeu traditionnel des osselets, comme dans le jeu à la balle, les concurrents jouent à tour de rôle, aussi longtemps qu'ils n'ont pas commis de faute. Mais dans ce jeu, il n'y a pas de balle et on utilise cinq osselets au lieu de six.

Le joueur lance les cinq osselets en l'air et tente d'en recevoir le plus grand nombre possible sur le dos de sa main droite. Il relance alors les osselets en l'air et doit tous les recevoir cette fois dans la paume, sous peine de perdre son tour. Ensuite, quatre osselets étant déposés sur la table, le joueur les ramasse de la main gauche, après avoir lancé le cinquième en l'air et avant de l'avoir rattrapé de la main droite.

Puis il exécute les manœuvres suivantes, tout en accomplissant toujours le même exercice de la main droite : il dépose les quatre osselets sur la table et les retourne un à un sur le côté creux ; il les ramasse, les pose à nouveau sur la table, les retourne sur le côté dos et les ramasse. Il fait de même pour les deux autres faces, qu'on appelle les plats.

La rafle

Tandis qu'il lance en l'air le cinquième osselet, comme précédemment, le joueur retourne, avec la main gauche, un, deux, trois, puis quatre osselets en même temps, du côté du plat. Puis il les ramasse.

La passe

Le joueur forme un cercle en réunissant les extrémités de son pouce et de son index gauches, et il fait passer dans ce cercle les quatre osselets qu'il reçoit de la main droite, en même temps que le cinquième qu'il a lancé en l'air.

Le puits

Le joueur jette les quatre osselets sur la table, en lançant le cinquième en l'air, comme précédemment. Formant un puits de la main droite (ou gauche), en joignant pouce et index et en repliant les doigts, il doit, après avoir lancé en l'air le cinquième osselet, ramasser l'un de ceux qui sont posés sur la table, le passer dans le puits formé par la main droite (ou gauche) et le rattraper de la main gauche (ou droite) en même temps que l'autre osselet. Il recommence la même manœuvre avec les trois osselets restants.

• • • • • • • • •

Le Yo-Yo

👣 **7 à 12 ans**

✂ **1 Yo-Yo**

S' ils varient par leur format et leur couleur, les Yo-Yo sont tous faits de la même façon. Ils se composent de deux disques de bois ou de plastique montés sur un axe auquel est attachée une ficelle de 60 à 80 centimètres environ de long. Dans le modèle ordinaire, la ficelle passe à travers le pivot, ce qui limite les manœuvres possibles. Son bout libre comporte une boucle dans laquelle on passe un doigt (majeur ou index) ; on lance d'un coup sec le Yo-Yo à l'horizontale ou à la verticale. La ficelle se déroule, puis s'enroule de nouveau sur le Yo-Yo qui revient se loger dans la main du joueur. Dans les modèles fantaisie, en revanche, la ficelle est enroulée autour du pivot par une boucle qui lui laisse du jeu, ce qui permet d'exé-

cuter des tours variés comme ceux que nous décrivons ici. Les joueurs expérimentés peuvent alors se livrer à de véritables concours d'adresse.

Une fois la ficelle complètement déroulée, le Yo-Yo dort, c'est-à-dire tourne sur lui-même. Quand le mouvement ralentit, on le fait remonter d'un léger coup de poignet.

Le concours le plus simple est celui qui consiste à faire dormir (tourner sur lui-même) le Yo-Yo le plus longtemps possible. On lance le Yo-Yo à la verticale. Dès que la corde s'est complètement déroulée, il se met à tournoyer. Quand le mouvement ralentit, il est temps de le faire remonter en donnant un léger coup de poignet. Le Yo-Yo revient alors se nicher dans la main du joueur.

La passe avant

Paume vers le bas, on lève le bras brusquement pour lancer le Yo-Yo à l'horizontale, puis on le reçoit dans la main ouverte.

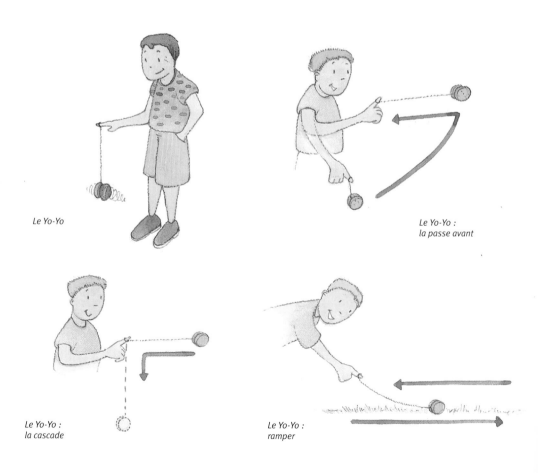

Le Yo-Yo

Le Yo-Yo : la passe avant

Le Yo-Yo : la cascade

Le Yo-Yo : ramper

Pour exécuter la passe avant, on tient le Yo-Yo enroulé au bout du bras, qu'on laisse pendre le long du corps, la main tournée vers le corps. D'un geste brusque, on relève le bras de façon à lancer le Yo-Yo à l'horizontale. Arrivé au bout de sa course, le Yo-Yo revient de lui-même. On le recueille alors dans la main ouverte, la paume tournée vers le haut. Le concours consiste à faire le plus de passes possible sans interruption.

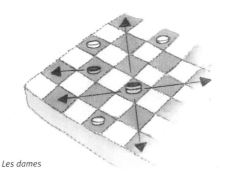

Les dames

La cascade

Après avoir exécuté une passe avant, on laisse le Yo-Yo retomber et dormir, puis on le rappelle avant de recommencer.

La cascade consiste à lancer le Yo-Yo tour à tour à l'horizontale et à la verticale, sans en interrompre le mouvement. On exécute d'abord une passe avant, puis lorsque le Yo-Yo revient, au lieu de le recueillir, on retourne la main pour le laisser tomber et dormir. On le fait ensuite remonter dans la main et on recommence. Le joueur qui exécute parfaitement la cascade le plus grand nombre de fois gagne.

Ramper

Au lieu de dormir, le Yo-Yo, si on lui laisse du jeu, se met à ramper sur le sol. Quand il arrive au bout de sa ficelle, on le rappelle d'un coup de poignet.

Pour faire ramper le Yo-Yo, on le place à la verticale. Dès qu'il arrive au bout de la ficelle, on baisse la main pour lui donner du jeu. Le Yo-Yo se met alors à rouler sur le sol. Quand la ficelle est de nouveau tendue, un coup de poignet fait remonter le Yo-Yo. Dans un concours, le gagnant est celui qui répète le tour le plus grand nombre de fois sans interruption.

Les dames

🎎 2 joueurs

🎲 1 damier et 24 pions (12 d'une couleur, 12 d'une autre) aux dames anglaises, 40 pions (20 +20) aux dames françaises

LE BUT

Chaque joueur s'efforce de capturer toutes les pièces de l'adversaire ou de réduire celui-ci à un état d'impuissance où il ne peut plus déplacer aucune pièce.

LE JEU ANGLAIS

On utilise une planche divisée en 64 cases alternativement de couleur pale et foncée (généralement blanches et noires), appelée le damier. Si l'on n'a pas de damier, on peut jouer sur un échiquier (qui a le même nombre de cases). Chaque joueur dispose de 12 pions d'une couleur différente de ceux de l'adversaire (généralement noirs et blancs ou noirs et rouges). Les deux joueurs se font face, le damier étant placé entre eux de façon que chacun ait à sa gauche, sur la rangée du bas du damier, une case foncée. Chaque joueur aligne ses 12 pions sur les cases foncées (dites cases noires) des trois rangées du bas du damier. La convention veut que le joueur qui a les pions noirs joue en premier. (Pour égaliser les chances, les adversaires changent de pions après chaque partie.) Les pions se déplacent d'une case à la fois, en diagonale, sur les cases noires seulement. Le premier joueur avance donc un des pions de sa rangée supérieure pour le placer sur une des cases libres du milieu. Le second joueur en fait autant et le jeu continue ainsi, chacun des adversaires essayant d'avancer ses pièces jusqu'à la dernière rangée du territoire adverse.

Lorsqu'un joueur a un pion voisin d'une case occupée par un pion ennemi, la case suivante en diagonale étant libre, il doit faire sauter son pion par-dessus celui de l'ennemi pour le poser dans la case libre. Le pion ennemi, ainsi capturé, est retiré du jeu. Si plusieurs pions ennemis se trouvent ainsi séparés par des cases vides, le joueur fait sauter son pion par-dessus la série de pions

Les dames

de l'adversaire, en avançant toujours en diagonale, mais en changeant d'orientation (c'est-à-dire en tournant à angle droit d'un côté ou de l'autre) si l'occasion se présente. Il n'y a pas de limite au nombre de pions qu'un joueur peut prendre de cette façon.

Il est à noter que pour les prises, comme dans leur marche ordinaire, les pions ne peuvent se déplacer qu'en avant. Par ailleurs, les prises sont obligatoires et lorsqu'un joueur peut prendre plusieurs pions ennemis, il doit le faire. Lorsqu'un joueur néglige de faire une prise, l'adversaire peut soit l'obliger à la faire et à remettre à sa case de départ le pion qui avait été déplacé par erreur, soit souffler, c'est-à-dire retirer du jeu le pion qui aurait dû faire la prise. Dans ce dernier cas, cependant, il accepte le déplacement que l'autre joueur a fait. Lorsqu'un joueur peut prendre à deux endroits différents ou avec deux pions différents, il choisit la prise qui lui semble la plus favorable.

Un pion arrive à dame lorsqu'il atteint la dernière rangée du territoire ennemi. La dame a le privilège de pouvoir reculer aussi bien qu'avancer.

Un pion qui arrive à la dernière rangée, dans le territoire de l'adversaire (que ce soit en prenant ou dans sa marche normale) se transforme aussitôt en dame, ce qu'on indique en posant sur le pion un second pion de la même couleur. Mais cette dame doit attendre le tour suivant pour jouer. Si la dame se joue comme les autres pions, elle bénéfice en outre des privilèges suivants : elle peut reculer aussi bien qu'avancer, tant pour prendre que dans sa marche normale ; elle n'est jamais obligée de faire une prise.

Le jeu se poursuit jusqu'à ce que l'un des joueurs ait éliminé tous les pions de l'autre ou ait réduit son adversaire à l'immobilité en bloquant toutes ses pièces. (On n'oubliera pas qu'un simple pion peut prendre une dame.)

Si les deux joueurs se trouvent immobilisés, la partie est nulle. Dans le cas où il ne reste que quelques pions sur le damier, de sorte qu'aucun des joueurs ne semble appelé à gagner, ceux-ci s'entendent sur un certain nombre de coups (d'habitude 20) après lesquels, si personne n'a gagné, la partie est déclarée nulle.

LE JEU FRANÇAIS

Le damier français se compose de 10 rangées de 10 cases, alternativement claires et sombres (le plus souvent noires et blanches). Chaque joueur a 20 pions, qu'il dispose sur les cases blanches des quatre rangées du damier les plus proches de lui. Comme dans le jeu anglais, les deux rangées du milieu sont vides au départ. Le damier est placé de façon à ce que chaque joueur ait une case blanche à sa gauche, sur la rangée du bas. Les blancs jouent en premier et on ne joue que sur les cases blanches. De façon générale, la marche des pions et les règles du jeu sont les mêmes qu'aux dames anglaises avec cependant, les différences suivantes :

1. Les pions ne se déplacent qu'en avant, mais ils peuvent reculer pour faire une prise (et les prises sont obligatoires). Si un pion, arrivant à la dernière rangée de l'adversaire, peut faire une prise en reculant, il est obligé de la faire et ne peut se transformer en dame.

2. La dame se déplace dans n'importe quel sens, en diagonale, de n'importe quel nombre de cases. En conséquence, elle peut et doit prendre tout pion non gardé qui se trouve sur sa voie. Elle peut et doit en outre pivoter et s'engager sur une nouvelle diagonale chaque fois que cela lui permet de faire d'autres prises, raflant ainsi tous les pions prenables qui se trouvent sur son chemin.

3. On est obligé de faire à chaque coup le plus grand nombre de prises possibles : si, par exemple, on a le choix entre deux pions et une dame, on doit prendre les deux pions.

4. Lorsqu'un joueur n'a plus qu'une seule dame (et aucun pion) et que l'autre joueur a seulement soit deux dames et un pion, soit une dame et deux pions, soit trois dames, on considère généralement que la partie est nulle. Cependant, si le second joueur refuse cette décision, le premier joueur (qui n'a qu'une dame) peut exiger que l'autre gagne la partie en 15 coups s'il a une dame sur la grande diagonale, ou en 5 coups s'il n'a aucune dame sur la grande diagonale.

• • • • • • • •

Les dés

2 à 7 joueurs

6 dés, 1 cornet, des jetons

LES AS

Le jeu se joue à trois ou plus avec cinq dés ordinaires. Chaque joueur place un enjeu, convenu à l'avance, dans le pot et lance les cinq dés.

Celui qui obtient le nombre de points le plus élevé commence le jeu ; le deuxième, qui s'assoit à sa gauche, tirera après lui, et ainsi de suite. Les as comptent pour 7 points. En cas de rampeau ou égalité de points, les concurrents lancent à nouveau les dés, pour se départager.

Le premier joueur lance ses cinq dés. Il place chaque as sorti au centre de la table, passe les 2 à son voisin de gauche et les 5 à son voisin de droite. Il continue à jeter les dés tant qu'il ne tire pas un as, un 2 ou un 5 et qu'il dispose encore des dés. Puis c'est le tour du joueur placé à sa gauche de lancer les dés qu'il a reçus. Les joueurs qui n'ont plus de dés restent dans le jeu, car ils peuvent toujours en recevoir de leur voisin de gauche ou de droite. Le gagnant est le joueur qui met le dernier as au centre de la table. Il prend alors le pot.

LE POKER D'AS

Il existe des jeux de dés spécialement conçus pour le poker. Chacun des cinq dés comporte un as, un roi, une dame, un valet, un dix et un neuf. On peut aussi utiliser cinq dés ordinaires. En ce cas, le 1 équivaut à l'as, le 6 au roi, le 5 à la dame, le 4 au valet, le 3 au dix et le 2 au neuf.

On y joue à deux ou plus. Les joueurs tirent avec un seul dé pour savoir dans quel ordre ils joueront. Par la suite, c'est le perdant de la partie précédente qui débutera. Le premier joueur jette les cinq dés. Il peut conserver son jeu ou reprendre tout ou une partie des dés pour les lancer une deuxième et même une troisième fois afin d'obtenir une combinaison forte. À la troisième fois, il a la faculté de reprendre le ou les dés qu'il avait conservés au premier et au deuxième coup. Les autres joueurs ne peuvent jouer plus de coups que lui, mais ils peuvent en jouer moins. Si le premier joueur obtient un brelan au deuxième coup, il peut décider d'arrêter ; les autres n'ont alors pas le droit de jouer plus de deux coups, mais ils peuvent ne lancer les dés qu'une fois.

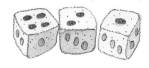

L'as joue le rôle d'un joker : il peut remplacer n'importe quelle figure pour former une combinaison. Mais lorsque deux combinaisons sont identiques, celle qui est pure (sans as) l'emporte sur l'autre. Les valeurs des combinaisons, par ordre décroissant, sont les suivantes :

1. Le quinton, que l'on appelle encore le 1 ou la quinte : cinq figures semblables (ou quatre figures semblables et un as ; trois figures semblables et deux as, etc.).
2. Le carré : quatre figures semblables (ou trois figures et un as, etc.).
3. Le full : un brelan et une paire, par exemple trois dames et deux dix (full aux dames par les dix).
4. Le brelan : trois figures semblables.
5. La séquence : les cinq dés sont différents et se suivent. La séquence à l'as bat la séquence au roi.
6. Deux paires : deux fois deux figures semblables.
7. La paire : deux figures semblables.

En cas d'égalité, les joueurs égaux lancent de nouveau les dés pour déterminer le gagnant, à moins qu'il y ait une combinaison pure et une autre impure, la première l'emportant.

LE 421

Le jeu se joue à deux ou plus avec trois dés ordinaires. Le but du jeu est de réaliser une combinaison plus forte que celles qui ont été obtenues par les autres joueurs. Voici donc par ordre décroissant, les différentes combinaisons possibles et leur valeur lorsqu'elles sont gagnantes :

1. Le 421 : un 4, un 2 et un as. Il vaut autant de jetons qu'il y en a dans le pot moins un.
2. Les cinq paires d'as avec un dé d'un autre point (1-1-6,1-1-5,1-1-4, 1-1-3,1-1-2) valent le nombre de points de ce dernier dé.
3. Les six brelans valent chacun trois jetons.
4. Les séquences 6-5-4, 5-4-3, 4-3-2, 3-2-1 sont d'une valeur de deux jetons.

Enfin, si aucun joueur n'a obtenu l'une de ces quatre combinaisons, le total le plus élevé des quarante possibilités restantes, qui vont de 6-6-5 à 2-2-1 (et se lisent six cent soixante-cinq, deux cent vingt et un, etc.), vaut un jeton.

Chaque joueur reçoit un nombre convenu de jetons ; le pot en contient 11. Un tirage avec un seul dé détermine l'ordre de jeu.

Le joueur qui commence lance les trois dés. S'il est satisfait du résultat obtenu, il les passe à son voisin et les autres joueurs ne pourront lancer les dés qu'une fois. Sinon, il reprend un, deux ou trois dés et les relance une deuxième ou une troisième fois. Il pourra reprendre à la troisième fois, s'il le désire, le ou les dés qu'il avait d'abord écartés. Les joueurs suivants ne pour-

421

paire d'as

brelan

Les dés

séquence

ront pas lancer les dés plus de fois que le premier, mais, s'ils le préfèrent, ils joueront un nombre de coups inférieur, à condition de frapper la table avec un dé au moment de jouer leur dernier coup.

Une partie se déroule en deux phases : la charge et la décharge. Au cours de la première phase, le perdant de chaque tour prend les jetons de pénalité dans le pot. Lorsque celui-ci est vide, la partie entre dans sa seconde phase : le gagnant de chaque tour remet les jetons au perdant. Le joueur qui, le premier, s'est débarrassé de tous ses jetons a gagné la partie.

LE QUINQUENOVE

Le jeu se joue à trois ou plus avec deux dés ordinaires. Les joueurs lancent un dé pour déterminer qui va commencer. Celui sur lequel le sort tombe prend les dés et joue seul contre tous : il est le banquier. Ses adversaires sont les pontes. Chacun devient banquier à son tour en suivant le sens inverse des aiguilles d'une montre.

Chaque ponte met en jeu une somme convenue et le banquier verse une mise égale à celle de tous les pontes réunis. Le banquier lance les dés. S'il amène un doublet (deux chiffres semblables) ou un total de points de 3 ou de 11, qu'on nomme hasards, il ramasse toutes les mises.

S'il totalise 5 ou 9 points, appelés contraires, il perd son enjeu, que les pontes se partagent. Mais s'il fait un total de 4, 6, 7, 8 ou 10 points, personne ne gagne. Le banquier doit alors à nouveau lancer les dés jusqu'à ce qu'il obtienne un hasard ou un contraire. Il passe ensuite les dés à son voisin de gauche.

LES SÉQUENCES

Le jeu se joue à deux ou plus avec six dés ordinaires. Chaque joueur lance les six dés une fois et les passe à son voisin de gauche. Le jeu consiste à obtenir le premier 100 points d'après les conventions suivantes :

1-2	donnent	5	points
1-2-3	—	10	—
1-2-3-4	—	15	—
1-2-3-4-5	—	20	—
1-2-3-4-5-6	—	25	—

Mais le score de trois as dans un même jet annule tous les points obtenus par un joueur et oblige celui-ci à repartir de zéro.

LE VINGT-ET-UN

Les joueurs essaient, tour à tour, d'obtenir un total de 21 points ou de s'en approcher, en roulant un dé à plusieurs reprises. Après chaque lancer du dé, le joueur ajoute le résultat aux points qu'il a déjà marqués, jusqu'à ce qu'il décide d'arrêter. Il lui est interdit de se reprendre par la suite. Ainsi un joueur qui arrête après avoir obtenu 19 points doit s'en tenir à ce total, quels que soient les résultats des autres joueurs. Tout joueur qui dépasse 21 doit aussitôt verser un jeton dans le pot.

Le joueur qui marque 21, ou, à défaut, celui qui s'en approche le plus, s'empare du pot et touche en outre un jeton de chaque autre joueur. Les joueurs qui ont dépassé 21 se trouvent donc à perdre deux jetons. En cas d'égalité, les adversaires relancent une fois le dé pour se départager.

. . . .

Les dominos

 2 à 7 joueurs

1 jeu de 28 dominos
allant de zéro (blanc) à six

Les dominos

LE BUT

Il existe de nombreuses variantes du jeu, mais l'objectif reste toujours le même : il s'agit de se défaire de tous ses dominos avant les adversaires.

L'ORDRE DES DOMINOS

Il est déterminé par les points inscrits sur les dominos. Chaque domino est composé de deux cases. Il y a sept doublets : le double blanc (0-0), le double un (1-1), le double deux (2-2), etc. jusqu'au double six (6-6). Le jeu comporte de plus 21 pièces dont les deux cases ont des valeurs différentes, par exemple six-cinq, quatre-un, trois-blanc etc. Chaque pièce peut donc se combiner à deux dominos différents, à l'exception des doublets, dont les deux cases sont semblables.

LA PRÉPARATION

On étale les dominos sur la table, face cachée, et on les mélange soigneusement. Chaque joueur tire un domino et le retourne. Celui qui obtient le plus haut résultat (en additionnant les points des deux cases) jouera en premier. Chaque joueur pioche ensuite le nombre de dominos convenu (selon la variante du jeu ou le nombre des joueurs) et les place devant lui, sur le flanc, de façon à ce que les autres ne puissent en voir la valeur. Les pièces qui restent sont mises de côté, face cachée, pour constituer le talon.

LE JEU CLASSIQUE

Les joueurs, au nombre de deux, tirent chacun sept dominos. Les autres pièces, qui ne serviront pas, sont mises de côté. Le premier joueur place un de ses dominos au milieu de la table, à découvert. Son adversaire doit alors former une combinaison, c'est-à-dire jouer un domino ayant une case de même valeur qu'une de celles du domino qui se trouve sur la table. Par exemple, si le premier joueur a déposé le double cinq, le deuxième peut jouer toute pièce comprenant un cinq. S'il détient, par exemple, le cinq-un, il le pose de façon à ce que la case contenant le cinq touche un des côtés du double-cinq. (En général, on forme une chaîne avec les dominos, et l'on pose les doublets en travers.) Le premier joueur doit alors continuer la chaîne en plaçant à l'endroit approprié un domino contenant un cinq ou un un. Lorsqu'un

joueur place un doublet (comme le double cinq dont il est question dans notre exemple), l'autre joueur peut placer une pièce de chaque côté du doublet, s'il détient deux dominos ayant une case semblable à celles du doublet (dans l'exemple donné, deux pièces comportant un cinq).

Le jeu se poursuit ainsi, les dominos formant peu à peu une chaîne où chaque pièce se greffe sur une autre par des cases de même valeur. Lorsqu'un joueur ne peut pas placer de pièce, son adversaire joue jusqu'à ce que le joueur paralysé puisse de nouveau placer un de ses dominos.

La partie se termine dès qu'un joueur n'a plus de dominos. Il marque alors le nombre de points correspondant à la valeur totale des pièces encore en possession de son adversaire. Si la partie se termine parce qu'aucun des joueurs ne peut plus placer de pièces, chacun des joueurs compte les points qu'il lui reste en main et le gagnant, c'est-à-dire celui qui en a le moins, marque la différence entre son total et celui de l'adversaire. En règle générale, l'objectif de la partie est fixé à 50 points : le premier qui l'atteint est le gagnant. Après chaque tour, chacun des joueurs pioche sept nouveaux dominos dans le talon, le perdant jouant en premier au tour suivant.

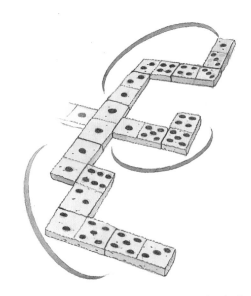

Les dominos :
Le cinq partout

VARIANTES

On peut aussi convenir que, lorsqu'un joueur ne peut pas placer de pièce, il pioche dans le talon jusqu'à ce qu'il y trouve un domino qu'il puisse placer. En ce cas cependant, les joueurs arrêtent de piocher quand il ne reste que deux dominos au talon.

Le cinq partout

Le cinq partout se joue généralement à deux ou à trois, mais peut réunir jusqu'à cinq joueurs. Les règles fondamentales sont les mêmes que celles du jeu classique, à part quelques exceptions qui ont cependant leur importance. Par exemple, un joueur n'est pas obligé de jouer, même s'il le peut. À la place, il passe son tour et pioche un domino dans le talon, dans l'espoir d'améliorer sa main. C'est au joueur qui détient le plus fort doublet de jouer en premier. Il dépose alors sa pièce sur la table. Si aucun des joueurs n'a de doublet, ils piochent tour à tour dans le talon jusqu'à ce que l'un d'eux en trouve un. Si les joueurs ne sont que deux, ils reçoivent au départ chacun sept dominos ; s'ils sont plus nombreux, ils en reçoivent cinq.

Au cinq partout, les joueurs marquent des points au cours du jeu. En outre, on peut greffer des dominos sur les côtés du premier doublet aussi bien qu'aux extrémités, de sorte que le jeu commence par une formation en croix au lieu d'une simple chaîne. Par la suite, cependant, on ne pourra greffer des pièces qu'aux côtés des autres doublets. Lorsqu'un joueur place un domino de façon à ce que la somme des nombres extérieurs des quatre branches de la croix soit un multiple de cinq (par exemple, si elle est 15, 20 ou 25), il marque aussitôt ce nombre de points. Les combinaisons se font comme au jeu classique : un deux ne peut se combiner qu'à un autre deux, un cinq qu'à un cinq, etc.

Le joueur qui se débarrasse le premier de tous ses dominos marque les points dont son adversaire n'a pu se défaire, en arrondissant cependant le total au multiple de cinq qui est le plus proche. Par exemple, si son adversaire a en main 13, 14, 16 ou 17 points, il marque 15. Si aucun des joueurs ne peut placer de pièce, celui qui a le moins de points en main touche la différence entre son total et celui de son adversaire, en l'arrondissant encore. Chaque joueur ajoute ainsi les points gagnés au cours du jeu à ceux qu'il marque pour avoir terminé le premier. En général, l'objectif de la partie est fixé à 100 points : le premier qui l'atteint est le gagnant.

Le matador

Au matador, le but du jeu n'est pas de combiner des pièces de valeur égale, mais de les juxtaposer de façon à obtenir un total de sept. Ainsi, pour utiliser un double six de la table, il faut avoir un domino dont une des cases porte un un. Pour tirer parti d'un cinq, il faut un domino comportant un deux, et ainsi de suite. Le double blanc (zéro-zéro) est libre, c'est-à-dire qu'on peut le greffer sur n'importe quelle pièce. Il en est de même des dominos dont le total des deux cases donne sept : le quatre-trois, le cinq-deux et le six-un. Il y a donc en tout quatre dominos libres (ou passe-partout) que l'on appelle les matadors. Seuls les matadors peuvent se greffer sur une case blanche (un zéro).

Les dominos étant étalés sur la table, face cachée, les joueurs piochent leurs pièces comme dans le jeu classique. S'il n'y a que deux joueurs, chacun a droit à sept dominos. S'ils sont plus nombreux, ils en prennent cinq. Le joueur qui détient le doublet le plus fort joue le premier en le déposant à découvert au milieu

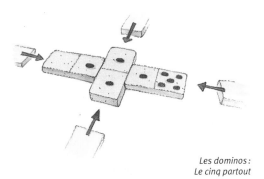

Les dominos :
Le cinq partout

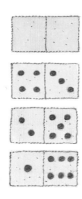

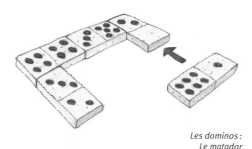

Les dominos :
Le matador

Le Sébastopol

Le Sébastopol se joue à quatre, chaque joueur détenant au départ sept dominos qu'il pioche dans le talon. Le joueur qui a le double six joue le premier. C'est ensuite le tour de son voisin de gauche, et ainsi de suite. Une fois le double six placé, les quatre pièces suivantes doivent comporter un six. Tout joueur qui n'a pas de six doit donc passer son tour. Les six sont greffés sur le double six, à la suite ou à angle droit d'un côté, de façon à former une croix composée de cinq dominos.

La partie se déroule selon les règles du jeu classique, sauf que les dominos viennent se greffer sur les quatre branches de la croix centrale (formée de cinq dominos). Le premier joueur qui se débarrasse de tous ses dominos est déclaré gagnant ; il touche tous les points que les autres ont en main. Si aucun joueur ne peut placer de pièce, celui qui a le moins de points en main marque la différence entre ses points et ceux de chacun des joueurs.

de la table. Les doublets sont juxtaposés en chaîne aux autres pièces, à l'exception des quatre matadors, que l'on place perpendiculairement à la chaîne. Si, au commencement du jeu, aucun joueur ne détient de doublet, le joueur qui a le domino le plus fort (le six-cinq par exemple) amorce le jeu en plaçant sa pièce à la verticale.

Lorsqu'un joueur ne peut pas placer de domino qui donnerait avec la chaîne un total de sept, il pioche dans le talon jusqu'à ce qu'il trouve le domino qu'il lui faut, sauf lorsqu'il n'en reste que deux au talon, ces derniers ne devant pas être piochés. Le premier joueur qui se débarrasse de tous ses dominos marque un nombre de points égal à la valeur totale de tous les dominos détenus par ses adversaires.

Si aucun joueur ne peut placer de pièce, le talon étant épuisé (sauf pour les deux derniers dominos), le joueur qui a le moins de points marque la différence entre ses points et ceux de chacun des autres joueurs.

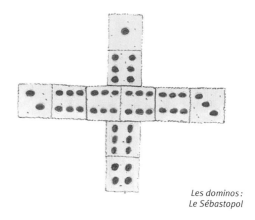

Les dominos :
Le Sébastopol

• • • • • • • • • • • •

Les échecs

▮▮▮ **2 joueurs**

▮ **1 échiquier et 1 jeu d'échecs composé de 32 pièces, 16 foncées (généralement noires) et 16 claires (généralement blanches)**

LE BUT

Il s'agit de mettre mat le roi de l'adversaire, c'est-à-dire de l'attaquer de façon à ce qu'il ne

Les échecs

puisse pas échapper à l'attaque et qu'aucune autre pièce ne puisse venir lui porter secours.

LA PRÉPARATION

Les deux joueurs se font face, de part et d'autre de l'échiquier. L'échiquier est placé de façon à ce que chaque joueur ait comme dernière case à sa droite une case blanche (ou de couleur claire). Un des joueurs cache deux pièces de couleurs différentes dans ses poings, qu'il tend à son adversaire. Celui-ci choisit un des deux poings : la couleur de la pièce renfermée détermine la couleur de ses pièces pour la partie. Les blancs jouent les premiers. Le joueur qui détient les blancs place ses pièces sur la rangée du bas de l'échiquier, en commençant par la gauche, dans l'ordre suivant : une tour, un cavalier, un fou, la dame, le roi, l'autre fou, l'autre cavalier et l'autre tour. Le joueur qui détient les noirs place ses pièces dans le même ordre, mais en partant de sa droite, de sorte que les pièces équivalentes des deux joueurs se trouvent en face les unes des autres, chacune des deux dames étant placée sur sa couleur (la dame blanche sur une case blanche, la noire sur une case noire). Chaque joueur aligne ensuite ses huit pions sur la deuxième rangée.

LA MARCHE DES PIÈCES

Aux échecs, chaque pièce a une façon particulière de se déplacer. Il ne peut jamais y avoir

deux pièces sur la même case. Ainsi, chaque pièce peut se trouver à bloquer la marche des autres pièces de son propre camp, à l'exception du cavalier, qui peut sauter par-dessus les autres pièces (amies ou ennemies). En revanche, lorsqu'un joueur pose une de ses pièces sur une case occupée par une pièce ennemie, il prend cette dernière, qui doit être retirée du jeu.

✔ Le pion
Pour son premier déplacement, le pion peut avancer d'une ou de deux cases droit devant lui, à condition que ces cases ne soient pas déjà occupées par quelque autre pièce. Par la suite, le pion ne pourra plus se déplacer que d'une case à la fois, à la verticale, sauf pour prendre : il se déplace alors d'une case en diagonale.

Le pion ne peut en effet prendre une pièce ennemie placée en face de lui. En revanche, il peut prendre n'importe quelle pièce de l'adversaire placée en diagonale sur une case située immédiatement devant la sienne, à droite ou à gauche. En ce cas, la pièce ennemie est retirée et le pion occupe sa case. Le pion ne peut pas reculer et il ne peut avancer en diagonale que pour prendre une pièce de l'adversaire.

Tout pion qui se rend à la dernière rangée de l'échiquier, dans le territoire ennemi, peut aussitôt être échangé pour n'importe quelle pièce de sa couleur. Le plus souvent, on l'échange contre la dame que l'on a perdue, mais si le joueur à qui appartient le pion a encore sa dame, il peut transformer le pion en une seconde dame. Si un pion qui n'a pas encore bougé avance de deux cases et se trouve alors à côté d'un pion ennemi, celui-ci peut le prendre en passant. Le premier pion est alors retiré, et le pion ennemi va se placer sur la case que le pion pris aurait occupée s'il n'avait avancé que d'un pas. La prise, cependant, ne se fait qu'au coup qui suit immédiatement l'avance du premier pion. De plus, cette prise, comme toutes les autres prises, est facultative.

✔ Le cavalier
Le cavalier est la seule pièce qui puisse sauter par-dessus n'importe quelle autre pièce (amie

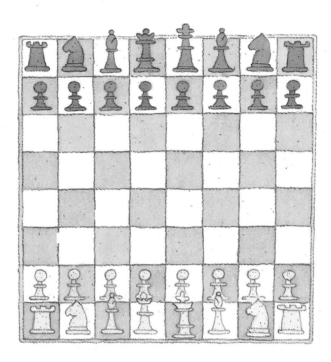

Les échecs

ou ennemie) rencontrée sur son chemin. La marche du cavalier suit un parcours en forme de L : la pièce se déplace d'abord de deux cases en ligne droite, à la verticale ou à l'horizontale, puis d'une case latéralement (à gauche ou à droite). Si l'on préfère, on peut dire aussi qu'il avance d'une case à la verticale ou à l'horizontale puis de deux cases d'un côté ou de l'autre du point atteint.

En arrivant sur la dernière case de son parcours, le cavalier capture toute pièce ennemie qui s'y trouve, et on retire cette pièce du jeu. On remarquera par ailleurs que le cavalier ne capture pas les pièces ennemies par-dessus lesquelles il saute au cours de son déplacement.

✔ Le fou

Le fou se déplace en diagonale, dans n'importe quelle direction, sur les cases de même couleur que celle où il se trouvait au début de la partie. Ainsi, chaque joueur a un fou qui évolue sur les cases blanches, et un autre sur les cases noires.

Le fou peut avancer ou reculer de n'importe quel nombre de cases. S'il y a une pièce ennemie sur sa route, il peut la prendre mais il doit alors occuper la case où elle se trouvait.

✔ La tour

La tour se déplace à l'horizontale (sur les traverses) ou à la verticale (sur les colonnes) de n'importe quel nombre de cases, en avant ou en arrière, mais jamais en diagonale. Elle peut prendre toute pièce ennemie qui se trouve sur son chemin, et occupe alors la case de la pièce capturée.

✔ La dame

La dame, qui peut contrôler le plus grand nombre de cases, est la pièce la plus forte et la plus mobile du jeu. Elle peut se déplacer dans n'importe quelle direction, à la verticale, à l'horizontale ou en diagonale (mais dans une seule direction à la fois), de n'importe quel nombre de cases. Elle prend les pièces ennemies en occupant leur case.

✔ Le roi

Comme le simple pion, le roi ne se déplace que d'une case à la fois, mais il peut le faire dans toutes les directions : à la verticale, à l'horizontale et en diagonale. Il peut avancer, reculer et se déplacer sur les côtés. Un joueur, cependant, ne peut pas mettre son roi en échec c'est-à-dire le placer sur une case où il serait attaqué par l'adversaire. Le roi, par ailleurs, peut prendre n'importe quelle pièce ennemie, dont il occupe alors la case.

SITUATIONS PARTICULIÈRES

En plus de la marche respective des pièces, qu'il est nécessaire de bien maîtriser avant de commencer à jouer, il existe certaines situations particulières qui peuvent avoir une importance décisive sur la partie et que tout joueur doit connaître.

✔ Le roque

Un joueur peut roquer pour assurer à son roi une meilleure protection contre une attaque de l'adversaire. Le roque est un double déplacement

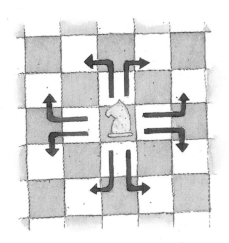

*Les échecs :
le cavalier*

*Les échecs :
échec et mat*

qui met en cause le roi et une des deux tours. C'est d'ailleurs le seul cas où un joueur peut déplacer deux pièces à la fois. Il faut pour cela :

1. Que la voie soit entièrement libre entre le roi et la tour, c'est-à-dire qu'aucune pièce ne se trouve entre les deux.
2. Que le roi et la tour n'aient pas encore été déplacés.
3. Que le roi ne soit pas en échec.
4. que la case sautée par le roi, en roquant, ne soit pas menacée.

Si toutes ces conditions sont remplies, le joueur peut alors placer la tour à côté du roi et faire sauter le roi par-dessus la tour pour le poser dans la case voisine de celle-ci. Lorsque le roque se fait avec la tour située du côté du roi, on l'appelle le petit roque ; lorsqu'il se fait avec la tour située du côté de la dame, on l'appelle le grand roque.

✔ Échec et mat

On dit que le roi est en échec lorsqu'il est attaqué par une pièce ennemie, c'est-à-dire lorsque la pièce en question menace de le prendre au coup suivant. Le joueur qui met le roi adverse en échec doit l'annoncer en disant : « Échec au roi ! », ce qu'on ne fait pas dans le cas des autres pièces. Par ailleurs, le joueur dont le roi est en échec doit immédiatement sortir son roi de cette situation. Trois solutions s'offrent à lui :

1. Déplacer son roi pour qu'il ne soit plus en échec.
2. Capturer la pièce ennemie qui menace son roi.
3. Interposer une de ses pièces entre son roi et la pièce ennemie (à condition, bien entendu, que cette dernière ne soit pas un cavalier).

Si le joueur est dans l'impossibilité d'exécuter une de ces trois manœuvres, le roi est alors échec et mat. La partie se termine aussitôt au bénéfice de l'adversaire, étant donné que, par convention, on ne capture pas le roi.

✔ **Partie nulle**
Il peut arriver dans diverses circonstances que le jeu se termine par une partie nulle. C'est ce qui se produit, par exemple, lorsque le roi d'un des joueurs est pat. Un roi est pat quand, resté seul de son camp sur l'échiquier ou accompagné de pièces ne pouvant pas jouer, il n'est pas en échec mais ne peut bouger sans s'y mettre. Les deux adversaires peuvent aussi décider, d'un commun accord, que la partie est nulle, aucun des deux n'étant en mesure de gagner. C'est ce qui arrive, par exemple, si les joueurs n'ont plus que leur roi, ou s'il ne reste qu'un roi

contre un fou et l'autre roi. Le combat ne peut continuer faute de combattants.

✔ Par ailleurs, selon « la règle des 50 coups », si un des joueurs effectue deux mêmes mouvements 50 fois de suite, son adversaire peut exiger que la partie soit déclarée nulle. Enfin, si les pièces des deux adversaires se retrouvent trois fois de suite dans la même position, la partie peut être aussitôt déclarée nulle par l'un ou l'autre des joueurs.

LA NOTATION

Il existe, dans les revues et les ouvrages portant sur les échecs, deux principales méthodes de notation qui permettent d'indiquer la marche des pièces et le déroulement d'une partie. La méthode la plus courante est celle de la notation algébrique. L'autre, dite descriptive, est surtout en usage dans les pays de langue anglaise ou espagnole.

✔ **La notation algébrique**
L'échiquier étant vu de la place qu'occupe le joueur détenant les blancs, on donne aux colonnes, de gauche à droite, les lettres a, b, c, d, e, f, g, h. Les traverses sont désignées, de bas en haut, par les chiffres 1, 2, 3, 4, 5, 6, 7 et 8. Chaque case se trouve donc désignée par une lettre et un chiffre. Ainsi, la case occupée au départ par la dame blanche serait la case d1 ; celle du roi noir serait e8, etc. À noter que, pour les lettres, on utilise les minuscules. Les pièces, en revanche, sont désignées par leurs initiales en majuscules : R pour le roi, D pour la dame, F pour le fou, C pour le cavalier, T pour la tour et P pour le pion. Pour indiquer le déplacement d'une pièce, on note son initiale et la case d'où elle part, un tiret, et la case où elle arrive. S'il s'agit d'un pion, on peut écrire P ou simplement les notations des deux cases. S'il y a une prise, on remplace le tiret par un X. Par exemple, si la dame blanche avance de deux cases à la verticale, on écrira : Dd1-d3 ; si la tour noire, du

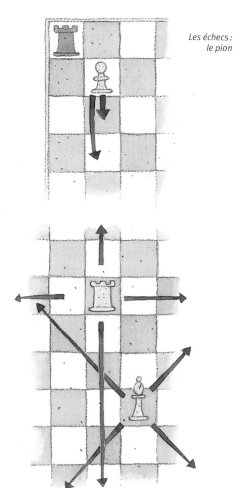

*Les échecs :
le pion*

*Les échecs :
la tour ; le fou*

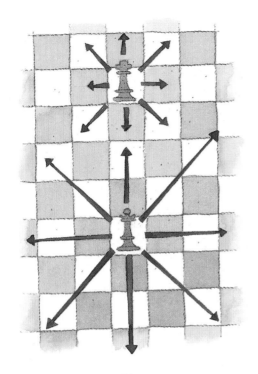

*Les échecs :
le roi ; la reine*

côté du roi, avance de cinq cases et prend un fou blanc qui se trouvait sur son chemin, on écrira : Th8 x Fh3. Pour chaque coup, on indique d'abord le mouvement des blancs, puis celui des noirs. Enfin, pour compléter la description, on se sert aussi des signes suivants :

Petit roque	o–o
Grand roque	o–o–o
Échec	+
Échec double	+ +
Mat	≠
Prise de pion en passant	e.p.

✔ La notation descriptive
Le petit roque est aussi indiqué par le signe o-o ; le grand roque par o-o-o. Les prises sont indiquées par un X et les pièces par leur initiale en majuscule. Dans le cas des fous, des cavaliers et des tours, on fait suivre l'initiale de la pièce de celle du roi ou de la dame selon que la pièce est d'un côté ou de l'autre ; ainsi le fou situé du côté du roi sera désigné par FR, le cavalier placé du côté de la dame par CD, etc. De même, les pions sont identifiés par la pièce qui au départ se trouvait derrière eux : le pion

précédant le roi est PR, etc. Quant aux cases, elles sont désignées, pour chaque joueur, par l'initiale de la pièce qui était au début au bas de chaque colonne et par un numéro, de 1 à 8 inclusivement, qui correspond à la traverse, en partant du bas de la colonne. Ainsi le numéro 8 d'un joueur est le numéro 1 de l'autre, et ainsi de suite. Pour chaque joueur, à chaque coup, la première partie de la notation indique la pièce jouée, la seconde, qui suit le tiret, indique la case où la pièce se pose.

. . . .

Les dames chinoises

🏃 2 à 6 joueurs

✂ Planche de halma, 90 billes
de six couleurs (15 de chaque couleur)

LE BUT
Chaque joueur essaie d'amener toutes ses billes aux places occupées par celles de l'adversaire. Le premier qui réussit gagne la partie.

LA PRÉPARATION
Chaque joueur choisit une couleur. S'il n'y a que deux joueurs, ils se placent l'un en face de l'autre. Chaque joueur dispose ses billes dans la branche de l'étoile qui se trouve devant lui. S'il y a plus de trois joueurs, chacun utilise 10 billes au lieu de 15 et les place dans la branche de son choix.

LE JEU
On tire au hasard pour savoir qui jouera le premier ; ensuite, les adversaires jouent tour à tour, dans le sens des aiguilles d'une montre s'ils sont plus de deux. On ne joue qu'une bille à chaque tour, d'un trou à un trou voisin, sauf lorsque l'on saute.

Une bille peut sauter par-dessus une bille voisine (de la même couleur ou d'une autre couleur) lorsque le trou situé derrière cette dernière est vide. Par ailleurs, une bille peut exécuter une série de sauts, en changeant au besoin de direction. Mais les billes ne doivent pas reculer, sauf dans le cas de sauts à la chaîne et à condition que leur point d'arrivée soit plus avancé que leur point de départ.

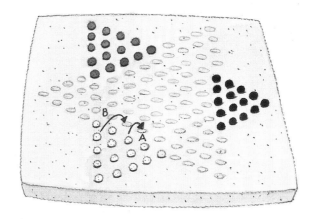

Les dames chinoises

• • • • • • • • • • • • •

Le parchési

2 à 4 joueurs

Planche de parchési, 16 pions de quatre couleurs (4 de chaque couleur), 2 dés, cornets

LE BUT

Chaque joueur essaie d'amener ses quatre pions au centre de la planche avant que ses adversaires ne puissent en faire autant.

LA PRÉPARATION

Chaque joueur se place devant l'un des cercles dessinés sur la planche et y pose les quatre pions de sa couleur. Chacun lance un dé : celui qui obtient le plus de points joue le premier. En cas d'égalité, les joueurs en litige relancent le dé.

LE JEU

Les adversaires jouent tour à tour, dans le sens des aiguilles d'une montre. Chaque joueur lance deux dés. Pour pouvoir sortir un de ses pions du cercle, un joueur doit obtenir un 5 (qui ne peut pas être la somme de deux dés). Il place alors son pion sur la case bleue adjacente à son cercle. S'il obtient deux 5, le joueur peut sortir deux pions de son cercle, ou en sortir un et le faire avancer de cinq cases, ou encore en sortir un et en faire progresser un autre (déjà sorti) de cinq cases.

Lorsqu'un joueur, en lançant les dés, obtient un doublet (par exemple, un double six), il avance ses pions du nombre de cases correspondant (12 en ce cas), puis il relance les dés. Selon certaines conventions, un joueur qui obtient trois doublets de suite doit renvoyer dans son cercle son pion le plus avancé et passer les dés à son voisin de gauche.

Comme dans le backgammon et le jacquet, les dés peuvent être utilisés séparément. Ainsi, un joueur qui obtient un 6 et un 4 peut faire avancer un pion de six cases et un autre de quatre.

Il ne doit jamais y avoir plus de deux pions sur une même case. Si deux pions de la même couleur occupent la même case, ils bloquent la voie à tout autre pion.

Étant donné qu'un joueur peut déplacer deux pions au même tour, s'il obtient un doublet, il peut faire avancer ensemble deux pions qui continueront à barrer la route aux suivants. Lorsque la voie est ainsi bloquée, un joueur qui obtient aux dés des numéros qui amèneraient ses pions au-delà des cases bloquées ne peut déplacer aucune de ses pièces. Un joueur ne peut donc sauter aucun barrage, que celui-ci soit constitué par ses propres pions ou par ceux d'un adversaire, mais il peut s'en approcher. Il lui faudra attendre, pour aller au-delà du barrage, qu'au moins une des pièces qui le formaient soit déplacée.

Lorsqu'un pion se pose dans une case occupée par un seul pion ennemi, il déloge ce dernier, qui doit retourner à son cercle de départ.

Le pion ainsi délogé ne pourra ressortir du cercle que si le joueur qui le détient jette un 5, tout comme au début de la partie. Cette règle, cependant, ne s'applique pas aux cases bleues, qui constituent des refuges : les pions placés sur ces cases sont protégés et peuvent y rester même si un pion ennemi vient partager la case avec eux.

Après avoir fait le tour de la planche, les pions doivent arriver au centre en passant par la colonne centrale située à gauche de leur cercle de départ. Une fois dans cette colonne, ils sont à l'abri de toute attaque. Leur marche se fait de la même façon que pour les autres cases, mais, pour faire entrer un pion dans le carré central, un joueur doit obtenir avec ses dés le nombre correspondant exactement aux cases à parcourir. Il peut, à cette fin, utiliser un seul dé ou additionner les résultats de ses deux dés. Par exemple, un pion situé à six cases du centre ne peut se rendre au carré central que si le joueur qui le détient fait un 6 ou deux chiffres dont le total donne exactement 6. Si le joueur obtient un 5, il peut faire avancer son pion d'autant de cases mais il lui faudra ensuite un 1 pour faire entrer le pion dans le carré. Le premier joueur qui conduit tous ses pions dans le carré du centre gagne la partie.

• • • • • • • • • •

Le billard

2 joueurs ou plus

1 table, des boules de billard des queues de billard

Il semble que ce soit au Moyen Âge qu'on ait commencé à jouer au billard, mais le jeu ne se répandit vraiment qu'au temps de Louis XIV. Le billard se joue à deux ou davantage. C'est un jeu de précision et de jugement, plutôt que de force et de rapidité. Quelle que soit la variante du jeu, il s'agit toujours finalement de frapper la boule de queue de telle

façon qu'elle aille frapper une boule de jeu pour lui donner la trajectoire voulue. Le billard se répand d'autant plus que l'on peut avoir une table chez soi car le matériel est maintenant de prix fort abordable. Mais on peut aussi y jouer dans l'arrière-salle de certains cafés ou dans des clubs privés, sans parler des salles commerciales, bien conçues et bien éclairées, qui tranchent radicalement sur ce qu'elles étaient autrefois.

L'ÉQUIPEMENT

Le billard américain se joue sur une lourde table recouverte de feutre vert de 1,52 mètre de large sur 3,05 mètres de long, et qui comporte six poches, une aux quatre coins et une au centre de chacun des longs côtés. La table du billard français est de mêmes dimensions mais ne comporte pas de poches. Les deux tables sont entourées de bandes élastiques en caoutchouc. Certaines tables conviennent aux deux types de jeu : des pièces s'insèrent dans la table pour fermer les poches.

Le billard se joue avec des boules colorées ; leur nombre dépend du type de jeu auquel on s'adonne. Elles sont frappées à l'aide d'une queue, sorte de tige profilée mesurant environ 1, 40 mètre de long et comprenant deux parties : le talon et la flèche. L'extrémité de la flèche est recouverte d'une pièce de cuir, appelée procédé, qu'on frotte à la craie avant de jouer : la craie empêche la queue de glisser sur la boule. Il existe de plus courtes queues pour les jeunes.

LA PRISE, LA POSITION ET LE BUT

Pour le coup de base, la main droite enserre le talon de la queue à environ 8 à 10 centimètres de son extrémité la plus épaisse. La main gauche constitue le chevalet, c'est-à-dire le point d'appui du corps sur la table. L'extrémité la plus fine de la queue repose sur le chevalet, qui doit se trouver entre 12 et 18 centimètres de la boule. Pour former ce chevalet, le joueur pose le majeur, l'annulaire et l'auriculaire sur la table en guise de trépied ; la queue passe par-dessus le pouce, à travers un anneau fait avec l'index replié. De la sorte, le joueur contrôle bien la queue sans pour autant l'immobiliser. Le joueur doit faire face à la table, le pied gauche légèrement avancé ; il s'incline au-dessus de la table, sa tête étant exactement dans l'axe de la queue. Il touche le rebord de la table avec son coude gauche et le tapis de sa main gauche. Il regarde la queue comme le chasseur vise le long du canon de son fusil. Les débutants ont tendance à regarder la boule sans se préoccuper de la queue.

Les coups demandent de l'habileté et de la pratique. Selon la façon dont elle est frappée, la boule réagit différemment. Par exemple, frappée haut au-dessus du centre, la boule de queue suivra la boule de jeu après l'avoir heurtée. En revanche, le coup de queue du rétro (au bas) fait revenir la boule de queue vers le joueur une fois qu'elle a frappé la boule de jeu. Frappée légèrement à gauche du centre, la boule de queue obliquera vers la gauche après avoir frappé la boule de jeu ; vers la droite, si elle a été frappée à droite du centre. C'est en contrôlant la trajectoire de la boule de queue qu'on peut imprimer à la boule de jeu la direction voulue. Plus l'angle de frappe de la boule de jeu est aigu, plus elle roulera selon un angle obtus. Le joueur doit pratiquer tous les coups possibles pour apprendre à envoyer les boules de jeu exactement là où il veut.

LE BILLARD AMÉRICAIN

Le billard américain, dans lequel le joueur annonce ses coups, est probablement le plus populaire chez les débutants. C'est celui qui demande le moins d'adresse, mais permet d'en acquérir pour devenir un joueur chevronné.

Le matériel comporte une boule de queue blanche et 15 boules de couleur, chacune numérotée de 1 à 15. La partie se joue généralement à deux, encore qu'elle puisse se faire à trois ou à quatre. Les boules numérotées sont disposées en un triangle dont le sommet repose sur la mouche (marque) imprimée sur le tapis à une

extrémité de la table. La boule de queue est placée n'importe où derrière la corde de tête (ligne de départ), où se trouve également imprimée une autre mouche. Après l'ouverture du jeu, le joueur frappe la boule de queue là où elle se trouve.

Le premier joueur doit frapper la boule de queue avec assez de force pour qu'elle envoie deux boules de jeu sur une bande ou une boule nommée dans une poche. S'il n'y parvient pas, il passe son tour à l'autre joueur et doit une boule à la table ; il part donc avec un déficit d'une boule. Quand c'est de nouveau à son tour de jouer et qu'il réussit à envoyer une bille dans une poche, il la remet sur la mouche où se trouvait le triangle et repart à zéro. S'il réussit le coup suivant, il continue à jouer en annonçant chaque fois ses intentions, c'est-à-dire en déclarant quelle boule il a l'intention de faire entrer dans une poche.

Le coup est réussi si la boule désignée tombe dans une poche sans que la boule de queue l'y suive. Si une boule non désignée tombe dans une poche, elle ne vaut rien et on la remet au jeu, à moins que la boule désignée n'y soit aussi tombée. Un joueur perd son tour mais n'encourt pas de pénalité : s'il frappe non pas la boule qu'il a désignée mais une autre, s'il fait tomber la boule de queue dans la poche avec la boule désignée ou s'il y fait tomber une boule non désignée. Il se voit imposer 1 point d'amende et doit donc une boule à la table : s'il n'arrive pas à frapper la boule désignée ni aucune autre boule avec la boule de queue, s'il envoie la boule de queue dans une poche sans qu'aucune autre boule n'y aille en même temps, ou s'il fait sauter la boule de queue ou une boule de jeu hors de la table.

Chaque boule empochée vaut 1 point ; dans une partie à deux, celui qui marque 8 points le premier gagne. S'il y a plus de deux joueurs, la partie se termine quand le troisième, au

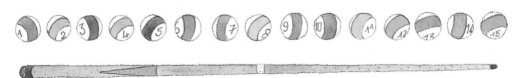

Le billard

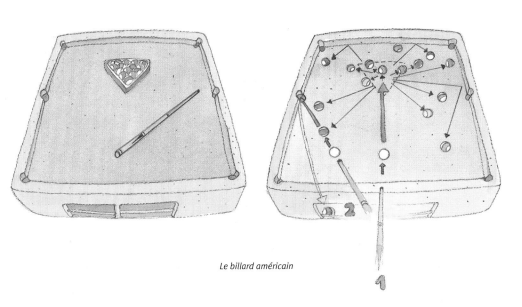

Le billard américain

nombre de points, ne peut égaler le deuxième, faute de boules sur la table. Celui qui détient le plus de points gagne.

VARIANTES

Dans une variante plus compliquée, les joueurs sont obligés de désigner non seulement la boule, mais aussi la poche dans laquelle ils veulent l'envoyer. Les règles sont par ailleurs les mêmes qu'au billard américain. La marque se fait de la même façon à moins qu'on ne fixe un nombre de points à atteindre de 21, 50, 75 ou même 100 ; dans ce cas, les boules sont remises en triangle sur la table, quand il n'en reste plus qu'une, sauf celle-là qui demeure là où elle était.

La rotation est une variante encore plus complexe qui oblige le joueur à toujours empocher en premier la boule portant le chiffre le plus bas. Les boules sont disposées en triangle, la boule n° 1 occupant le sommet du triangle et les boules nos 2 et 3, les deux autres angles. Au moment de la mise au jeu, toutes les boules empochées comptent, après quoi il faut suivre l'ordre numérique. Cependant, si le joueur empoche une autre boule en plus de celle qu'il doit y envoyer, les deux comptent. Pour le pointage, la valeur des boules détermine les points. Ainsi le joueur qui empoche les boules 4, 7 et 9 compte 20 points. Le total des points pour gagner est généralement fixé à 61. Le joueur demeure au jeu tant qu'il ne commet pas d'erreur.

LE BILLARD FRANÇAIS

Dans le billard français, la table ne comporte pas de poches ; aussi le but du jeu n'est-il pas de faire sortir des boules, mais bien plutôt de frapper la boule de queue de telle sorte qu'elle adopte la trajectoire voulue et aille heurter les deux autres boules. Le jeu se joue avec trois boules, une rouge et deux blanches dont l'une est marquée d'un point noir. Elles sont ainsi placées : la boule rouge sur la mouche de départ, la boule de visée (la boule blanche marquée) sur la mouche à l'autre extrémité, et la boule de queue (l'autre boule blanche) près d'une des longues bandes, sur la même ligne que la boule de visée et à 15 centimètres d'elle au plus.

Le but du jeu est de frapper la boule de queue de telle façon qu'elle aille heurter les deux autres l'une après l'autre. Au début du jeu, la boule de queue doit commencer par heurter la boule rouge, puis la boule de visée. Par la suite, la boule de queue peut frapper les deux autres dans n'importe quel ordre. On fait beaucoup appel à la bande. Pour le coup d'envoi, par exemple, la boule rouge est directement frappée, alors que la boule de visée ne

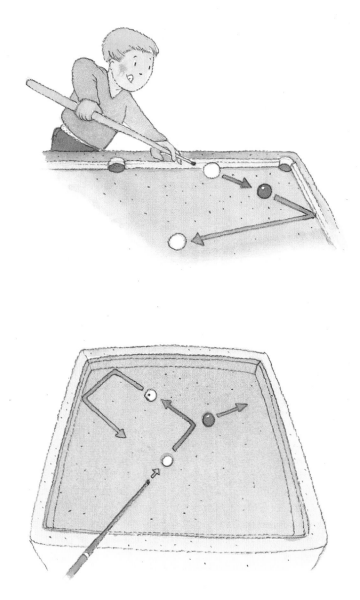

Le billard français

peut l'être qu'après que la boule de queue a rebondi sur la bande. Toutefois, en imprimant des effets à la boule de queue on peut obtenir d'elle qu'elle aille successivement frapper les deux boule sans toucher la bande.

Chaque coup réussi vaut 1 point. Si un joueur rate, son adversaire marque 1 point. Un joueur demeure en jeu tant qu'il réussit ses coups. Lorsque la boule de queue saute hors de la table, le joueur perd 1 point et termine son tour ; la boule est reposée où elle était, ou au centre si l'emplacement est occupé. Si c'est la boule de visée qui passe par-dessus bord, on la replace sur la mouche de tête ; si c'est la boule rouge, sur l'autre mouche. C'est au nombre des points, fixé à 25, 50 ou 75 qu'on détermine le gagnant. On peut compliquer le jeu en exigeant que la boule de queue frappe une fois la bande au cours d'un coup, ou frappe toujours la bande une fois avant de frapper une boule, etc.

Le ping-pong (ou tennis de table)

▩ **2 ou 4 joueurs**

⋔ **À partir de 10 ans**

✄ **1 table, des raquettes, des balles**

L e ping-pong, aussi appelé tennis de table, se joue à deux ou à quatre par équipes. On utilise une table spéciale, des raquettes et une petite balle de Celluloïd (ou d'une autre matière plastique analogue). Bien que d'origine assez récente, ce jeu s'est répandu à travers le monde. Il est particulièrement populaire en Angleterre, en Hongrie et en Tchécoslovaquie. Les joueurs chinois et japonais viennent au premier rang dans les tournois internationaux. C'est un sport idéal pour toute la famille : il n'exige qu'un espace restreint, à l'intérieur ou en plein air, et on peut y jouer à tout âge.

L'ÉQUIPEMENT

La table réglementaire est généralement en contreplaqué. Elle mesure 2,74 mètres de long sur 1,52 mètre de large et 76 centimètres de haut. Sa surface verte est bordée d'une ligne blanche de 2 centimètres de large. Pour les doubles, elle est parfois divisée en deux par une autre ligne blanche dans le sens de la longueur. On trouve aussi des tables en métal, pliables ou démontables.

Les raquettes, de forme ovale, sont en bois. Elles ont environ 13 centimètres de large et 16 centimètres de long. En fait, leur forme, leur poids et leur taille importent peu, mais il faut qu'elles soient de couleur foncée et mate. Le côté qui sert à frapper la balle est recouvert de caoutchouc à picots, de liège ou de papier sablé. La balle, de couleur mate (blanche ou jaune), est extrêmement légère (2,5 grammes) et mesure environ 38 millimètres de diamètre.

Le filet, qui divise la table en deux dans le sens de la largeur, est vert foncé et bordé d'un ruban blanc. Son bord inférieur est tendu au ras de la surface de jeu tandis que son bord supérieur en est à 15,25 centimètres. Le filet mesure 1,83 mètre de long, supports compris.

LE JEU

On tire à pile ou face et le gagnant a le choix de servir ou de recevoir. En simple, le serveur

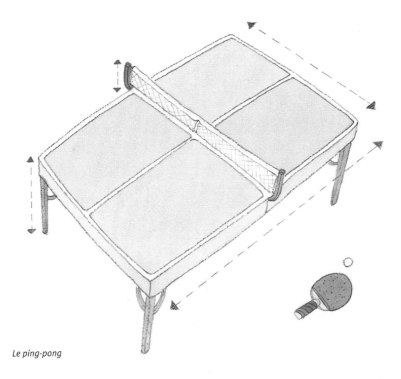

Le ping-pong

se place derrière le bout de la table et frappe la balle avec sa raquette, de façon à ce qu'elle rebondisse une fois sur son côté de la table et une autre fois chez l'adversaire après avoir franchi le filet.

Le serveur perd le point s'il manque la balle en essayant de la frapper, si la balle ne fait pas les deux bonds prévus, si en servant il tient sa raquette au-dessus de la table ou à l'extérieur des lignes blanches latérales, ou si la balle touche le filet et ne retombe pas sur la table, de l'autre côté. Mais, si la balle de service touche le filet et le franchit, le service doit être repris.

Si le service est bon, le receveur doit renvoyer la balle en la frappant après un seul rebond, de façon à ce qu'elle franchisse de nouveau le filet et retombe chez l'adversaire. Les échanges se poursuivent ainsi jusqu'à ce qu'un des joueurs perde le point d'une des façons suivantes : en ne renvoyant pas comme il le faut une balle correctement servie ou renvoyée ; en touchant le filet ou la table avec sa raquette ou sa main pendant que la balle est au jeu ; en frappant la balle ou en se laissant toucher par elle avant qu'elle ne rebondisse sur la table. Une balle qui, en dehors du service, touche le filet et le franchit, est considérée comme valable. Après chaque point, le serveur remet la balle au jeu par un nouveau service. En simple, chaque joueur sert 5 points, après quoi le service passe à l'adversaire. Le jeu se poursuit jusqu'à ce que l'un des concurrents ait marqué 21 points, chaque point étant accordé par suite d'une faute de l'adversaire. Pour qu'il y ait un gagnant, cependant, la marge entre les joueurs doit être d'au moins 2 points. Ainsi, en cas d'égalité, chacun des joueurs ayant 20 points, on continue le jeu, le service changeant cette fois-ci de camp après chaque point, jusqu'à ce qu'un joueur ait 2 points de plus que l'autre. Le gagnant de la partie est celui qui gagne deux manches sur trois.

En double, le premier serveur de l'équipe qui détient le service se place à droite de la ligne centrale blanche. Les cinq premiers services se font de cet endroit, la balle devant passer en diagonale par-dessus le filet pour tomber chez l'adversaire, dans sa zone droite. Le joueur qui a reçu les cinq premiers services livre ensuite la balle cinq fois de suite, toujours en diagonale, au partenaire du premier serveur avec qui ce dernier a changé de place, et ainsi de suite. (Les joueurs A et B s'opposant aux joueurs C et D, A servirait à D, D à B, B à C, puis C à A.) Une fois le service effectué et reçu, les membres de chaque équipe renvoient la balle l'un après l'autre, jusqu'à ce que l'une des équipes marque 1 point selon les règles qui ont été décrites.

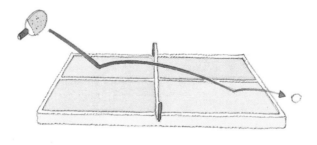

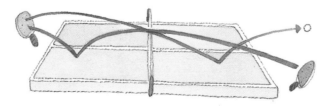

Le ping-pong

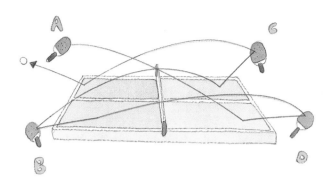

Le ping-pong

LES COUPS

Comme au tennis, il existe au ping-pong un certain nombre de coups classiques que tous les bons joueurs connaissent bien. Les deux coups qui servent de base à tous les autres sont le coup droit et le revers. Pour le coup droit, un joueur droitier se place de façon à tourner son flanc gauche vers le filet, en avançant le pied gauche. Pour le revers, il adopte la position inverse. Le coup le plus élémentaire est le coup plat, qui se donne en frappant la balle après son rebond avec le plat de la raquette, celle-ci étant perpendiculaire à la table. C'est le coup qu'emploient les débutants, en attaque comme en défense. Les joueurs plus expérimentés vont plutôt, en défense, couper la balle : se tenant à plus de 1 mètre de la table, ils abattent la raquette d'un coup sec, en diagonale et de haut en bas, la raquette étant presque parallèle à la table. La balle ainsi frappée tournoie sur elle-même et le renvoi est très difficile. En attaque, le coup le plus fréquent est le drive : le joueur se tient assez loin de la table et donne à sa raquette un mouvement rapide de bas en haut, vers l'avant. Après avoir franchi le filet, la balle pique alors vers la table et rebondit à un angle aigu. Parmi les autres coups offensifs que l'on peut décrire, les principaux sont la volée amortie, qui consiste à couper la balle de façon à ce qu'elle tombe tout près du filet, et le smash, par lequel le joueur renvoie une balle haute d'un coup vif de haut en bas et vers l'avant.

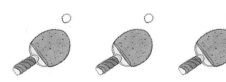

• • • • • • • • • • •

Le bowling

2 joueurs ou plus

À partir de 10 ans

10 quilles et des boules

Ce jeu, qui se joue à deux ou plus, existerait depuis 7 000 ans ; les Égyptiens y ont sans doute joué les premiers, quoique leur jeu fût évidemment très différent de celui que nous connaissons aujourd'hui. Les quilles sont apparues en Italie il y a plus de 1000 ans, et on pratiquait le jeu en Angleterre dès le XIIe siècle. Comme la plupart des sports, le bowling a subi au cours de son histoire diverses transformations. On l'a pratiqué tantôt à l'intérieur tantôt en plein air, sur des pistes cendrées, des surfaces d'argile ou de bois, aussi bien que sur des pelouses. À l'origine, on utilisait de grosses pierres à la place des boules.

Sous la forme du bowling à dix quilles, ce sport compte des millions d'adeptes. On le pratique dans des salles, sur des pistes de bois, à deux ou par équipes. Chaque année, diverses associations organisent des centaines de tournois un peu partout. C'est un sport qui s'adresse à tous les âges, si bien qu'on peut voir des enfants de 8 ou 9 ans y affronter leurs aînés, leurs parents ou même leurs grands-parents.

L'ÉQUIPEMENT

Les pistes coûtant beaucoup trop cher à construire et à entretenir, la plupart des joueurs fréquentent des clubs ou des associations où ils peuvent s'adonner au bowling à peu de frais.

Les quilles

La piste normale mesure 91 centimètres de large mais, dans certains pays, elle peut avoir jusqu'à 1,06 mètre de large. La première quille est à 18,30 ou 19,20 mètres de la ligne de jeu ; la piste d'élan, entre la ligne de jeu et le bout de la piste, doit avoir au moins 4,50 mètres de long. La surface de la piste est en bois : elle doit être parfaitement lisse et plane. De chaque côté de la piste se trouve un dalot (une rigole qui emporte les boules mal lancées). Les dalots sont bordés de retours de boules généralement automatiques, qui renvoient les boules aux joueurs.

Les quilles sont en bois dur recouvert de plastique. Elles ont 38 centimètres de haut et pèsent environ 1,5 kilo. Une machine (ou un préposé) place les quilles de façon à ce qu'elles forment un triangle équilatéral de 91 centimètres de côté dont la pointe est orientée vers le lanceur. Les quilles sont numérotées de 1 à 10.

Les boules peuvent varier par leur poids et leurs dimensions, mais elles ne doivent pas avoir plus de 68 centimètres de circonférence ni peser plus de 7,25 kilo. Certaines ont trois trous, d'autres n'en ont que deux. C'est en insérant ses doigts dans ces trous que le joueur s'assure une bonne prise. La plupart des salles de bowling fournissent des boules mais nombre de joueurs préfèrent avoir les leurs. On trouve des boules dans les boutiques d'articles de sport et dans les grands magasins. Avant de choisir une boule, dans les salles de bowling et

à plus forte raison dans les magasins, essayez-en plusieurs pour être bien sûr de prendre celle qui vous convient le mieux.

Il est recommandé de porter des chaussures légères, à semelle de caoutchouc, conçues spécialement pour le bowling. On peut en louer sur les lieux mêmes ou en acheter chez les marchands d'articles de sport. Dans la plupart des salles, on exige même que les joueurs portent ce genre de chaussures.

LE JEU

Le joueur se place derrière la ligne de jeu, à la distance qu'il veut, avance du nombre de pas qu'il veut à l'intérieur de la piste d'élan (en prenant soin cependant de ne pas franchir la ligne, sinon son lancer sera annulé) et lance la boule en la faisant rouler vers les quilles. Il a le droit de lancer deux boules dans chaque série, à moins qu'à son premier lancer il renverse toutes les quilles, ce qui constitue un abat. Si, avec les deux lancers réglementaires (série), il abat toutes les quilles, il inscrit alors une réserve (ou demi-abat). Les concurrents lancent tour à tour jusqu'à ce qu'ils aient tous fait 10 séries. On calcule alors leurs points et celui qui en a le plus gagne la partie.

LA MARQUE

Pour marquer les points des joueurs, on utilise une feuille de marque divisée horizontalement en rangées de 10 cases correspondant aux 10 séries. Chaque joueur inscrit ses points dans une des rangées. Dans le coin supérieur droit de chaque case, on indique les abats (X) et les réserves (/), et dans le reste de la case, on indique le total de la série.

Les joueurs marquent 1 point pour chaque quille abattue, mais ce sont les abats et les réserves qui donnent des résultats vraiment intéressants. Ainsi, si un joueur réussit un abat (10 points), on y ajoute le nombre de quilles abattues par les deux lancers suivants. En outre, les points obtenus avec ces deux boules sont encore ajoutés au score de la série suivante. Par exemple, si un joueur abat neuf quilles dans sa seconde série, ayant fait un abat dans la première, il marque 19 points pour sa première série et 9 pour la seconde, ce qui lui donne un total de 28 points à la fin de la seconde série. Si un joueur réussit une réserve (10 points), les points obtenus avec la première boule de la série suivante s'ajoutent au score de la série dans laquelle la réserve a été faite, en plus de compter dans la série qui suit. Par exemple, si un joueur fait une réserve dans sa première série puis abat trois quilles avec sa première boule dans la deuxième série, il marque un total de 13 points pour la première série. S'il abat deux autres quilles avec sa seconde boule, dans la deuxième série, il marque 5 points pour cette série. Son total, à la fin de la seconde série, sera donc de 18 points, soit 13 plus 5.

Selon le même principe, si un joueur réussit trois abats de suite, il marque tout d'abord 10 points, puis un bonus de 20 points, pour sa première série.

Par ailleurs, chacun des autres abats compte pour les séries suivantes. En conséquence, le score maximal qu'un joueur obtiendrait en ne faisant que des abats est de 300 points. La partie se termine après la dixième série, sauf dans le cas où le joueur réussit alors un abat ou une réserve. En ce cas, il a droit à deux boules sup-

plémentaires s'il s'agit d'un abat, et à une s'il s'agit d'une réserve.

LA PRISE, L'ÉLAN ET LE LANCER

Lorsqu'on se sert d'une boule à deux trous, on insère dans les trous le pouce et le majeur, en étendant les autres doigts sur la boule. Si l'on utilise une boule à trois trous, on insère le majeur et l'annulaire d'abord et ensuite le pouce qui sert de support. Les débutants ont intérêt à s'en tenir aux prises et aux mouvements les plus simples. Le joueur se tient debout, face aux quilles, à environ 2,50 mètres de la ligne de jeu. Il plie les genoux et avance légèrement le pied droit par rapport au pied gauche, qui doit être placé, dans un axe, un peu à gauche de la première quille. Le joueur fait alors quelques pas, avançant d'abord le pied gauche puis le pied droit, pour arriver à quelques centimètres derrière la ligne de jeu. (N'oublions pas que s'il met le pied sur celle-ci, son lancer est annulé.) En avançant, il se penche légèrement en avant, en faisant avec son bras droit (qui tient la boule) un mouve-

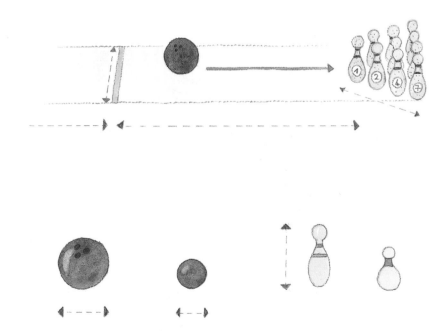

Les quilles

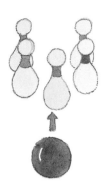

Les quilles

ment de pendule. À la fin de son dernier pas en avant, alors qu'il se trouve juste derrière la ligne de jeu, il lâche la boule. Il achève alors son mouvement en levant le bras, la main ouverte, la paume tournée vers les quilles. Les mouvements ne doivent pas nécessairement être rapides pour donner les meilleurs résultats. Que vous fassiez trois ou quatre foulées, si vous êtes droitier, il est important d'avancer le pied droit en même temps que vous montez la boule vers son sommet.

Avec l'expérience, chaque joueur peut mettre au point un style qui lui est propre. De même, il y a plusieurs façons de tenir la boule pour lui faire frapper les quilles que l'on vise. Le lancer, par exemple, consiste à viser la quille reine (la première quille) de flanc dans un angle rentrant du côté du bras lanceur, de telle sorte que la boule aille se loger entre celle-ci et la troisième quille. Si le lancer est exécuté avec la force et la précision voulues, on obtient alors un abat. Pour le lancer en crochet, on lâche la boule près du dalot de droite, en donnant un coup de poignet, de façon à ce qu'elle suive le dalot pour faire un crochet au bout de la piste et atteindre la première et la troisième quilles. Le même résultat peut être obtenu en faisant rouler la boule de gauche à droite. Enfin, le lancer courbe consiste à faire décrire à la boule un large arc, dessiné sur toute la longueur de la piste, qui fait entrer la boule entre la première et la troisième quilles. Si, après le premier lancer, il reste des quilles du côté gauche, on cherchera à les atteindre par la droite, en diagonale. Inversement, c'est par la gauche qu'on cherchera à abattre les quilles qui restent à droite.

VARIANTES

Le jeu des cinq quilles (que l'on appelle aussi Le jeu des dauphines) est un jeu canadien créé en 1910. Les quilles sont plus petites que celles du jeu à 10 quilles. Elles ont un diamètre de 12,70 centimètres, un poids maximal de 1,72 kilo et une hauteur de 31,80 centimètres. La boule est aussi plus petite, soit 12,70 centimètres de diamètre, et son poids peut atteindre 1,80 kilo. Chaque joueur lance successivement trois boules, ce qui représente une série, et il y a 10 séries dans une partie, le pointage maximal étant de 450. Si toutes les quilles sont abattues par les deux premières boules, on inscrit une réserve ; si les quilles sont abattues par la première boule seulement, on inscrit un abat. Une réserve vaut 15 points, plus le score de la boule suivante, et un abat vaut 15 points, plus le score des deux boules suivantes. Les quilles ont différentes valeurs ; la marque internationale est la suivante : la quille reine vaut 5 points, les deux médianes valent 3 points et les deux arrières valent 2 points. On rencontre également deux autres systèmes de valeur mais le total est toujours de 15 : la quille reine peut valoir 5 points, les deux médianes 3 et 4 points et les deux arrières 1 et 2 points ; ou encore la quille reine vaut 1 point, les deux médianes 2 et 3 points et les deux arrières 4 et 5 points.

Les fondateurs de ligues de bowling utilisent parfois le règlement suivant : il s'agit de déterminer à l'avance la valeur de chaque quille et d'en nommer une qui soit « compteuse ». La quille compteuse est l'arrière-gauche (sauf pour les gauchers, pour qui elle est l'arrière-droite). Le quilleur devra avoir abattu la quille compteuse pour pouvoir inscrire les autres points obtenus dans la série.

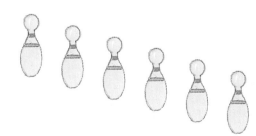

Le mikado

2 à 6 joueurs

6 à 12 ans

1 jeu de mikado

U n joueur désigné au sort prend le jeu verticalement entre ses mains et lâche tous les bâtonnets d'un seul coup. Se forme aussitôt un tas de baguettes imbriquées les unes dans les autres. Le jeu consiste à retirer les baguettes une à une sans faire bouger un autre élément du tas, ne serait-ce que très légèrement ; sinon, le joueur passe son tour au joueur suivant. Tant que le joueur ne commet pas de faute, il continue à jouer. Il est possible d'utiliser une baguette pour enlever les autres. Le gagnant est celui qui a le plus de points, sachant que les cinq sortes de baguettes ont chacune une valeur différente (20, 10, 5, 3 ou 2 points).

VARIANTES

Si l'on ne possède pas de jeu de mikado, on peut utiliser des allumettes que l'on distinguera par des traits de couleur.

Le jeu de l'oie

2 joueurs ou plus

6 à 8 ans

1 jeu de l'oie, 2 dés, des pions de différentes couleurs

U n jet de dés permet de définir quel sera l'ordre de passage des joueurs. Tour à tour, les joueurs lancent les dés et déplacent leurs pions, en fonction du total obtenu, sur un parcours en forme d'escargot. Certaines cases avantagent le joueur : par exemple, lorsque le joueur tombe sur une case avec une oie, il a le droit de rejouer. D'autres cases sont pénalisantes : par exemple, le joueur ne peut sortir de prison que si un autre joueur tombe sur cette même case. Le labyrinthe oblige quant à lui à reculer de plusieurs cases.

Si un joueur arrive sur une case déjà occupée par un autre joueur, ce dernier prend la place du premier joueur.

Le gagnant est celui qui arrive à la case 63 par un jet de dés exact ; le joueur doit sinon reculer d'autant de cases qu'il a de points en trop.

Le loto

3 à 12 joueurs

6 à 10 ans

1 jeu de loto (90 jetons numérotés de 1 à 90, 24 cartons de 27 cases dont seulement 15 sont numérotées)

L es jetons sont réunis dans un petit sac. Un joueur, tiré au sort, distribue un même nombre de cartons aux joueurs, puis il sort du sac les jetons un par un, en annonçant le nombre inscrit dessus. Les joueurs possédant le numéro sur un de leurs cartons masquent la case correspondante. Le vainqueur est celui qui remplit le premier ses différents cartons.

VARIANTES

On peut convenir que le gagnant est celui qui fait une quine, c'est-à-dire celui qui remplit une ligne de 5 cases.

Le mikado

Petits chevaux

Les chiffres peuvent être remplacés par des images avec des animaux, des fleurs, des personnages... Cette variante est surtout destinée aux très jeunes enfants.

• • • • • • • • • • • • • • • • • •

Les petits chevaux

🏃 **2 à 4 joueurs**

👫 **6 à 8 ans**

✂ **1 plateau de jeu, des pions (des petits chevaux) et 1 dé**

L es joueurs déplacent leurs chevaux sur un parcours en croix, selon le nombre indiqué par un jet de dé.

Pour accéder à la case de départ, le joueur doit effectuer un 6. Il peut rejouer aussitôt car le 6 permet de relancer le dé. Si un joueur tombe sur une case qui est déjà occupée par un cheval adverse, il prend sa place et le cheval éjecté retourne dans son écurie et doit recommencer son trajet depuis le départ. Les chevaux ne peuvent pas se dépasser.

Après avoir fait le tour complet du plateau de jeu, les chevaux doivent grimper la rangée intérieure de leur couleur. Pour accéder à chaque étage, le joueur doit obtenir le nombre exact correspondant aux numéros des étages. À partir de ce moment, les chevaux ne peuvent plus être

pris. Ils doivent, pour finir la partie, atteindre le haut de la rangée avec un jet de dé exact (un 6). Celui qui atteint le premier le centre du plateau est vainqueur. Quand on décide de jouer avec plusieurs pions pour un même joueur, le vainqueur est celui qui amène tous ses pions en haut de la rangée intérieure.

• • • • • • • • • • • • • • • • • •

Awalé (ou Awelé)

🏃 **2 joueurs**

✂ **1 jeu d'Awalé ou 14 godets et 48 jetons**

Le jeu comporte deux rangées de sept trous. Si on ne possède pas de jeu, il est possible de le remplacer par des godets. Quatre graines (pierres ou jetons) sont posées dans tous les trous sauf dans ceux situés aux extrémités.

L es joueurs s'installent de part et d'autre du jeu de façon à avoir une rangée de trous en face d'eux. Chaque joueur, à tour de rôle, prend toutes les graines d'un trou et les sème une par une dans les trous suivants. Le joueur qui débute la partie prend les quatre graines d'une de ses cases (n'importe laquelle) et les sème, une par trou, de gauche à droite. Lorsqu'il arrive à l'une des extrémités, il continue de droite à gauche dans le camp de l'adversaire. Il ne doit pas remplir les deux trous des extrémités qui représentent les réserves de chaque joueur.

Si la dernière graine tombe dans la rangée du semeur ou dans un trou adverse vide ou recelant plus de deux graines, le joueur cède immédiatement son tour. En revanche, si cette dernière graine tombe dans un trou adverse ne contenant qu'une ou deux graines, le semeur ramasse le contenu de ce trou et le place dans sa réserve. Il ramasse également le ou les groupes de deux ou trois graines placés sans interruption derrière et devant le trou qu'il vient de vider.

Lorsqu'un trou contient plus de douze graines et que le joueur les prend pour les semer, ce trou doit rester vide. Il faut donc le sauter.

La partie se termine lorsqu'un des joueurs est bloqué, sa rangée étant vide et son adversaire ne pouvant l'alimenter.

On procède alors au décompte des graines en possession des joueurs (sur le plateau et dans la réserve) et le vainqueur est celui qui a le plus gros total.

QUELQUES CONSEILS DE JEU

Si l'awalé est un jeu qui peut paraître simple une fois les règles connues, il reste avant tout un jeu de réflexion où le hasard est exclu. Il faut réfléchir à chaque coup.

Les joueurs doivent se souvenir que leur intérêt est de conserver le plus de graines possibles dans leurs trous et d'en donner le moins possible à l'adversaire. Il faut donc jouer les trous les moins garnis en priorité.

Le solitaire

 1 joueur

 6 à 12 ans

 1 jeu de solitaire

L
e jeu se compose d'une tablette octogonale percée de trente-sept trous contenant chacun une bille sauf un. Généralement, cette place libre est située sur le pourtour du plateau et permet le déplacement des billes : toute bille peut prendre horizontalement ou verticalement celle qui lui est accolée à condition de rencontrer un trou libre immédiatement après celle-ci.

La bille sautée est éliminée et retirée du plateau. Elle libère ainsi un nouveau trou. Les possibilités de déplacement sont donc plus nombreuses.

Le but du solitaire est d'enlever toutes les billes du plateau sauf une. Les joueurs devront ôter méthodiquement les billes et ne pas en isoler une, sinon elle serait impossible à éliminer par la suite. Il est donc important de ne pas disperser les billes sur la tablette.

Quand il ne reste qu'une seule bille sur le plateau, c'est que la partie est gagnée.

VARIANTES

La particularité vient de la disposition des billes sur la tablette (croix, octogone, etc.).

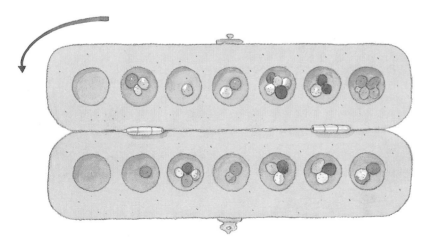

Awalé

joueur 1

joueur 2

Exemple C : si le joueur 1 prend 3 graines
du 5e trou...

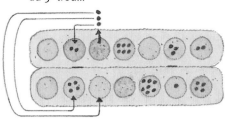

Résultat de l'exemple C

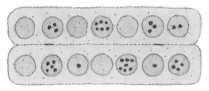

Exemple A : si le joueur 2
prend les graines du 6e trou...

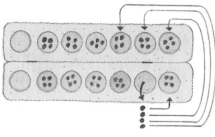

Résultat de l'exemple A

Exemple D : si le joueur 2 prend
6 graines du 7e trou...

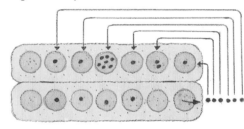

Résultat de l'exemple D : le joueur 2 récupère
les 2 graines des trous 5 et 6 du joueur 1...

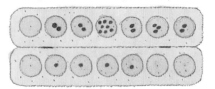

... et les met dans son trou de réserve

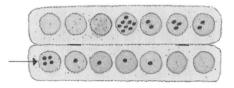

Exemple B : si le joueur 1
prend les graines du 3e trou...

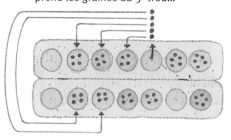

Résultat de l'exemple B

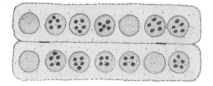

• • • • • • • • • • •

Le tangram

1 ou 2 joueurs

7 à 10 ans

1 jeu de tangram

Le tangram est un carré découpé en sept pièces de formes géométriques différentes : un carré, un parallélogramme et cinq triangles. Le but du jeu est de reconstituer le carré d'origine ou une autre figure dont on possède seulement le contour en utilisant les sept pièces de base. Il existe plusieurs dizaines de modèles différents. Le joueur peut également réaliser une figure de son invention.

VARIANTE
Deux joueurs, séparés par un cache, se font face. L'un possède le modèle du puzzle et doit expliquer à l'autre comment le réaliser.

• • • • • • • • • • • • •

Jeu de palets

2 à 6 joueurs

6 à 10 ans

1 lot de palets

Chaque joueur se munit de deux ou trois palets qu'il doit envoyer le plus près possible de la cible préalablement définie. On compte 2 points pour le palet le plus proche et 1 point pour le suivant. La partie se joue en 10 ou 12 points selon ce qui a été convenu en début de partie. Le jeu est donc modulable en fonction du temps dont on dispose.

VARIANTE
Cette autre possibilité est très souvent employée sur le pont des bateaux mais on peut dessiner le tableau ci-dessous à la craie sur un sol bien lisse (préau, gymnase, garage, etc.) :

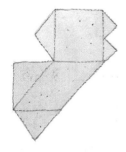
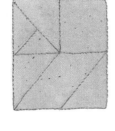
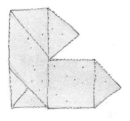

Le tangram

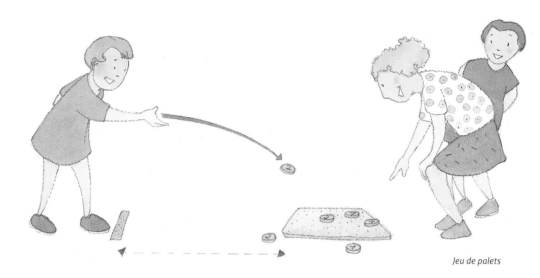

Jeu de palets

	-10	
6	8	1
7	3	5
2	4	9
	-10	

Les joueurs se placent à 6 mètres du tableau. Avec un râteau, les joueurs envoient leur palet de façon à ce que ce dernier atteigne une case du tableau en une seule fois. Chaque case rapporte le nombre de points égal au chiffre inscrit.

• • • • • • • • • • • •

Se déguiser

▨ **1 à 20 joueurs**

⏐⏐⏐ **6 à 12 ans**

▨ **Vieux habits, accessoires, chapeaux**

B ien évidemment, il existe des déguisements tout prêts dans le commerce, mais il est possible et bien plus amusant d'en confectionner à partir d'éléments simples : boîtes en carton, morceaux de laine, bouts de tissu, vieux vêtements, etc. Il suffit d'un peu d'imagination, de maquillage, et le tour est joué.

Pour commencer, il est facile de réaliser un masque en un rien de temps, une assiette en carton, du papier de couleur, des bouts de laine, des boîtes... Un vieux drap ou un rideau et l'on devient un fantôme... Des cartons (baril de lessive ou grosse boîte d'archives), du papier aluminium, voici un robot...

Mais le rêve de chacun est sans doute de monter au grenier, de dénicher une malle contenant de vieux habits et de s'en faire des costumes.

JEUX DE CARTES

D ans tous les jeux de cartes, le donneur est celui qui distribue les cartes (il est généralement tiré au sort) et c'est son voisin de gauche qui débute la partie.

• • • • • • • • • • • •

La bataille

▨ **2 joueurs**

⏐⏐⏐ **6 à 10 ans**

▨ **1 jeu de 32 ou 52 cartes**

O n distribue les cartes une à une, face cachée. Chacun des joueurs empile ses cartes sur la table sans prendre connaissance de son jeu. À chaque tour, chaque joueur retourne sur la table la première carte de son paquet. Celui qui a la carte la plus forte (valeur croissante du 2 à l'as), ramasse les deux cartes et les met sous son paquet. Lorsque les joueurs sortent une carte de même valeur, il y a bataille : chacun prend une carte et la pose sur la première sans la dévoiler. Les joueurs prennent alors une troisième carte face découverte et c'est le joueur qui possède la carte la plus élevée qui remporte toutes les cartes posées.

Le gagnant est celui qui a en sa possession la totalité du jeu de cartes.

VARIANTES

La bataille peut être simplifiée. Quand deux cartes ont la même valeur, il suffit de retourner une nouvelle carte et celui qui possède la plus forte ramasse les cartes.

Il existe une autre forme de bataille, la bataille dite ouverte. Les joueurs ont leurs jeux en main et choisissent les cartes qu'ils jouent. Ils doivent absolument poser leur carte en même temps. Lorsqu'un joueur remporte un pli, il pose ces cartes à côté de lui et ne pourra les réutiliser que lorsqu'il n'aura plus de cartes en main. Le vainqueur est celui qui gagne toutes les cartes.

• • • • • • • • • • • • • • • • • • •

Le cri des animaux

■ 3 joueurs ou plus

▮▮▮ 6 à 8 ans

▮ 1 jeu de 52 cartes

Le cri des animaux

Chacun des joueurs choisit un cri d'animal (chien-aboiement, chat-miaulement, cheval-hennissement, etc.), qu'il imite devant ses camarades.

On distribue les cartes aux joueurs, face cachée, et chacun fait un tas devant lui. Le premier joueur retourne la première carte de son tas et la pose à côté, face découverte. Les joueurs font chacun à leur tour la même chose. Si un joueur X abat une carte qui a une valeur égale à celle déjà abattue par un de ses camarades, tous les joueurs doivent alors imiter le plus vite possible le cri de l'animal de X. Le premier à réussir ce cri donne son tas de cartes découvertes au joueur X, qui les place sous son tas de cartes à face cachée. Si un joueur se trompe de cri, c'est lui qui récupère le tas du joueur X. Le gagnant est celui qui, le premier, n'a plus de cartes en sa possession.

• • • • • • • • • • • • • •

Le pouilleux
(valet de pique ou mistigri)

■ 3 joueurs et plus

▮▮▮ 6 à 10 ans

▮ 1 jeu de 32 cartes pour 3 joueurs,
1 jeu de 52 cartes pour 4 joueurs et plus

Retirer le valet de trèfle du jeu et le placer au centre de la table.

On distribue toutes les cartes une par une. Dans un premier temps, chaque joueur assemble ses cartes par paires de couleur et de valeur identiques (valets de cœur et de carreau par exemple) et les pose sur la table. Puis le donneur présente ses cartes en éventail, face cachée, à son voisin de gauche (joueur B), qui en choisit une au hasard. Si cette carte permet au joueur B de réaliser une paire, il la sort de son jeu. Puis, à son tour, le joueur B fait choisir une carte à son voisin. Le joueur qui hérite du valet de pique ne peut le marier à celui de trèfle puisqu'il est hors du jeu et doit donc tout faire pour qu'un de ses partenaires en hérite, s'il veut garder une chance de gagner.

la crapette

Les uns après les autres, les joueurs se débar-rassent de toutes leurs cartes sauf celui qui possède le valet de pique. Ce sera donc le perdant.

● ● ● ● ● ● ● ● ● ● ● ●

La crapette

2 joueurs

10 à 12 ans

2 jeux de 52 cartes

Chaque joueur prend son jeu de cartes, le mélange et le fait couper par son adversaire. Chacun retourne alors les quatre premières cartes de son paquet et les pose à sa droite, en colonne, face découverte. Les joueurs constituent ensuite leurs crapettes : chacun tire dix cartes, qu'il pose sur la table face cachée, et retourne la onzième carte. Les trente-sept cartes restantes sont posées en tas, face retournée, à côté de la crapette. Toutefois, il importe de laisser une place suffisamment importante entre les deux tas pour pouvoir poser les cartes inutilisées au cours de la partie, ce qui formera le pot.

L es joueurs vont chercher à se débarrasser de leurs cartes en les posant au centre de la table. Pour cela, plusieurs règles sont à respecter par ordre de priorité :

1. Il faut en premier lieu essayer de reconstituer les piles centrales. Le joueur doit commencer par poser un as puis les cartes immédiatement supérieures en valeur et de la même couleur. Lorsque l'on parviendra au roi, la série sera close.

2. Le joueur peut également essayer de charger la crapette ou le pot de son adversaire. Pour cela, il doit poser une carte de même couleur et de valeur approchante (sur un 9 de cœur, on ne peut poser qu'un 8 ou un 10 de cœur).

3. Enfin, le joueur a la possibilité de continuer les séries provisoires constituées par les cartes posées en colonne par chaque joueur en début de partie. Ces séries seront dans l'ordre décroissant et alternées quant à la couleur.

Il faut donc poser ses cartes au centre puis chez l'adversaire et, enfin, sur les côtés.

D'autres règles sont également à respecter :

Quand un joueur ne peut plus bouger les cartes visibles de son jeu, il peut alors retourner la carte supérieure de son talon et chercher à la placer dans le jeu. Si tel n'est pas le cas, il la pose, face découverte, sur son pot, et son adversaire joue. Lorsque le talon est épuisé, le joueur retourne son pot, qui devient alors un nouveau talon.

Il est conseillé de déplacer les cartes des séries latérales (quand cela est possible évidemment). En effet, cela permet de disposer d'une case vide et donc de placer une de ses cartes.

Quand un joueur s'aperçoit que son adversaire commet une erreur, il dit crapette et joue à sa place après avoir prouvé l'erreur de jeu.

Les fautes possibles sont :

1. Charger la crapette, le pot ou les séries provisoires alors qu'il était possible d'alimenter les piles centrales en premier.

2. Alimenter les séries provisoires alors que l'on pouvait charger la crapette ou le pot au préalable.

3. Retourner une nouvelle carte du talon alors qu'il était possible d'effectuer une des opérations.

Dès qu'un joueur a posé toutes ses cartes, il est déclarer vainqueur.

• • • • • • • • •

Memory

🏃 **2 joueurs ou plus**

👶 **6 à 12 ans**

✂ **1 jeu de Memory**

Dans un premier temps, les joueurs étalent toutes les cartes face cachée sur la table. Le premier joueur retourne ensuite deux cartes de son choix. Si elles sont identiques, il les retire du jeu et retourne à nouveau deux cartes. Si elles sont différentes, le joueur repose les cartes face cachée sans les déplacer, en essayant de mémoriser l'emplacement des images. C'est à l'autre joueur de jouer. Le gagnant est celui qui possède le plus grand nombre de paires lorsque toutes les cartes sont retournées.

VARIANTE

Si on ne possède pas de jeu de Memory, il est possible de le remplacer par un simple jeu de 32 ou 52 cartes (La mémoire). Le but du jeu reste le même, deux cartes de même valeur constituant une paire, mais on peut augmenter la difficulté en demandant qu'elles soient également de la même couleur.

intérieur avec matériel spécifique

Memory

Les bouchons

Les bouchons

4 à 13 joueurs

6 à 8 ans

1 jeu de 52 cartes, des bouchons de liège

Autant de figures que de joueurs (pour quatre joueurs, quatre as, quatre rois, quatre reines, quatre valets). En revanche, il faut un bouchon de moins que de joueurs.

Les bouchons sont placés au centre de la table. Chaque joueur reçoit quatre cartes. Chacun, à son tour, prend une carte de son jeu et la donne à son voisin de gauche. Dès qu'un joueur a quatre cartes de même valeur en main, il crie « bouchon » et prend un bouchon le plus rapidement possible. Les autres joueurs doivent donc l'imiter. Le joueur qui ne peut pas prendre un bouchon a 1 point de pénalité. Dès qu'un joueur a 10 points de pénalité, on déclare vainqueur celui qui a le moins de points négatifs. Quand un joueur a quatre cartes identiques en main, il n'est pas obligé de dire immédiatement « bouchon » ; il peut l'annoncer un peu plus tard dans la partie et surprendre tous ses partenaires.

Le jeu des 7 familles

3 à 5 joueurs

6 à 10 ans

1 jeu de cartes des sept familles, soit 42 cartes divisées en sept familles de six personnages (grand-père, grand-mère, père, mère, fils et fille)

On distribue sept cartes à chacun des joueurs, le reste est placé face cachée au centre de la table et constitue la pioche.

À tour de rôle, chaque joueur essaie de compléter la famille dont il possède le plus de représentants. Pour cela, il demande à un joueur de son choix : « Dans la famille Canard, je voudrais le grand-père. » Si la réponse est positive, le joueur interrogé lui donne le grand-père de la famille Canard et le premier joueur peut alors rejouer (il peut choisir de solliciter le même joueur ou un autre). Quand la réponse est négative, le premier joueur tire une carte dans la pioche et la met dans son jeu. C'est alors à un autre joueur, le voisin de gauche du premier joueur, de poser des questions.

Par chance, il peut arriver que la carte tirée dans la pioche corresponde à celle demandée par le joueur. Celui-ci dit alors « bonne pioche » et peut rejouer.

Quand une famille est complète, le joueur l'étale sur la table. Le vainqueur est celui qui possède le plus grand nombre de familles complètes.

. . . .

Le huit américain

2 à 8 joueurs

8 à 12 ans

2 jeux de 52 cartes
2 jokers en plus

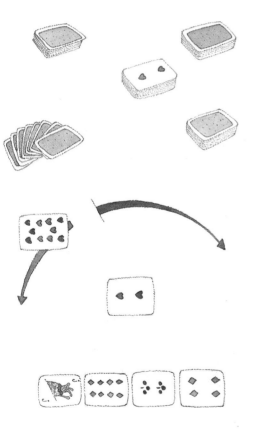

Le huit américain

Le donneur distribue huit cartes à chaque joueur. Il pose le talon au centre de la table face visible et retourne la première carte.

Le voisin de gauche du donneur débute la partie en posant une carte de même couleur sur cette première carte. Les joueurs suivants, pour continuer la partie, disposent de quatre possibilités :

1. Jouer une carte de même couleur en se séparant en priorité des cartes de hautes valeurs.

2. Jouer une carte de la même valeur que celle précédemment posée. Cela permet ainsi de changer de couleur (sur un valet de trèfle, on peut poser un valet de pique, de cœur ou de carreau).

3. Jouer une carte particulière :

– Un 8 permet au joueur qui le pose de choisir la couleur de la carte qui devra être posée par le joueur suivant. Il ne peut être posé après un as.

– Un joker peut être posé à tout moment. Le joueur suivant pioche cinq cartes dans le talon et passe son tour. De plus, le joueur qui le pose a le choix de la couleur pour la carte qui doit être posée. Comme le 8, il ne doit pas être posé après un as.

– Lorsqu'un joueur pose un 10, le jeu repart en sens inverse.

– Quand un 7 est posé, le joueur suivant doit piocher une carte dans le jeu de celui qui vient de le poser et passer son tour.

– Si un joueur pose un 2, le joueur suivant pioche deux cartes dans le talon et passe son tour.

– Lorsqu'un joueur pose un as, le joueur suivant est obligé de pose régalement un as. Si cela est impossible, le joueur pioche deux cartes et passe son tour. Le jeu reprend avec la couleur de l'as posé. Si un deuxième as est posé à la suite du premier, le joueur suivant doit poser également un as, sinon il piochera deux fois deux cartes et passera son tour.

4. Si le joueur ne peut jouer comme décrit antérieurement, il pioche une carte dans le talon et passe son tour.

Juste avant de poser son avant-dernière carte, le joueur doit annoncer « carte ». Si un de ses adversaires s'aperçoit qu'il oublie de le faire, le joueur doit piocher deux cartes et passer son tour.

Lorsqu'un joueur a posé sa dernière carte, le jeu s'arrête et chacun compte les points qu'il a

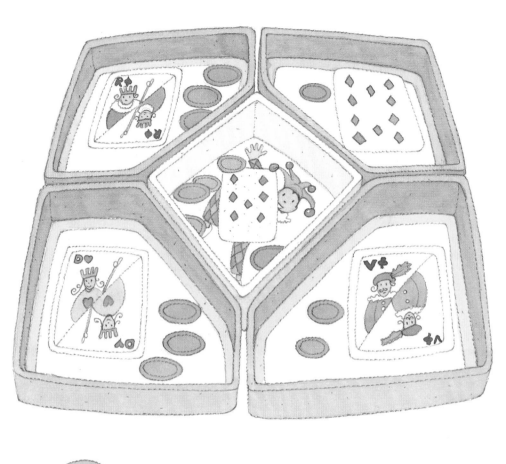

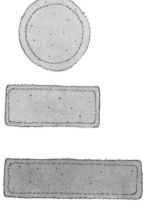

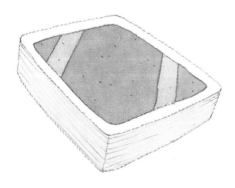

Le nain jaune

en main. On ne peut terminer une partie sur un 8 ou sur un joker.

MARQUE

Les cartes conservées en main ont une valeur : un joker vaut 50 points, un 8 vaut 32 points, un as 20 points, une figure 10 points et les cartes restantes ont leur valeur nominale.

Le vainqueur est donc celui, qui après un nombre de parties définies en début de jeu, possède le moins de points.

Le menteur

2 à 6 joueurs

6 à 12 ans

1 jeu de 52 cartes

Un donneur distribue les cartes une par une. Tous les participants doivent avoir un nombre de cartes identique. S'il reste des cartes, elles ne seront pas utilisées au cours du jeu.

Le voisin de gauche du donneur choisit une des cartes de son jeu, qu'il pose au centre de la table face cachée. Il annonce alors une couleur (carreau, trèfle, cœur, pique). Personne autour de la table ne sait s'il dit la vérité ou non concernant sa carte. Les autres joueurs, à leur tour dans le sens des aiguilles d'une montre, posent une de leurs cartes en annonçant la même couleur.

À n'importe quel moment de la partie, un joueur peut traiter de menteur celui qui dépose une carte. La carte est alors retournée. Si la carte est d'une couleur différente de celle annoncée par le premier joueur, le menteur ramasse toutes les cartes posées sur la table. En revanche, si la couleur était bonne, c'est au tour de l'accusateur de remporter le tas de cartes. Le joueur ayant ramassé les cartes pose une nouvelle carte et annonce une couleur.

La partie se termine lorsqu'un des joueurs ne possède plus de cartes en main.

Le nain jaune

3 à 8 joueurs

8 à 12 ans

1 jeu de 52 cartes, des jetons, 1 plateau de nain jaune ou 2 jeux de 52 cartes

Si l'on ne dispose pas du plateau de nain jaune, il faut disposer au centre de la table, en haut sur une même ligne, le roi de pique et la dame de cœur ; au centre le 7 de carreau ; et en dessous le valet de trèfle et le 10 de carreau. Sur chacune de ces cartes, chaque joueur dépose des jetons : 1 pour le 10, 2 pour le valet, 3 pour la dame, 4 pour le roi et 5 pour le 7.

Un donneur distribue les cartes une par une aux joueurs.

Nombre de joueurs	Nombre de cartes par joueur	Nombre de cartes inutilisées
3	15	7
4	12	4
5	9	7
6	8	4
7	7	3
8	6	4

Le voisin de gauche du donneur classe ses cartes, sans tenir compte de la couleur, dans l'ordre croissant (de l'as au roi). Il pose au centre de la table la plus longue série qu'il peut réaliser en l'annonçant. Quand une carte lui manque, il s'arrête. Par exemple, « 9, 10, valet, dame, sans roi ».

Le joueur suivant essaie de continuer la série s'il le peut. Si, à son tour, il ne peut continuer, il énonce la carte manquante et c'est au joueur suivant de parler. Si, en bout de table, personne n'a pu poursuivre la série, le dernier joueur à

avoir posé une carte reprend une nouvelle série. Quand un des joueurs pose une belle carte (l'une de celles représentées sur le plateau), il remporte la mise posée sur la carte.

Lorsqu'un joueur n'a plus de carte, il dit « j'arrête » et est déclaré vainqueur. Les autres joueurs étalent à ce moment-là les cartes devant eux et versent au vainqueur 1 jeton par carte restante. Ceux qui possèdent encore des belles cartes doivent doubler la mise leur correspondant.

VARIANTES

Les joueurs peuvent choisir de payer 10 jetons par figure (valet, dame, roi) et un nombre de jetons égal aux points de chaque carte pour celles restantes. Dans cette option, il est conseillé de poser ses cartes les plus hautes dès le début de la partie.

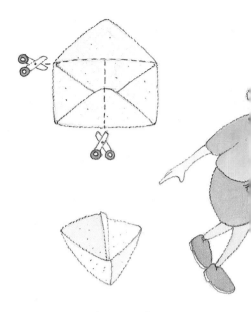

Les tasses volantes

JEUX POUR BRICOLEURS

L es jeux proposés dans cette rubrique ont un double objectif : aider l'enfant à développer ses dons de bricoleur – il réalise en effet lui-même son futur jeu – et le distraire en lui expliquant comment jouer avec sa propre création. Ces jeux nécessitent parfois un petit coup de main de la part des adultes !

Les tasses volantes

3 à 8 joueurs

Enveloppes, ciseaux

LE JEU

On donne à chaque joueur une tasse triangulaire découpée dans une enveloppe. L'animateur en prend une trentaine d'autres et les lance en l'air une à la fois. Chaque joueur, à son tour, doit attraper le plus grand nombre de tasses volantes possible avec la sienne. Il joue jusqu'à ce qu'il rate. Le gagnant est celui qui en attrape le plus. Il est interdit de s'aider des mains : on doit se servir de sa tasse comme d'une cuillère.

LA FABRICATION

Les enveloppes doivent être de même format. On fait deux tasses avec chaque enveloppe. Après avoir ôté le rabat, on coupe l'enveloppe en deux carrés que l'on replie ensuite en triangle. Il suffit alors d'écarter les côtés.

Le tir à la tasse

2 à 6 joueurs

Balles de ping-pong, cuillères, tasses de tailles diverses, carton de 45 x 60 centimètres

LE JEU

Chaque joueur, à son tour, pose une balle de ping-pong sur le bout du manche d'une cuillère puis, en appuyant sur celle-ci, tente d'envoyer la balle dans l'une des tasses. Les grandes tasses rapportent 3 points, les moyennes 2 et les petites 1. Chaque joueur a droit à trois essais par tour. Après trois tours, celui qui a marqué le plus de points est déclaré gagnant.

LA FABRICATION

Des tasses (ou des gobelets en carton) de diverses grandeurs sont disposées au hasard

a plusieurs anneaux de grandeurs différentes. Les plus petits valent 6 points, les suivants 5, 4, et ainsi de suite, jusqu'aux grands qui ne rapportent que 1 point. Chaque joueur a le droit de lancer trois balles de ping-pong de la ligne de tir qui se trouve à environ 1,80 mètre des anneaux. Après trois essais, il cède la place au joueur suivant. Le jeu se poursuit jusqu'à ce que chaque concurrent ait fait trois tours, c'est-à-dire ait lancé neuf balles. Celui qui marque le plus de points est déclaré gagnant.

LA FABRICATION

Les anneaux, découpés dans du carton fort, sont épinglés à des ficelles de diverses longueurs. On attache ensuite les ficelles à un cintre de métal que l'on suspend au plafond à environ 1,50 mètre du sol.

• •

Les assiettes perchées

2 à 6 joueurs

Assiettes en carton de 15 centimètres de diamètre, pailles, carton ondulé

LE JEU

À tour de rôle, les joueurs essaient de placer des assiettes en équilibre sur des pailles verticales. Chaque joueur passe son tour dès qu'il fait une erreur et qu'une assiette tombe. Chaque assiette bien placée lui donne 1 point. Quand un joueur a fini son tour, on enlève les assiettes pour le joueur suivant, qui repart de zéro. Le jeu se termine quand tous les joueurs ont eu leur tour : celui qui a marqué le plus de points est déclaré gagnant.

sur la moitié d'un morceau de carton de 45 centimètres sur 60, où elles sont collées. Les cuillères en plastique sont fixées au carton par du ruban adhésif replié de façon à ce qu'une moitié adhère à la cuillère et l'autre au carton.

• • • • • • • • • • • • • • • • • • •

Le tir aux anneaux

2 à 6 joueurs

Balles de ping-pong, anneaux, cintres, carton, ficelles

LE JEU

Le jeu consiste à envoyer une balle de ping-pong dans un anneau suspendu à un cintre. Il y

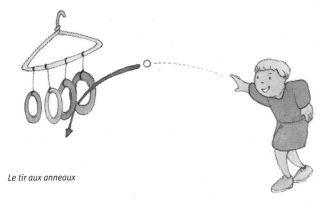

Le tir aux anneaux

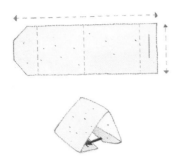

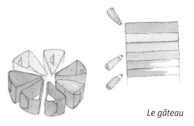

Le gâteau

LA FABRICATION

Le matériel requis se compose d'un morceau de gros carton ondulé d'environ 45 centimètres sur 60, de huit ou neuf assiettes en carton et du même nombre de pailles. On perce des trous dans le carton et on y insère les pailles, que l'on fixe avec de la colle pour qu'elles restent bien droites. On utilise, autant que possible, des assiettes de 15 centimètres de diamètre et les pailles sont disposées à 10 centimètres les unes des autres. On laisse certaines pailles entières et on coupe les autres à des longueurs différentes.

• • • • • • • • • •

Le gâteau

🎭 **4, 6 ou 8 joueurs**

✂️ **Du carton léger de cinq couleurs différentes et du carton léger blanc**

LE JEU

On distribue aux joueurs 64 bandes de carton léger de diverses couleurs, de façon à ce que chacun en ait le même nombre. On place au milieu de la table une carte rayée aux mêmes couleurs que les cartons, et on garde en réserve une pile d'autres cartes semblables. On joue dans le sens des aiguilles d'une montre. Si le premier joueur a dans son jeu une bande de carton de la couleur figurant à l'extrême gauche de la carte rayée, il forme la première part du gâteau. Sinon, c'est au tour du joueur placé à sa gauche de commencer le gâteau. La deuxième part de gâteau doit être de la même couleur que la deuxième bande, la troisième doit correspondre à la troisième, et ainsi de suite. Chaque part de gâteau rapporte 1 point, que ce soit la première ou la troisième part, mais le joueur qui

fournit la huitième et dernière part gagne 8 points. Si, à un moment donné, aucun joueur ne détient de carton de la couleur demandée, on tire une autre carte de la pile et on continue le gâteau en suivant le nouvel ordre de couleurs. De même, lorsqu'un gâteau est achevé, on puise une nouvelle carte pour commencer un autre gâteau. Étant donné qu'il y a en tout 64 bandes de carton, on peut faire jusqu'à huit gâteaux, mais les joueurs peuvent fixer l'objectif selon leur choix ou arrêter en cours de route. Celui qui marque le plus de points est déclaré gagnant.

LA FABRICATION

Pour faire les morceaux du gâteau, on utilise 32 bandes de carton de 20 centimètres sur 30, de cinq couleurs différentes, que l'on coupe en deux ; on obtient alors 64 cartons de 10 centimètres sur 30. On plie les cartons de façon à former des parts triangulaires. Pour obtenir les cartes rayées, on prend cinq feuilles de carton blanc léger que l'on découpe en 20 bandes de 2,5 centimètres sur 10. Avec des crayons de couleur, on reporte sur les cartes les cinq couleurs des cartons, en variant leur ordre d'une carte à l'autre.

• • • • • • • • • • • • • • • • • • •

Les cartons à enfiler

🎭 **4 à 8 joueurs**

✂️ **Du carton léger de couleurs variées, ficelles de 50 centimètres**

LE JEU

On donne à chaque joueur une ficelle d'environ 50 centimètres de long et une carte rayée de diverses couleurs. Avant le jeu, l'animateur a éparpillé un peu partout (sur le plancher, sous les meubles, sur les rayons de la bibliothèque) des triangles de carton de couleur. Au signal donné, chaque joueur doit trouver des cartons de la même couleur que les rayures de sa carte et les enfiler l'un après l'autre (tout en suivant soigneusement l'ordre des couleurs de la carte) sur sa ficelle. Le premier qui complète sa série gagne la partie. Si personne n'y a réussi au bout de 10 minutes, on arrête le jeu et on déclare gagnant celui qui a enfilé le plus de cartons dans l'ordre approprié.

LA FABRICATION

On utilise les mêmes articles que pour le jeu du gâteau, en y ajoutant simplement les ficelles. Avant le jeu, l'animateur peut pratiquer des fentes dans les triangles pour faciliter les manipulations : les joueurs y inséreront leur ficelle.

intérieur avec matériel spécifique

La tour aux pailles

2 à 6 joueurs

1 feuille de carton de 30 centimètres sur 45, 24 à 72 pailles de trois couleurs différentes, ciseaux, ruban adhésif , colle, agrafeuse

LE JEU

Le jeu consiste à placer des pailles à travers une tour de carton, qui mesure 15 centimètres de diamètre, en les faisant passer dans les trous de façon à ce qu'elles restent en équilibre. Il y a trois formats de pailles. Les plus courtes, qui ont 3 millimètres de plus que le diamètre de la tour, valent 6 points. Les moyennes (7 millimètres de plus que le diamètre) valent 3 points, et les plus longues (1 centimètre de plus que le diamètre) 1 point. On donne à chaque joueur 12 pailles, soit quatre de chaque format. À tour de rôle, les joueurs doivent placer une de leurs pailles. Tout joueur dont la paille tombe ou en touche une autre perd 4 points. Quand chacun des joueurs a placé ses 12 pailles, on additionne les points, et celui qui en a le plus est déclaré gagnant.

LA FABRICATION

Après avoir coupé les pailles aux longueurs voulues, on dessine au hasard sur le carton des triangles de diverses dimensions, que l'on découpe ensuite. Pour former la tour, on roule le carton de sorte que les deux bords se chevauchent légèrement et on fixe ceux-ci avec du ruban adhésif, de la colle ou des agrafes. Le

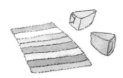

Les cartons à enfiler

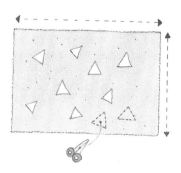

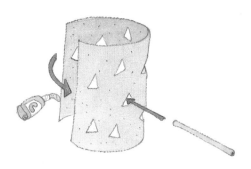

La tour aux pailles

cylindre aura 15 centimètres de diamètre. On prendra soin de le mesurer avec exactitude pour couper les pailles aux longueurs appropriées.

Le pousse-rondelles

■ 2 à 4 joueurs

✂ Pailles, 1 carré de carton de 20 centimètres, carton de différentes couleurs

LE JEU

Il s'agit de pousser les rondelles enfilées sur des pailles, de façon à les faire descendre complètement, à l'aide d'autres pailles qui servent de poussoirs. On assigne à chaque joueur une couleur (il y a le même nombre de rondelles pour chaque couleur). Au signal, chaque joueur s'attaque à une de ses rondelles. Le premier qui pousse sa rondelle jusqu'à la base de carton gagne le tour. Après neuf tours, celui qui a gagné le plus souvent est déclaré champion. Tout joueur qui touche une rondelle avec ses doigts ou qui casse une paille perd le tour.

LA FABRICATION

Pour loger les pailles, on perce 36 trous dans un carré de carton de 20 centimètres de côté. Les rondelles (neuf de chaque couleur) sont découpées dans du carton. Elles doivent être trouées avec soin, de façon à bien serrer autour des pailles.

La planche à macaronis

■ 2 à 8 joueurs

✂ 10 macaronis, ficelles, carré de carton

LE JEU

Les joueurs, tour à tour, s'efforcent de redresser les chaînes de macaronis en tirant sur les ficelles qui traversent le carré de carton. Celui qui a obtenu les meilleurs résultats en trois tours est déclaré gagnant.

LA FABRICATION

On enfile de 4 à 10 macaronis sur des ficelles que l'on fait passer à travers un carré de carton fort. Les ficelles sont rattachées les unes aux autres sous le carton, à environ 8 centimètres.

Les gobelets en puzzle

■ 2 à 4 joueurs

✂ 30 gobelets de polystyrène, carton

LE JEU

Le jeu consiste à reconstituer le plus rapidement possible des gobelets qui ont été coupés en deux. Chaque gobelet reconstitué vaut 1 point. Pour les enfants de 12 ans, on accorde à chaque joueur un maximum de 3 minutes par tour. Pour les jeunes enfants, le délai peut être fixé à 4 ou 5 minutes. Le concours peut se faire individuellement ou par équipes de deux. Quand chaque joueur a eu son tour, on additionne les points et celui qui en a le plus gagne.

LA FABRICATION

On utilise de 20 à 30 gobelets de polystyrène ; chacune est coupée en deux morceaux inégaux, comme les pièces d'un puzzle. Les morceaux de base sont collés sur une feuille de carton, les autres sont soigneusement mêlés.

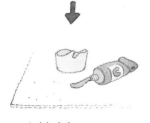

Le labyrinthe

• • • • • • • • • • • • • •

Le labyrinthe

▮▮ **2 à 4 joueurs**

⚒ **1 feuille de carton fort ou 1 planche de contreplaqué, billes, gobelets**

LE JEU

Il s'agit de faire passer une bille dans les trous qui ont été pratiqués dans les gobelets, en bougeant d'un côté et de l'autre le carton qui sert de base. Le joueur dont la bille traverse le plus grand nombre de gobelets en 3 minutes gagne. Chaque gobelet traversé rapporte 1 point, mais si la bille sort de la base de carton, le joueur doit céder la place au suivant, même s'il n'a pas fini son temps ; il ne marque alors que les points mérités avant son élimination.

LA FABRICATION

On peut utiliser les moitiés inférieures des gobelets qui ont servi au jeu prcédent. On découpe des trous au bas des gobelets que l'on colle solidement à une feuille de carton fort ou à une planche de contreplaqué. Pour retenir les billes, on peut entourer la piste d'une bordure de carton que l'on agrafe ou colle sur la planche.

• • • • • • • • • • • • • •

Le moulinet

▮▮ **2 à 6 joueurs**

⚒ **2 assiettes en carton, 1 paille, carton souple, colle ou ruban adhésif**

LE JEU

On donne à chaque joueur 16 rondelles de carton de même couleur. Le meneur de jeu fait tourner le moulinet. Lorsque celui-ci s'arrête, le premier joueur dépose une rondelle dans la section qui se trouve devant lui. Les joueurs jouent à tour de rôle jusqu'à ce que chacun ait placé ses 16 rondelles. Un joueur marque 1 point chaque fois que deux de ses rondelles se trouvent dans deux sections opposées du moulinet. Les rondelles qui sortent du moulinet pendant que ce dernier tourne ne comptent pas. Le gagnant est celui qui marque le plus de points.

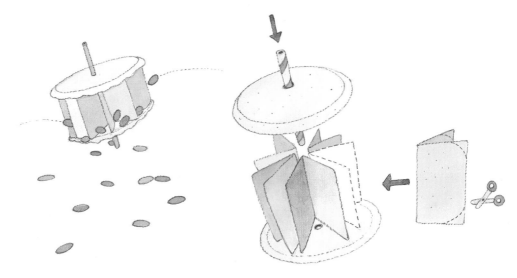

Le moulinet

LA FABRICATION

Pour fabriquer le moulinet, il faut deux assiettes en carton, une paille et 10 morceaux de carton souple de 20 centimètres sur 28. On insère la paille dans deux trous pratiqués au milieu des assiettes. On laisse entre les deux assiettes un espace de 12 centimètres. Pour former les 10 sections du moulinet, on découpe dans le carton cinq carrés de 12 centimètres de côté, que l'on plie en deux et que l'on fixe à la paille avec de la colle ou du ruban adhésif. Les rondelles, de 2 centimètres de diamètre, sont découpées dans les restes de carton.

• • • • • • • • • • • • • • • • • •

La planche à trous

🎎 **2 à 4 joueurs**

✂️ **1 feuille de carton fort et 1 bille**

LE JEU

Il s'agit, en bougeant d'un côté et de l'autre la planche, d'acheminer une bille du point de départ au point d'arrivée sans qu'elle tombe dans l'un des trous. Le joueur dont la bille se rend le plus loin a gagné.

LA FABRICATION

On construit avec du carton un labyrinthe de couloirs sur une feuille de carton fort de 30 cen-

timètres sur 45. On perce des trous à des endroits stratégiques, le long du parcours que la bille doit inévitablement suivre.

• • • • • • • • • • • • • • • • • •

La bonne paille

🎎 **2 à 4 joueurs**

✂️ **30 pailles, carton, colle, agrafes**

LE JEU

Les joueurs tirent, tour à tour, des pailles du fourreau. Avant de tirer une paille, chaque joueur doit en deviner la longueur. S'il réussit, il garde sa paille ; sinon, il doit la remettre dans le fourreau et céder sa place au joueur suivant. Ce dernier peut alors retirer la même paille en cherchant à bénéficier de l'erreur de son prédécesseur. Après cinq tours, le jeu s'arrête : le gagnant est celui qui a le plus de pailles.

LA FABRICATION

On coupe 30 pailles à diverses longueurs et on les insère dans un fourreau constitué d'un cylindre de carton. Pour faire le cylindre, on prend une bande de carton de 20 centimètres sur 25 dont on fixe les bords avec de la colle, des agrafes ou du ruban adhésif. Pour mesurer les pailles, on reporte leurs longueurs respectives sur une feuille de papier.

Le tapis à numéros

4 à 10 joueurs

Papier d'emballage ou carton ondulé

LE JEU

Les joueurs se mettent deux par deux. Les deux premiers concurrents se placent face à face, aux deux bouts du tapis, qui mesure environ 1,80 mètre de long ; ils se penchent en avant et s'agrippent d'une main. Les deux joueurs suivants jouent le rôle d'arbitres. Au signal convenu, chacun des concurrents essaie de tirer l'autre vers lui de façon à le faire marcher sur des zones de valeur négative, tout en s'efforçant lui-même de ne marcher que sur des zones de valeur positive. Le combat dure 1 minute. Les arbitres notent les zones sur lesquelles passent les joueurs, au fur et à mesure, et comptent les points. Le gagnant est celui qui marque le plus de points. On procède ensuite à des éliminatoires entre les gagnants des diverses paires pour déterminer le champion.

LA FABRICATION

On découpe dans du papier d'emballage ou du carton ondulé un tapis de 1 mètre sur 1,80 mètre environ. On délimite les zones numérotées en les dessinant sur le tapis ou en les découpant dans du carton de couleur que l'on collera ensuite sur le tapis.

VARIANTE

Le sauteur aveugle se joue individuellement. On donne à chaque joueur 1 minute pour examiner le tapis et repérer les différentes zones. Puis on lui bande les yeux et il doit alors traverser le tapis en sautant. Le but est de passer sur le plus de zones positives possible et d'éviter les autres. On compte les points et le joueur qui en marque le plus est déclaré gagnant.

Le sac gigogne

2 à 8 joueurs

1 balle de ping-pong, 5 sacs en papier de mêmes dimensions, agrafes

LE JEU

Les joueurs se placent à 1 mètre du sac. À tour de rôle, ils doivent lancer dans celui-ci une balle de ping-pong. Si la balle, en passant par un des trous, descend d'un étage, le lanceur marque 1 point. Si elle descend de deux étages, il marque 2 points, et ainsi de suite. Si elle tombe jusqu'en bas, le joueur récolte 4 points. En revanche, si elle est restée à l'étage supérieur, il ne marque aucun point. Pour savoir où la balle s'est arrêtée, il suffit de regarder par les fenêtres percées sur les côtés du sac. Après cinq tours, on additionne les points de chacun des joueurs : celui qui en a le plus gagne la

Le tapis à numéros

partie. On peut aussi fixer un objectif, par exemple de 25 points : le premier qui l'atteint est proclamé champion.

LA FABRICATION

On perce trois trous au fond de cinq sacs de papier de mêmes dimensions. (Les sacs en papier que l'on donne dans les boutiques ou les grands magasins feront très bien l'affaire.) Les trous sont situés à des endroits différents d'un sac à l'autre. Ils ont 6 ou 7 centimètres de diamètre, de sorte qu'ils sont légèrement plus larges que la balle de ping-pong. On enfile les sacs les uns dans les autres, en laissant entre eux des espaces de 8 à 10 centimètres de haut pour que la balle puisse rouler facilement. Pour maintenir les sacs en place, on les fixe les uns aux autres avec du ruban adhésif ou des agrafes. Des fenêtres pratiquées sur les côtés de la construction permettent de suivre le cheminement des balles et de les récupérer facilement.

•••••••••••••••••

Le tuyau percé

🤼 2 à 8 joueurs

✂ 20 billes, du carton, de la colle

LE JEU

On remet à chaque joueur 20 billes qu'il doit faire rouler une à une dans un tuyau percé de nombreux trous, en essayant de les faire tomber

dans le sac qui est attaché au bout du tuyau. Toute bille qui sort par un des trous est perdue. Celles qui arrivent au sac rapportent 1 point. Le joueur qui marque le plus de points a gagné.

LA FABRICATION

On perce dans six morceaux de carton des trous un peu plus grands que les billes. Puis on assemble les morceaux bout à bout avec de la colle pour obtenir un tuyau. On accroche un sac en plastique à une extrémité du tuyau que l'on peut appuyer sur deux bases de carton.

••••••••••••

Le passage

🤼 2 à 4 joueurs

✂ 1 paille, 10 cure-dents, 1 gobelet

LE JEU

On donne à chaque joueur une paille et 10 cure-dents. Il a 2 minutes pour faire tomber le plus de cure-dents possible dans le gobelet en carton en les faisant passer par la paille. Les pailles étant tordues et pliées, la chose n'est pas si facile. Le gagnant est celui qui réussit à placer le plus de cure-dents dans le gobelet.

LA FABRICATION

On perce au milieu du couvercle du gobelet en carton un trou dans lequel on enfonce autant de pailles qu'il y a de joueurs. Pour leur rendre la

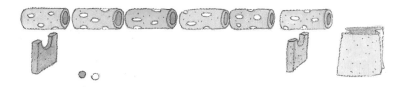

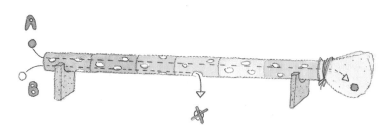

Le tuyau percé

tâche plus ardue, on plie et on tord les pailles. On peut même y pratiquer de petites entailles.

Le hérisson

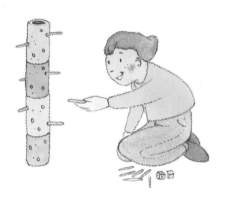

- 2 à 6 joueurs

- 2 dés, des cure-dents
  1 rouleau de carton

Le hérisson

LE JEU

Le premier joueur lance les deux dés, dans l'espoir d'obtenir une combinaison avantageuse. Quatre faces de chaque dé ont été colorées d'autant de teintes différentes. La face rouge vaut 8 points, la bleue en vaut 6, la jaune 4 et la verte 2. Les deux côtés non colorés valent zéro. (On ne tient donc pas compte de la valeur des dés.) Si un joueur obtient, par exemple, un côté rouge avec un dé et un bleu avec l'autre, il marque un total de 14 points ; il place en plus un cure-dents rouge dans la section rouge du héris-

son et un cure-dent bleu dans la section bleue. Les joueurs jouent les uns après les autres, n'ayant droit qu'à un lancer par tour. Tout joueur qui place un cure-dents dans le dernier trou libre d'une section double ses points. En revanche, un joueur qui obtient aux dés une couleur correspondant à une section dont tous les trous sont déjà occupés ne peut rien marquer. Le jeu se poursuit jusqu'à ce que tous les trous soient remplis. Le joueur qui obtient le plus de points gagne.

LA FABRICATION

Pour faire le hérisson (environ 40 centimètres de haut), on peut utiliser un rouleau de carton, comme ceux que l'on trouve avec le papier Sopalin ou le papier aluminium. Les couleurs sont peintes sur le rouleau, formant des sections bien égales de 10 centimètres. On perce 36 trous dans chaque section. On fait tremper les cure-dents dans des teintures de mêmes couleurs que les sections du rouleau. Quant aux dés, on peut facilement les colorer au crayon gras.

Les ronds cachés

- 2 à 4 joueurs

- Crayons de couleur et 1 feuille de carton

LE JEU

On donne à chaque joueur un crayon de la même couleur qu'une série de ronds peints sur la feuille de carton. On laisse les joueurs examiner la feuille pour bien repérer les ronds des diverses couleurs, puis on recouvre la feuille d'une autre feuille de papier. Le premier joueur doit faire un point à l'endroit où il croit que se trouve un rond de sa couleur. Le deuxième joueur trace alors une ligne de ce point à un autre où il croit qu'est situé un de ses ronds. Les autres joueurs en font autant, chacun à leur tour. Quand les joueurs ont fait ainsi autant de points qu'il y a de ronds sur la feuille, on découvre celle-ci. Le joueur qui a le mieux placé ses points a gagné.

LA FABRICATION

On dessine sur la feuille de carton des ronds de diverses dimensions, en autant de couleurs

A   B   C

Les ronds cachés

qu'il y a de joueurs et de façon à ce qu'il y ait le même nombre de ronds pour chaque joueur.

Le dessin surprise

2 à 4 joueurs

Des aiguilles à tricoter, 2 feuilles blanches, 1 feuille de papier carbone

LE JEU

On donne à chaque joueur un bloc constitué de deux feuilles blanches entre lesquelles est fixée une feuille de papier carbone. On convient d'un même sujet pour tous les joueurs : un être humain, un animal, etc. Au lieu de crayons, les artistes doivent se servir d'aiguilles à tricoter. Au bout du temps convenu, tout le monde arrête de dessiner. On soulève alors les carbones pour voir les résultats, souvent inattendus et amusants.

LA FABRICATION

On prépare les blocs à l'avance (une feuille de carbone entre deux feuilles blanches) en les fixant avec des agrafes ou des trombones.

Le cylindre troué

1 à 4 joueurs

Feuilles de carton, colle, pailles

LE JEU

Ce jeu consiste simplement à remettre à leur place les morceaux qui ont été découpés dans un cylindre en carton. Pour les enfants de 8 ans, le jeu peut faire l'objet d'un concours : on donne 1 point pour chaque pièce bien placée. Pour les joueurs plus jeunes, l'idée de compétition est superflue ; ils s'amuseront à mettre les pièces à la bonne place.

LA FABRICATION

On dessine sur des feuilles de carton des pièces de diverses formes (des ronds, des carrés, des triangles, etc.), que l'on découpe ensuite. On colle les bords des feuilles de façon à former des cylindres. Les pièces détachées sont fixées au bout de pailles.

Les places de train

2 à 4 joueurs

48 cure-dents, carton blanc et de couleur

LE JEU

On met dans une boîte, en les retournant, des billets numérotés de 1 à 48. On place à coté quatre séries de 12 cure-dents, chacune des séries étant de la couleur d'un des wagons : rouge, jaune, bleu et vert. Les sièges du wagon

Le mini-scrabble

rouge portent les numéros 1 à 12, ceux du jaune 13 à 24, ceux du bleu 25 à 36, et ceux du vert 37 à 48. Les joueurs, à tour de rôle, piochent un cure-dents et un billet. Si le numéro du billet correspond à un siège du wagon de la même couleur que le cure-dents, le joueur place son cure-dents à l'endroit approprié dans le wagon, marque 1 point et rejoue. Autrement, il remet le billet dans la boîte, face cachée, et laisse la place au suivant. Lorsque tous les cure-dents ont été placés, le joueur qui a le plus de points est déclaré gagnant.

LA FABRICATION

Les quatre wagons, qui mesurent environ 8 centimètres sur 20, sont découpés dans des cartons des diverses couleurs (rouge, jaune, bleu et vert). Les billets sont découpés dans du carton blanc. Si l'on ne trouve pas de cure-dents de couleurs, on teinte tout simplement des cure-dents ordinaires.

• • • • • • • • • • • • • • • • •

Le mini-Scrabble

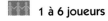 1 à 6 joueurs

✂ Lettres et chiffres en carton

LE JEU

On distribue un nombre égal de lettres (10 au minimum) aux joueurs, en prenant soin de donner à chacun quelques voyelles. Le jeu consiste à former autant de mots que possible avec les lettres. Le joueur qui en forme le plus en 3 minutes est déclaré gagnant.

LA FABRICATION

Les lettres de l'alphabet sont découpées dans du carton. (On compte quatre ou cinq exemplaires de chaque voyelle par joueur.)

VARIANTES

Le jeu de l'alphabet s'adresse aux enfants de 6 ans ne maîtrisant pas encore bien la lecture. Tous les joueurs ont les mêmes lettres et ils gagnent un point pour chaque lettre correctement identifiée.

Dans Le jeu des chiffres, on donne aux enfants des chiffres découpés dans du carton et on leur demande de former des suites, par exemple de un à cinq ou de trois à neuf. Si les enfants ont 6 ou 7 ans, on peut leur proposer des problèmes d'arithmétique élémentaire qu'ils doivent résoudre en utilisant les chiffres en carton.

• • • • • • • • • • • • •

La cueillette

👥 2 à 6 joueurs

✂ Carton, colle, agrafeuse

LE JEU

On donne à chaque joueur un panier en carton avec lequel il doit attraper les anneaux, également en carton, que l'animateur lance en l'air un à un. Celui qui en attrape le plus a gagné.

LA FABRICATION

Chaque panier se compose de huit bandes de carton de 5 centimètres sur 45. Six des bandes se croisent comme les rayons d'une roue et sont agrafées ensemble en leur milieu. La septième bande, qui forme le bord du panier, est également fixée au bout des autres par des agrafes. La dernière, agrafée de chaque côté du panier, forme l'anse. Les anneaux, au moins une trentaine, sont faits d'étroites bandes de carton dont les deux extrémités sont collées ou agrafées.

• • • • • • • • • • •

La chaîne

🏳 **2 à 6 joueurs**

✂ **77 fiches standard en carton**

LE JEU

Chaque joueur reçoit quatre cartes tirées d'un paquet de 77 cartes. Chaque carte porte une lettre. Le premier joueur pose une carte sur la table. Les autres, tour à tour, ajoutent des lettres une à une, cherchant à former un mot. Chaque fois qu'un joueur place une carte, il la remplace en en tirant une autre du paquet. Tout joueur qui termine un mot marque 1 point pour

chaque lettre du mot. On ramasse alors les cartes et on recommence. Un joueur qui ne peut terminer un mot peut passer son tour ou poser sur la table une carte de son choix. Dans ce dernier cas, cependant, il doit avoir un mot en tête et être prêt à le dire si on le lui demande, sinon il devra déduire de sa marque autant de points qu'il y a de cartes sur la table. S'il peut, en revanche, annoncer un mot à la demande d'un autre joueur, c'est ce dernier qui devra soustraire de sa marque un nombre de points égal à celui des cartes étalées sur la table. Le jeu se termine lorsqu'il ne reste plus de cartes dans le paquet. Chaque joueur déduit alors de ses points le nombre de cartes qu'il a en main. Celui qui a le plus de points a gagné.

LA FABRICATION

Pour faire les cartes, on se sert de fiches de format standard. On écrit deux alphabets complets sur 52 cartes. Les 25 cartes qui restent servent à ajouter cinq exemplaires de chacune des voyelles.

• •

Le casse-tête à prime

🏳 **2 à 4 joueurs**

✂ **Carton de diverses couleurs (dont blanc), planche de 45 centimètres sur 60**

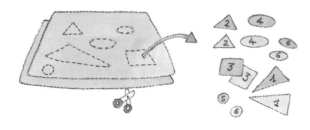

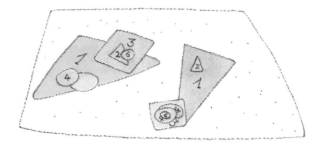

Le casse-tête à prime

LE JEU

On colle sur une planche une série de cartons de diverses formes géométriques. À certains endroits, on en superpose plusieurs, les plus petits se trouvant sur le dessus. À chaque figure collée sur le carton correspond une figure libre de même couleur et de même dimension ; elles portent toutes deux un même numéro indiquant leur valeur en points. Les joueurs, à tour de rôle, tirent des billets portant des numéros qui correspondent à ceux de deux formes géométriques semblables : l'une collée, l'autre libre. Chaque joueur doit trouver la pièce libre correspondant à son billet et la placer à l'endroit approprié. Il marque alors le nombre de points indiqué sur son billet et sa pièce. En outre, si la figure qu'il a tirée se trouve en cacher une ou deux autres sur la planche, il marque aussi la valeur de celles-ci. En revanche, un joueur qui tire un billet correspondant à une pièce déjà cachée perd son tour. Le casse-tête terminé, le joueur qui a le plus de points a gagné.

LA FABRICATION

On découpe dans du carton de diverses couleurs deux séries en tout point semblables de figures géométriques (de 35 à 40). Les deux séries de pièces sont numérotées de 1 à 35 (ou 40). On colle une des séries sur une planche ou un carton de 45 centimètres sur 60. La disposition des figures est sans importance mais on prendra soin de coller quelques-unes des plus petites sur d'autres plus grandes. Les billets sont découpés dans du carton blanc et numérotés sur un côté.

· · · · · · · · · · · · · · · · · ·

Le jeu des images

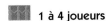 1 à 4 joueurs

Fiches standard, crayons de couleur, revues ou magazines

LE JEU

L'animateur montre les cartes une à une aux enfants, qui doivent, tour à tour, nommer les objets illustrés. Le gagnant est celui qui en nomme le plus grand nombre.

LA FABRICATION

On peut dessiner les images sur une cinquantaine de fiches de modèle standard ou utiliser des photos tirées dans des revues que l'on colle ou que l'on agrafe aux fiches.

· · · · · · · ·

La ville

2 à 6 joueurs

60 cartons de 10 centimètres sur 15

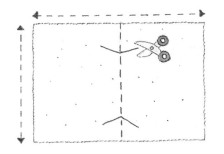

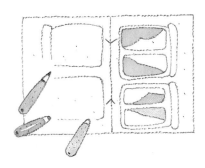

La ville

LE JEU

le but est de construire une ville avec un jeu de 60 cartes qui représentent soit des étages soit des toits. Les cartes qui forment les étages valent 2 points ; les autres ont des valeurs variables. On donne quatre cartes à chaque joueur. Tout joueur qui détient une carte-étage peut amorcer le jeu en la déposant sur la table. Il marque alors 3 points : 2 pour sa carte et 1 pour avoir commencé la construction d'un bâtiment. Par la suite, chaque joueur, lorsqu'il place une carte, touche les points que vaut sa carte plus un nombre de points égal au nombre d'étages que comporte, au moment où il joue, le bâtiment qu'il aide à construire. Le deuxième joueur peut faire trois choses. Tout d'abord, il peut ajouter une carte-étage à celle du premier joueur, ce qui lui vaut 4 points : 2 pour sa carte et 2 pour les deux étages de l'édifice. Il peut aussi placer un toit sur la première carte : il marque alors les points de sa carte-toit plus 1 point pour l'étage. (S'il y avait eu trois étages, il aurait marqué 1 point par étage, c'est-à-dire 3 points, en plus des points du toit.) Enfin, il peut entreprendre la construction d'un nouveau bâtiment avec une carte-étage, ce qui lui rapporte 3 points. Tout édifice sur lequel on pose un toit est aussitôt fini, aucun joueur ne pouvant y ajouter de carte. Les joueurs placent une carte à la fois, tour à tour. Lorsqu'un joueur n'a plus de cartes, il en pioche quatre nouvelles dans le paquet. Un joueur qui détient une carte de toit inachevé a intérêt à la placer le plus vite possible étant donné qu'une telle carte vaut – 2 points et que chaque étage en dessous vaut – 1 point. À la fin du jeu, le joueur qui a le plus de points a gagné.

LA FABRICATION

Les 60 cartes sont faites de morceaux de carton de 10 centimètres sur 15, pliés en deux. On dessine sur les cartes les étages ou les toits qu'elles représentent, et on y marque leur valeur. On fait dans le pli deux fentes de 0,5 centimètre pour que les cartes puissent s'insérer les unes dans les autres.

La ville

Le casse-tête animal

1 à 4 joueurs

Carton, papier calque, 2 exemplaires d'une même revue

LE JEU

À tour de rôle, les joueurs doivent placer les pièces sur le dessin de façon à reconstituer les animaux qui y sont représentés. Chaque pièce bien placée rapporte 1 point. En outre, une prime de 1 point est accordée à tout joueur qui met en place la dernière pièce d'un animal.

LA FABRICATION

On dessine de six à huit animaux différents sur un carton de 45 centimètres sur 60. On recopie ou on décalque les images sur une autre feuille et on les découpe en morceaux. On peut aussi se servir d'images prises dans deux exemplaires d'une même revue, c'est plus facile à réaliser.

La boîte-puzzle

1 à 4 joueurs

1 boîte en carton, papier cadeau

LE JEU

Chaque joueur a 30 secondes (ou 1 minute, selon l'âge des joueurs) pour mettre en place les pièces correspondant au dessin de la boîte. Le gagnant est celui qui en place le plus grand nombre.

LA FABRICATION

On colle sur le dessus et les côtés d'une boîte en carton du papier cadeau, dans lequel on a, au préalable, découpé des morceaux de formes géométriques variées. Faute de papier cadeau, on peut peindre ou colorier les dessins directement sur la boîte. Si les joueurs sont très jeunes, on fera bien de choisir un papier dont le dessin n'est pas trop compliqué et de donner aux pièces des formes simples.

Comme aux jonchets

2 à 4 joueurs

Carton fort, cure-dents, 1 pince à linge ou 1 peigne

LE JEU

Un joueur désigné au hasard laisse tomber sur la table une poignée de rondelles de carton et

Dans les fenêtres

une poignée de cure-dents, en désordre. Chaque joueur, à son tour, essaie de retirer des rondelles avec une pince à linge, des cure-dents ou un peigne, sans déplacer d'autres pièces que celle qu'il veut retirer. Tout joueur qui commet une faute doit aussitôt céder sa place au suivant. Chaque rondelle ou cure-dents retiré sans faire bouger les autres vaut 1 point. Le jeu se poursuit jusqu'à ce qu'il ne reste plus de rondelles ni de cure-dents. Le joueur qui a le plus de points est déclaré gagnant.

LA FABRICATION

Les cure-dents se trouvent dans le commerce. Les rondelles, de la grosseur d'une pièce de monnaie, sont tout simplement découpées dans du carton fort.

• • • • • • • • • • • • • • • • • •

Dans les fenêtres

🏃 1 à 4 joueurs

✂ 1 feuille de carton de
45 centimètres sur 60

LE JEU

Les enfants doivent reconnaître ce que représentent les cartes que l'animateur leur présente dans les diverses fenêtres. On peut procéder par tour, chaque joueur ayant chaque fois une image à identifier, ou laisser le même joueur

continuer jusqu'à ce qu'il fasse une erreur. Dans les deux cas, chaque bonne réponse vaut 1 point et chaque mauvaise réponse coûte 1 point. Quand toutes les images ont été identifiées, le joueur qui a le plus de points a gagné.

LA FABRICATION

On découpe dans une feuille de carton de 45 centimètres sur 60 des fenêtres de 5 centimètres sur 8. On pose une bande de papier sous chaque rangée de fenêtres en ne collant que le bas de la bande, pour pouvoir glisser les cartes dans le haut. Celles-ci, au nombre de 25, sont découpées dans du papier ; elles représentent des objets facilement identifiables.

• • • • • • • • • • • • • • • • • • • •

Le fil par les fenêtres

🏃 1 à 4 joueurs

✂ 1 fil de laine de 1,50 mètre, 1 aiguille
à tricoter, revues, 1 feuille de carton

LE JEU

On laisse aux joueurs un certain temps pour examiner soigneusement une feuille de carton sur laquelle sont dessinées des fenêtres. Puis on bande les yeux des joueurs à tour de rôle et on leur donne un fil de laine de 1,50 mètre de long dont un bout se termine par un nœud. Chaque joueur doit passer le fil dans cinq des

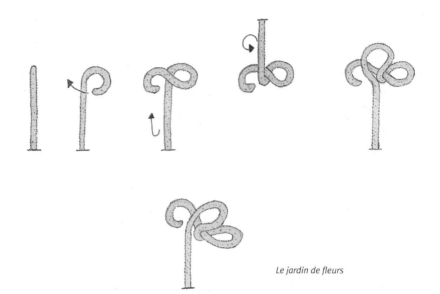

Le jardin de fleurs

trous percés dans le carton. Chaque passage par un trou situé dans une fenêtre vaut 1 point ; les autres ne comptent pas. Il est permis de passer le fil deux fois dans le même trou mais la seconde fois ne rapporte aucun point. La partie se termine lorsque des fils ont été passés par tous les trous des fenêtres. Le joueur qui a le plus de points a gagné la partie.

LA FABRICATION

On dessine des fenêtres de formes et de dimensions diverses sur une feuille de carton de 45 centimètres sur 60. Avec une aiguille à tricoter, on perce des trous un peu partout, de façon cependant à ce qu'il y en ait au moins trois dans chaque fenêtre. Au lieu de dessiner les fenêtres, on peut, bien entendu, les découper dans des revues et les coller sur le carton.

. . . .

Le jardin de fleurs

1 à 6 joueurs

64 cure-pipes, 1 carton carré de 20 centimètres de côté

LE JEU

Les joueurs doivent planter à tour de rôle des fleurs ou des feuilles faites de cure-pipes dans une base de carton. Toute plante bien placée,

c'est-à-dire qui n'en touche aucune autre, vaut 1 point. Chaque joueur a droit à deux essais par tour. Le jeu se termine lorsqu'il n'est plus possible de planter de fleurs ni de feuilles sans qu'elles touchent celles qui sont déjà en place. Le joueur qui a le plus de points a gagné.

LA FABRICATION

La base est formée d'un carré de carton de 20 centimètres de côté dans lequel on perce 64 trous à 2,5 centimètres les uns des autres. On utilise le même nombre de cure-pipes pour faire 32 fleurs et 32 feuilles. On plie les uns pour former trois pétales et on laisse les autres droits ou légèrement courbés.

. . . .

Les corps

2 à 6 joueurs

4 feuilles de carton de couleurs différentes

LE JEU

On utilise 60 cartes de carton également réparties en quatre séries de couleurs différentes. Chaque série se compose de 15 cartes, qui représentent les parties du corps humain : la tête, le cou, le torse, les bras, les mains, les cuisses, les genoux, les mollets et les pieds. Le donneur distribue quatre cartes à chacun. Il joue le premier en déposant une carte de son choix sur la table. Le deuxième joueur doit alors ajouter une carte qui prolonge la première : il déposera, par exemple, un pied au bout d'un mollet. Les cartes doivent être de la même couleur, c'est-à-dire appartenir au même corps. Si le deuxième joueur ne peut fournir de carte appropriée, il peut entreprendre la formation d'un deuxième corps, et ainsi de suite. Lorsque les quatre corps sont commencés, chaque joueur qui ne peut déposer une carte passe. Si tous sont obligés de passer, le donneur distribue deux nouvelles cartes à chacun et le jeu continue. Lorsqu'un joueur n'a plus de cartes, on lui en donne quatre nouvelles. Chaque carte placée vaut 1 point, sauf celle qui termine la formation d'un corps, qui vaut 15 points. Une fois les quatre corps achevés, c'est celui qui a le plus de points qui a gagné.

LA FABRICATION

On découpe dans du carton 60 cartes d'environ 10 centimètres sur 15. Chaque série est peinte

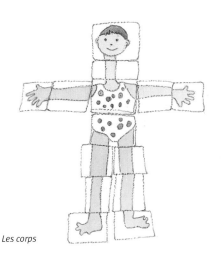

Les corps

dans une couleur différente et sur chaque carte on marque le nom de la partie du corps qu'elle représente. (Il n'est pas nécessaire de dessiner la partie du corps représentée, mais c'est plus amusant.)

. . . .

La pomme de pin

2 à 6 joueurs

1 feuille de carton de 30 x 45 centimètres, colle, agrafes

LE JEU

Après les avoir peintes, on coupe en deux 60 cartes de carton. On glisse, dans les fentes pratiquées à cet effet, 60 moitiés de cartes, les 60 autres étant distribuées aux joueurs. Ceux-ci doivent trouver dans la pomme de pin des cartes qui complètent les leurs. Le premier joueur pose une carte sur la table et en cherche l'autre moitié. S'il la trouve, il la tire, la dépose à côté de sa carte et marque 1 point. Dans le cas contraire, il laisse sa carte sur la table et perd 1 point. Le joueur suivant doit d'abord chercher dans le cône la carte correspondant à celle du premier joueur, si ce dernier ne l'a pas trouvée. S'il réussit, il marque 1 point et peut en outre jouer l'une de ses cartes, qui lui vaudra un deuxième point s'il en trouve l'autre moitié. Mais s'il ne trouve pas la moitié manquante de la carte du premier joueur, le deuxième joueur perd un point et passe son tour. La carte qui se trouve sur la table reste là tant que personne ne l'a mariée. Quand toutes les moitiés ont été réunies, le jeu se termine : le joueur qui a le plus de points est déclaré gagnant.

LA FABRICATION

La pomme de pin est faite d'une feuille de carton de 30 centimètres sur 45. Les deux cotés de 30 centimètres sont collés ou agrafés l'un à l'autre. On pratique dans le cône 60 fentes de 5 centimètres. On découpe dans du carton 60 cartes de 25 centimètres sur 4, que l'on peint de diverses couleurs, de façon qu'elles soient toutes différentes, et que l'on coupe ensuite en deux.

Index